LA ESTABILIDAD
DE LA ESPALDA

LA ESTABILIDAD DE LA ESPALDA

Un enfoque diferente para prevenir
y tratar el dolor de espalda

Christopher M. Norris

HISPANO
EUROPEA

Asesor Técnico: **Santos Berrocal**

Título de la edición original:
Back Stability

Es propiedad,
© **Christopher M. Norris**
Publicado por primera vez en lengua inglesa por
Human Kinetics, Champaign, Illinois, USA.

© de la edición en castellano, 2007:
Editorial Hispano Europea, S. A.
Primer de Maig, 21 - Pol. Ind. Gran Via Sud
08908 L'Hospitalet - Barcelona, España.
E-mail: hispanoeuropea@hispanoeuropea.com

© de la traducción: **Marià Pasarello Clérice**

Depósito Legal: B. 38477-2007

ISBN: 978-84-255-1749-5

Consulte nuestra web:
www.hispanoeuropea.com

IMPRESO EN ESPAÑA   PRINTED IN SPAIN

LIMPERGRAF, S. L. - Mogoda, 29-31 (Pol. Ind. Can Salvatella) - 08210 Barberà del Vallès

ÍNDICE

ÍNDICE

PRÓLOGO

Este libro nos presenta un enfoque al tratamiento del dolor de espalda que es diferente de los que hasta ahora se han visto. Me gustaría explicarle una breve historia para ilustrar mi punto de vista. Un miembro del personal que trabajó en este libro había sufrido dolores de espalda durante más de 25 años. Sólo un mes antes de que esta persona viera este manuscrito, había hecho un programa intensivo de entrenamiento de pesas de 12 semanas con la esperanza que le fuera de ayuda para su espalda. Le proporcionó cierto alivio, pero no fue gran cosa. Después de tener el manuscrito en sus manos, esta persona empezó a utilizar un par de los principios elementales descritos en el capítulo 4 (específicamente, el ahuecamiento abdominal y el fortalecimiento de sus músculos multífidos). Incluso no había hecho ninguno de los ejercicios –tan solo había practicado el ahuecamiento abdominal y el fortalecimiento de los multífidos al sentarse en su escritorio, en su coche, o mientras caminaba en el supermercado–. Un mes después de empezar su esfuerzo *mínimo*, ella me informó de que su dolor de ciática había disminuido hasta en un 80% y que su menor pero periódica incontinencia de ir de vientre causado por la afectación nerviosa de una vértebra, había disminuido desde una docena de episodios por semana a uno cada una o dos semanas.

Ciertamente yo no apoyé la decisión de esta persona de hacer solamente el mínimo para intentar aliviar sus problemas de espalda, menciono aquí esta historia para ilustrar un solo punto: ¡este *enfoque funciona!*

Funciona porque está basado en sólidos principios anatómicos, psicológicos y neurológicos. Los profesionales de la salud han sabido durante mucho tiempo que un gran número de problemas de espalda surgen por debilidad muscular, de modo que simplemente solucionan el problema haciendo ejercicios de fortalecimiento, que es como decir que a una persona con una infección se le den muchos antibióticos sin saber cuál es la medicina para el microbio.

He tratado muchas personas que tenían problemas terribles con su dolor lumbar. Un individuo puede tener unos músculos abdominales y los de la espalda fuertes mientras estos músculos que no se ven, de los que no se hace publicidad, que son invisibles y van a lo largo de la espina dorsal –y que la mantienen estable– son débiles y flácidos.

Este libro le muestra cómo ayudar a sus pacientes a solucionar problemas lumbares **yendo a las estructuras anatómicas actuales que controlan el problema** –y éstas no son simplemente los músculos grandes, que hacen que uno tenga una buena imagen en la playa–. Éstos son músculos casi invisibles como el abdominal transverso y el multífido; los tendones invisibles que se vuelven inelásticos; y los nervios escondidos que transportan impulsos invisibles, los cuales se pueden trabajar sorprendentemente bien (yo le enseñaré cómo) para estabilizar la espalda incluso cuando su paciente no esté pensando en ello. He afinado las técnicas descritas en este libro durante muchos años y he ayudado a miles de pacientes, que en su mayoría no habían tenido una ayuda significativa con los métodos tradicionales.

Si alguna vez trata, aconseja, entrena, hace masajes, o de cualquier manera trata con gente que tiene problemas lumbares, este libro es el apropiado. Si es un fisioterapeuta, quiropráctico, entrenador de deportistas o médico deportivo, este libro puede ser imprescindible para su práctica profesional. Incluso si es un lector casual y no entiende de aspectos técnicos, puede por lo menos beneficiarse de aprender los movimientos básicos que estabilizan la espalda, como en el capítulo 4.

Debido a que el cuerpo es una unidad compleja de sistemas interconectados, cualquier tratamiento debe dirigirse a todo el cuerpo, incluso cuando el objetivo sea un solo sistema. Así, la estabilidad de la espalda es una parte del enfoque holístico centrado en el equilibrio muscular. Los músculos afectan al soporte de la espina dorsal, a la postura, a la capacidad para movernos y a la manera en que nos movemos. Si examinamos los factores biomecánicos que afectan a la espalda podemos ver que hay tres elementos que se combinan para restaurar el equilibrio muscular necesario para la estabilidad de la espalda: la corrección del control segmental, el acortamiento y fortalecimiento de los músculos laxos y el estiramiento de los músculos tónicos. En este libro, le explicaré estos tres elementos y le mostraré cómo ordenarlos de acuerdo con cada síntoma de sus pacientes, utilizándolos para hacer un programa único adaptado a cada paciente.

En la primera parte («Las bases conceptuales»), le guío a través de las bases anatómicas, psicológicas y neurológicas del dolor de espalda, tanto en los enfoques tradicionales de tratamiento como en los más modernos. Le ayudo a entender *porqué* los enfoques tradicionales muy a menudo no funcionan y *porqué* el método de estabilización

de espalda tiene tanto éxito. Luego, en la segunda parte («Ejercicios para proporcionar la estabilidad»), le muestro cómo enseñar a sus pacientes las habilidades básicas para la estabilización de la espalda. En la tercera parte («Desarrollar la estabilidad de espalda»), le propongo una amplia gama de ejercicios que ayudarán a sus pacientes a prevenir la recaída de sus dolores de espalda y a rehabilitarla (cuando sea apropiado) en los arduos levantamientos del trabajo o en retos deportivos. Finalmente, en la cuarta parte («Unir todas las piezas»), argumento cómo puede decidir qué evaluaciones, qué ejercicios, etc., debe prescribir para cada paciente. Asegúrese de no aplicar lo que aquí se expone en sus pacientes hasta que haya estudiado el capítulo 10, ya que éste es el mapa que le ayudará a navegar por los ejercicios que cada paciente requiera en particular. El capítulo 11, aunque corto, es vital, ya que brevemente le señala como debería adiestrar a sus pacientes para evitar recaídas en sus lesiones de espalda.

Se han escogido figuras sencillas, en lugar de figuras más realistas, para representar a seres humanos en las ilustraciones de los ejercicios en los que la posición de la cadera pueda tener cierta dificultad de comprensión para el público en general. Este mecanismo facilita a sus pacientes adoptar la posición de la cadera requerida en estos ejercicios particulares. Cuando estimamos que los dibujos más realistas podrían ser más esclarecedores, los hemos utilizado. Así que, cuando lleve a cabo la prescripción, puede usar este libro como una herramienta de enseñanza, mostrando a sus pacientes los dibujos mientras les explica los ejercicios y éstos serán capaces de ver claramente cuáles son las posiciones más adecuadas.

Christopher M. Norris

AGRADECIMIENTOS

Me gustaría agradecer a Brian Mustain por traducir del inglés británico al americano este libro y por desenredar la «bola de lana» que eran mis pensamientos, y a Elaine Mustain por mantener la inercia del libro cuando todo parecía perdido.

Además de las referencias citadas en este libro, agradezco el trabajo de muchas personas en el campo de la estabilidad de espalda, incluyendo a Carolyn Richardson, Gwendolen Jull, Paul Hodges, y Julie Hides de la Universidad de Queensland, Australia; Vladamir Janda y Karl Lewit de la Universidad de Praga, República Checa; Shirley Sahrmann de la Universidad de Washington, EEUU; y a Mark Comerford del control cinético, de Inglaterra.

También me gustaría agradecer al personal de Norris Associates, de Manchester, Inglaterra, por compartir su experiencia clínica en el campo de la estabilidad de espalda.

PRIMERA PARTE

LAS BASES CONCEPTUALES

Debido a que el enfoque que se ha utilizado en este libro difiere de alguna manera de lo que se ha visto hasta ahora, es importante que entienda las bases teóricas de lo que lea. Comienzo en el capítulo 1 (¿Qué es la estabilidad de la espalda?) con una introducción general de los problemas de dolor e inestabilidad de la espalda. De alguna manera, el problema «real» es que algunos profesionales de la salud no entienden que la inestabilidad muchas veces es el problema de la lumbalgia. La gente que sufre dolores de espalda puede estar sujeta a manipulaciones, instruida para realizar ejercicios, con tal de «funcionar» les pueden ser recetados medicamentos para relajar su musculatura y ser tratados con agujas eléctricas, todo ello hecho con la intención de aliviar su dolor. Pero, sorprendentemente, sólo unos cuantos profesionales ven que el problema de la lumbalgia tiene un origen muy simple: los tejidos que envuelven la espina dorsal no la sustentan y que debido a esto se tambalea de una manera que afecta en los nervios y en general perjudica la calidad de vida de la persona. Los enfoques tradicionales son muy a menudo de ayuda, pero hay algunos pacientes en los que simplemente con los tratamientos tradicionales no se llega completamente a la raíz del problema.

La intención de este libro es enseñarle cómo hacer frente al dolor de espalda ayudando a sus pacientes a estabilizar su columna vertebral. De la discusión etiológica básica en el capítulo 1, prosigo en el capítulo 2 («Biomecánica de la columna lumbar») explicando cómo funciona la espina dorsal: su anatomía, sus movimientos, hasta las relaciones físicas de cómo se levanta un objeto.

Luego en el capítulo 3 («Mecanismos de estabilización de la columna lumbar»), le muestro cómo las lecciones anatómicas de los dos primeros capítulos nos llevan de manera lógica a algunos tratamientos específicos, muchas veces ignorados.

Espero que digiera estos tres capítulos de manera exhaustiva, ya que sin estas bases conceptuales, verá que el resto del libro no es nada más que un simple listado de ejercicios. Sin embargo, si valora las bases anatómicas y fisiológicas de los siguientes capítulos, verá en qué forma los capítulos van abriendo para sus pacientes un mundo de nuevas posibilidades que nunca alcanzarían con los programas tradicionales.

CAPÍTULO 1

¿QUÉ ES LA ESTABILIDAD DE LA ESPALDA?

El dolor de espalda es un problema universal, particularmente importante en la mayoría de países occidentales sedentarios. La información nueva sobre este tema está estimulando nuevas maneras de tratar el problema, centrándonos particularmente en los nuevos enfoques al ejercicio.

ALCANCE DEL PROBLEMA

Un 80% de las personas de los países occidentales sufrirán por lo menos un episodio de lumbalgia durante sus vidas; en cualquier momento, un 35% de la población puede sufrir alguna clase de dolor de espalda (Frymoyer y Cats-Baril 1991). Los costes son enormes, financieros y en términos de sufrimiento personal. La mayoría de las personas que han sufrido una lumbalgia se recuperan dentro de las seis semanas posteriores, pero de un 5 a un 15% de los sujetos evolucionan hacia una discapacidad permanente, siendo casi el 90% del gasto total (Liebenson 1996). Desafortunadamente, la recaída del dolor de espalda después de un episodio agudo es bastante común. Más de un 60% de las personas que padecen un episodio agudo de lumbalgia experimentarán otro en menos de un año y un 45% de estos tendrán una segunda recaída en los siguientes cuatro años (Liebenson 1996).

El dolor de espalda es universal. Los que lo padecen en los EEUU gastan 60 billones de dólares cada año en los tratamientos (Frymoyer y Gordon 1989) y reciben 27 billo-nes de dólares por discapacidad permanente. La tasa de incremento del dolor de espalda es catorce veces más grande que la del crecimiento de la población y durante un periodo que las indemnizaciones por cualquier discapacidad subieron un 347%, las indemnizaciones por dolor de espalda se aumentaron un 2.680% (Frymoyer y Cats-Baril 1991).

> **PUNTO CLAVE**
>
> Un 15% de los sujetos con lumbalgia evolucionan hacia una discapacidad permanente y el 60% padecen otra recaída de dolor en el año siguiente.

En el Reino Unido, se perdieron 46,5 millones de días de trabajo debido al dolor de espalda en el 1989, representando un coste al National Health Service (Servicio Nacional de Salud) de 0,5 billones de libras (840 millones de dólares) cada año e incluso un coste mayor a la industria de 5,1 billones de libras (8.590 millones de dólares) en pérdida de producción (CSP 1998; Tye y Brown 1990). En el periodo 1994-1995, 14 millones de personas en el Reino Unido tuvieron que visitar a sus médicos debido al dolor de espalda y perdieron 116 millones de días laborables.

UNA NUEVA MIRADA A LA ETIOLOGÍA Y AL TRATAMIENTO DEL DOLOR DE ESPALDA

A pesar del enorme incremento en el número de enfermos con dolor de espalda en las dos últimas décadas, el conocimiento popular sobre la naturaleza del dolor de espalda se ha mantenido de alguna manera bastante estancado. Comúnmente se cree que el dolor de espalda viene producido por una lesión estructural o un fallo que debe ser corregido para que se reduzca el dolor y restaurar todas las funciones. De acuerdo con este punto de vista, el funcionamiento normal es imposible –o hasta peligroso– hasta que la estructura defectuosa ha cambiado (Zusman 1998).

Aunque es verdad que muchas personas con lumbalgia manifiestan cambios estructurales, los escáneres CT (tomografías computarizadas) realizados, presentan unos resultados similares en un 50% de sujetos normales, sujetos asintomáticos (Boden et al 1990; Jensel et al. 1994). Ocurre lo mismo con los cambios radiográficos en la columna lumbar: tantos sujetos sin dolor muestran evidencias de degeneración discal como aquellos con dolor (Nachemson 1992). Es más, estudios con cadáveres muestran que no hay correlación entre los cambios estructurales en la columna lumbar y un historial médico con lumbalgias (Viedeman et al. 1990) y que grandes lesiones discales con compresión nerviosa pueden ser totalmente asintomáticas (Saal 1995).

PUNTO CLAVE

Los cambios estructurales en la espina dorsal son tan posibles en sujetos asintomáticos como en aquellos con lumbalgias y con pérdida de funcionalidad.

Causas no orgánicas del dolor de espalda

Por lo menos hay tres causas del dolor de espalda que no se originan en el cuerpo del enfermo: yatrogenia, forense y comportamental (comparar Zusman 1998).

• Los factores yatrogénicos (producidos por el médico) incluyen tipificaciones de discapacidades y las consecuencias de los desacondicionamientos a través del descanso prolongado (cama). Por ejemplo, un diagnóstico de «hernia discal» es mucho más amenazante para el paciente que un simple «dolor de espalda», aunque la cantidad de dolor experimentada por el paciente puede ser la misma en ambos casos. Los diagnósticos que impliquen enfermedades o discapacidades como la artritis, también sugieren estados severos de dolor cuya patología está presente tan sólo en su forma más leve. Diagnósticos alternativos como ligeras molestias o desgaste normal son menos amenazantes. Aunque evitar actividades con estrés en la espalda es importante y descansar poco tiene su efecto, los mecanismos prolongados también han demostrado ser contraproducentes. Deyo et al. (1986) comparó el descanso de dos días en cama con el descanso de dos semanas. Se dieron cuenta que ambos periodos eran igualmente efectivos en términos de disminución de dolor, pero el periodo de dos semanas condujo a significativos efectos negativos debido a la inmovilización (como debilitación y entumecimiento alrededor de la espina dorsal) que no se encontraban presentes en el periodo de dos días de encamamiento.

• Los factores forenses (asociados con los procedimientos legales) contribuyen significativamente al dolor crónico de espalda. En un estudio con 2.000 pacientes con dolor de espalda (Long

1995), el hecho de estar involucrados en litigios fue el único factor que predijo con precisión que una persona no volvería rápidamente al trabajo.

- Dos factores importantes del comportamiento son la percepción de la discapacidad y la anticipación del dolor.

1. **La percepción de la discapacidad.** Los pacientes a menudo no logran tomar parte en las actividades diarias porque creen que no son físicamente capaces de hacer la tarea, aunque los cambios estructurales en su columna vertebral no corroboren su opinión (Zusman 1998). Las percepciones de las discapacidades son, con frecuencia, asociadas a un miedo equivocado a la recaída (Vlaeyen et al, 1995).

2. **La anticipación del dolor.** A menudo la anticipación del dolor más que el dolor mismo es suficiente para limitar la actividad y crear comportamientos preventivos (Zusman 1998). Los cambios físicos producidos por el miedo al dolor pueden ser medidos por los registros electromiográficos superficiales (REMs). Main y Watson (1996) aplicaron estímulos nocivos al trapecio superior en sujetos normales y en sujetos que tenían dolores de espalda. Los sujetos normales mostraron un incremento del reflejo esperado en la actividad REMs en la musculatura del trapecio. Aquellos con dolor de espalda, sin embargo, mostraron la reacción no en la porción superior del trapecio, sino en la región lumbar. Esto sugiere que los sujetos ven cualquier dolor como parte inherente del estado de su espalda aun cuando el dolor estaba ocurriendo en realidad en otra parte de su cuerpo.

PUNTO CLAVE

La percepción de la discapacidad y la anticipación del dolor contribuyen significativamente a la pérdida de funcionalidad.

Un nuevo modelo para la aproximación al dolor de espalda

Tradicionalmente, la mayor parte de la gente ha percibido el dolor de espalda como una afección estructural que requiere descanso para recuperarse. La nueva información está retando este enfoque. No obstante, la visión del dolor de espalda, por lo menos en parte como un cambio funcional, requiere tratamiento funcional. El ejercicio está en la vanguardia de este nuevo enfoque.

El modelo tradicional

El descanso es aún el tratamiento más común para el dolor de espalda, a pesar del hecho de que el descanso prolongado ha demostrado ser perjudicial. Los ejercicios controlados restauran la funcionalidad, reducen la angustia y la percepción de la discapacidad, diminuyen el dolor y fomentan el retorno al trabajo (Waddell 1987). El descanso tiene poco efecto en el historial natural del dolor de espalda y en realidad puede acrecentar su gravedad (Twomey y Taylor 1994). Para el dolor de espalda sin una radiación significativa, el descanso en cama se debería limitar a un máximo de dos días. Periodos más largos son seguramente contraproducentes, debido a los efectos negativos de la inactividad por inmovilización de todo el cuerpo (Spitzer et al. 1987).

La cirugía es efectiva solamente en un pequeño grupo de pacientes con lumbalgia. Waddell (1987) argumentó que la intervención quirúrgica puede ayudar tan sólo a un

1% de los pacientes. Comparando los pacientes con hernias discales que se intervinieron quirúrgicamente y los pacientes que realizaron el tratamiento conservador, Weber (1983) no encontró diferencias en los resultados al cabo de dos años. El tratamiento conservador agresivo puede tratar por encima del 80% de los pacientes diagnosticados con ciática y con evidencias radiológicas de un pinzamiento de la raíz nerviosa (Bush et al. 1992). De acuerdo con Allan y Waddell (1989), «la cirugía discal... ha dejado tras de sí peores resultados que cualquier otra operación en la historia».

El nuevo modelo

Al proponer un nuevo modelo para el tratamiento del dolor de espalda, Waddell (1987) recomendó que el papel del paciente tenía que cambiar de ser un mero receptor pasivo del tratamiento a tener un papel activo compartiendo la responsabilidad para la restauración de su funcionalidad. Los profesionales de la rehabilitación cada vez más están adoptando esta filosofía, utilizando programas de ejercicios para incrementar la estabilización lumbar (Jull y Richardson 1994b; Norris 1995a; O'Sullivan et al. 1997). He aquí algunos ejemplos:

- Para una **hernia discal lumbar**. Un programa de rehabilitación que hizo hincapié *en ejercicios terapéuticos basados en la técnica* trató eficazmente hernias discales lumbares (Saal y Saal 1989) y rehabilitó jugadores de fútbol americano con lesiones de espalda (Saal 1988). El programa se centraba en restaurar el control automático de estabilización del tronco enseñando a los sujetos a mantener una posición pélvica lumbar correcta (por ejemplo, «la posición neutral» –ver la si-guiente discusión–) mientras realizaban progresivamente tareas más complejas. En un estudio hecho por Skall et al. (1994), el ejercicio intensivo cuando el dolor no era un factor limitante fue más efectivo que el ejercicio de movilización suave en las cinco semanas siguientes a la intervención. Un posterior seguimiento anual mostró una tendencia en favor del grupo que hacia ejercicio intensivo. Aun cuando el diagnóstico es incierto, el ejercicio progresivo –consistente en fortalecimiento, entrenamiento propioceptivo y entrenamiento aeróbico– puede restablecer la funcionalidad sin dolor (Deutsch 1996). El dolor, la disfunción física y la disfunción psicosocial de los pacientes mejoró después de que se realizara un programa de ejercicios de 10 semanas para lumbalgia crónica estudiado por Risch et al. (1993), mientras que los otros tres factores empeoraron para aquellos que permanecieron inactivos.

- Para **espondilólisis** o **espondilolistesis.** Un programa de estabilidad de espalda enfocado a los abdominales oblicuos y al multífido fue más efectivo que la rehabilitación convencional en pacientes con diagnósticos radiográficos de espondilólisis o espondilolistesis (O'Sullivan et al 1997). En este estudio, un grupo de pacientes se sometieron a un programa de 10 semanas de trabajo de gimnasia, incluyendo ejercicios de inclinaciones del tronco, ejercicios generales como la natación y actividades que aliviaran el dolor. Un segundo grupo, que había hecho sólo ejercicios de estabilidad de espalda, mostró una reducción estadísticamente significativa en la intensidad del dolor, en la tabla de percepción de dolor y en la de discapacidad funcional que se mantuvo a los treinta meses de seguimiento (figura 1.1). Este estudio proporciona la mayor evidencia nunca considerada antes en la literatura sobre la efectividad de los programas de estabilización de la columna lumbar. He ampliado algunas de estas técnicas para utilizarlas en este libro.

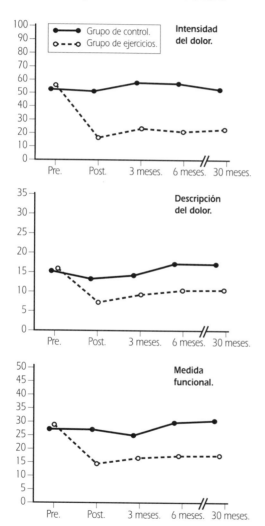

Fig. 1.1. Comparación de los efectos de los ejercicios convencionales y de los ejercicios de estabilidad en la espondilólisis/espondilolistesis.
Adaptado de O'Sullivan et al. 1997.

MODELO UTILIZADO EN ESTE LIBRO: ESTABILIZACIÓN LUMBAR

Este libro presenta un método de tratamiento de la espalda basado en el nuevo modelo de participación activa del paciente. El concepto más importante subyacente en el programa es la contraposición entre la estabilidad y la inestabilidad de la columna lumbar.

La **inestabilidad** de la columna lumbar no es lo mismo que la **hipermovilidad**. En ambos casos la amplitud de movimiento es mayor a la norma. Sin embargo, la inestabilidad está presente cuando hay «una amplitud excesiva de movimiento anómalo para la que no existe un control muscular de protección». No hay inestabilidad en la hipermovilidad, puesto que en ésta, a pesar de la «excesiva amplitud del movimiento... sí se tiene un control muscular completo» (Maitland 1986). La principal característica de la estabilidad es, por tanto, **la capacidad del cuerpo de controlar todo el rango completo del movimiento de una articulación, en este caso de la columna lumbar**.

> **PUNTO CLAVE**
>
> La estabilidad de una articulación implica la capacidad del cuerpo de controlar en su totalidad la amplitud del movimiento alrededor de la misma.

Una columna lumbar inestable no puede mantener una correcta alineación vertebral. Debido a que el segmento inestable es menos rígido (menos resistente al movimiento), el movimiento en la columna vertebral se incrementa aún bajo cargas mínimas, alternando de este modo la calidad y la cantidad de movimiento. A menudo la columna lumbar inestable no revela daño clínico en la médula espinal o en las raíces nerviosas y no refleja deformidad incapacitante. Sin embargo, si no se trata, una columna lumbar inestable podría irritar o dañar tejidos neurales, conduciéndonos hacia signos neurológicos positivos en un examen clínico. Por lo tanto, el examen neurológico positivo, no excluye la prescripción de ejercicios de estabilización, pues la inestabilidad puede ser efectivamente la causa de estos resultados positivos.

El movimiento excesivo en una columna lumbar inestable podría estirar o comprimir las estructuras sensibles al dolor, encabezando la posterior inflamación (Kirkaldy-Willis 1990; Panjabi 1992). Hay un número de signos físicos que pueden insinuar que existe inestabilidad en una evaluación clínica, como se describe en «Signos físicos de la inestabilidad», más abajo. Ver también «Evaluación preliminar de su paciente», página 231.

Signos físicos de inestabilidad

- Deformación del paso (espondilolistesis) o deformación en la rotación (espondilólisis) en bipedestación, que se reduce en decúbito.
- Banda transversal del espasmo muscular que se reduce en decúbito.
- Temblores musculares localizados al cambiar el peso de una pierna a la otra.
- Vibraciones o temblores durante la inclinación anteriror.
- Alteración en el test de movilidad intervertebral pasiva, indicando una movilidad excesiva en el plano sagital.

Fuente: París 1985; Maitland 1986

Movimiento estable y posición de la columna lumbar

Tanto la posición gruesa como la fina en la columna lumbar, son vitales para devolver la estabilidad y podrían ser descritas bajo los términos de «zona neutral» y «posición neutral». El control de estas posiciones requiere una interacción entre varios sistemas corporales y forma las bases del programa de estabilidad de la espalda.

Movimiento en la zona neutral

La **inestabilidad lumbar** se puede definir como la amplitud de movimiento excesiva sin control muscular. Otro modo de ver la inestabilidad es como una pérdida de rigidez (Pope y Panjabi 1985), no la condición negativa a la que nos referimos cuando hablamos de «una espalda rígida», sino más bien al factor positivo refiriéndonos a la cantidad de resistencia que proporciona una estructura (en este caso, la columna lumbar) para moverse contra una fuerza. (Imagínese el brazo de un culturista luchando contra uno débil y considere cuál de los dos sería más estable/rígido). Menos rigidez nos conduce a más movimiento con la aplicación de la misma fuerza. Si una espalda no es suficientemente rígida, se torcerá y se moverá con la aplicación de fuerzas muy pequeñas, repercutiendo en una compresión o estiramiento de las estructuras sensibles. Como consecuencia de esto aparecerá el dolor.

Panjabi et al. (1989) propuso el concepto de **zona neutral** como la amplitud de movilidad articular libre comprendida desde el inicio del movimiento hasta que éste encuentra la resisencia ofrecida por el sistema muscular y el ligamento capsular propio de la articulación. La zona neutral representa la amplitud de movimiento en la que no existe restricción efectiva, ni activa, ni pasiva. Es el desplazamiento vertebral que sucede antes que se ofrezca resistencia alguna. Un segmento espinal de gran inestabilidad tiene una zona neutral bastante amplia (figura 1.2). Los fisioterapeutas utilizan este concepto cuando

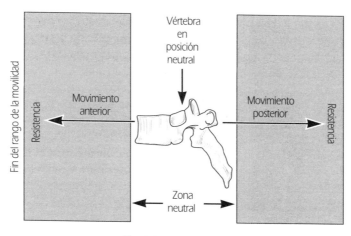

Fig. 1.2. La zona neutral

evalúan los movimientos de la articulación lumbar por palpación –notan tanto el comienzo de la resistencia al movimiento como el del dolor al movilizar la articulación–. En el caso de la columna lumbar en posición prona, este tipo de movimiento se halla normalmente en dirección postero-anterior (PA). Hay que tener presente que la resistencia que notan los fisioterapeutas es en gran parte pasiva y no representa necesariamente una resistencia significativa ofrecida por la contracción muscular.

El sistema de estabilización pasivo (sistema capsulo-ligamentoso articular) reduce el movimiento al acercarse hacia la zona neutral. Nuestra estrategia, sin embargo, es *reducir el tamaño* de la zona neutral incrementando la estabilidad muscular. Los ejercicios que mejoran la estabilidad muscular pueden reducir el movimiento en la zona neutral antes que los elementos pasivos intervengan. Dese cuenta de que el movimiento de la zona neutral es diferente de la amplitud total de movimiento –aun cuando los ejercicios estabilizadores incrementan la «rigidez» muscular, no se reduce correspondientemente la amplitud total de

movimiento–. Panjabi (1992) investigó la relación entre la amplitud total y la amplitud de la zona neutral estudiando el efecto de la fijación externa en las cervicales de cadáveres, y se dio cuenta de que el movimiento de la zona neutral se redujo en más de un 70% asociándolo con una reducción de sólo un 40% de la amplitud total de movimiento. Al reducir el tamaño de la zona neutral, el programa de estabilidad de espalda disminuye la cantidad de movimiento que ocurre cuando se aplican unas fuerzas mínimas sobre la columna lumbar (por ejemplo, estas mismas fuerzas que, cuando experimentadas hora tras hora, pueden producir compresión/estiramientos que nos conducirán al dolor). Una espalda estable no es constantemente castigada por pequeñas presiones relacionadas simplemente con sentarse, ponerse de pie, etc., como la de los individuos con la columna lumbar inestable.

PUNTO CLAVE

La inestabilidad altera la calidad y la cantidad de movimiento lumbar.

La posición neutral de la columna lumbar

La posición neutral de la columna lumbar es diferente de la zona neutral. La **posición neutral lumbar** se refiere a un movimiento global de la columna lumbar más que a movimientos individuales entre vértebra y vértebra. La posición lumbar neutral está a la mitad entre la flexión completa y la extensión completa que se produce por la anteversión y retroversión de la pelvis. Enseñar a los pacientes a identificar y mantener la posición neutral de su columna lumbar es un componente clave de cada etapa del programa de estabilidad, ya que la posición neutral causa un estrés mínimo en los tejidos del cuerpo. También, debido a que el alineamiento postural es óptimo, la posición neutral es generalmente la posición más efectiva a partir de la cual los músculos del tronco pueden actuar.

> **PUNTO CLAVE**
>
> La posición neutral de la columna lumbar es importante en todas las etapas del programa de estabilidad de espalda, ya que minimiza el estrés sobre la columna lumbar.

Lograr la estabilidad de la espina dorsal y cómo mantenerla

Tres sistemas interrelacionados mantienen la estabilidad de la espina dorsal (figura 1.3). Los tejidos **inertes** (en particular, ligamentos) dan soporte pasivo; los tejidos **contráctiles** dan soporte activo; y el control **neural** se centra en coordinar el *feedback* sensorial de los dos sistemas (Panjabi 1992). Puesto que uno o dos sistemas pueden compensar la reducida estabilidad del otro, el sistema activo puede a veces incrementar su contribución a la estabilidad de manera que minimice el estrés al sistema pasivo (Tropp et al. 1993). Cuando el objetivo de la rehabilitación es la cura de la espina dorsal, los ejercicios apropiados –permitiendo al sistema activo recibir más de la carga total colocada en la espalda– pueden permitirle al sistema pasivo subsanarse a sí mismo. El resultado final es la disminución del dolor y el incremento de la funcionalidad. A la inversa, la continua carga del sistema pasivo sin un soporte adecuado del sistema activo puede incrementar el tiempo de recuperación y conducirnos a un daño mayor de los tejidos.

No obstante, si simplemente desarrollamos fuerza muscular, el resultado es insuficiente. Para proporcionar el máximo alivio al sistema pasivo, se deben aumentar los otros dos sistemas (por ejemplo, el activo y el control neural de los sistemas). Sin embargo muchos ejercicios comunes de fuerza para el tronco pueden incrementar la movilidad en esta región hasta niveles peligrosos (Norris 1993, 1994a). Más que mejorar la estabilidad, los ejercicios de este tipo pueden reducirla y por lo tanto exacerbar los síntomas –especialmente aquellos asociados con la inflamación–. Un ejemplo es el movimiento de elevación de piernas extendidas donde ambas piernas se levantan simultáneamente desde una posición supina recostado. Aunque los individuos que hacen estos ejercicios pueden fortalecer sus músculos abdominales, a menudo fracasan en mantener el alineamiento pélvico. La inclinación de la pelvis nos conduce a una compresión de las carillas articulares y a un sobreestiramiento de los tejidos anteriores de la espina dorsal. En este caso, el ligamento longitudinal anterior de la espina dorsal puede ser sobreestirado, reduciendo el efecto de una estructura estabilizadora pasiva importante.

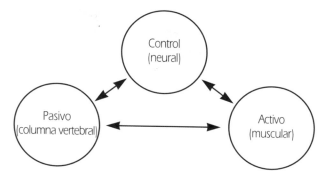

Fig. 1.3. El sistema de estabilización de la espina dorsal consiste en tres subsistemas interrelacionados.

Impreso con la autorización de M. M. Panjabi, 1992, «La estabilización de la espina dorsal. Parte 1. Función, disfunción, adaptación y aumento», Journal of Spinal Disorders 5 (4): 383-389.

Soporte pasivo

El soporte pasivo de la región lumbar viene dado por el estiramiento (especialmente de los ligamentos) y la compresión de los tejidos blandos. Un ligamento comprimido está más relajado y ofrece menos apoyo. En una extensión lumbar completa, por ejemplo, como puede suceder cuando se está de pie con la pelvis inclinada hacia delante, las facetas articulares lumbares están cargadas y comprimidas. Las estructuras anteriores, incluyendo el ligamento anterior longitudinal, están estiradas: la estabilidad proporcionada (pasivamente) viene como resultado del retroceso elástico de este ligamento y porque la facetas articulares de la espina dorsal están cerradas por la fuerza.

Desarrollar la estabilidad lumbar activa

Un mal control postural puede hacer vulnerable la espina dorsal y provocar lesiones, ya que supone un estrés excesivo en los tejidos corporales (Kendall et al. 1993). En la columna lumbar, los músculos del tronco protegen los tejidos de la columna de movimientos excesivos. Para hacer esto, sin embargo, los músculos que rodean al tronco deben ser capaces de contraerse isométricamente cuando sea necesario (Richardson et al. 1990). La interacción sinergista entre varios músculos del tronco es compleja: algunos músculos actúan como protagonistas para crear los movimientos principales del tronco, mientras que otros funcionan como estabilizadores (fijadores) y neutralizadores, para aguantar las estructuras de la columna lumbar y controlar los movimientos no deseados. La rehabilitación a través de la estabilización lumbar activa no sólo tiene que ver con la capacidad de los músculos de producir torsión, como sucede en la mayoría de programas, sino que también busca permitir al sujeto coordinar inconsciente y consistentemente un patrón óptimo de actividad muscular (Jull and Richardson 1994a).

Desarrollando el sistema neural

El sistema neural conecta los sistemas pasivos y activos. Sobre la detección de movimiento dentro de la zona neutral, el sistema neural transmite la información al sistema activo (músculos) sobre la posición y la dirección del movimiento. La capacidad de los músculos para contraer y mantener la estabilidad (por ejemplo, para incrementar la rigidez y reducir el tamaño de la zona neutral), depende de la velocidad y de la precisión con la que la información se transmite. Los aspectos vitales del desarrollo del sistema neural son por lo tanto **la precisión de movimiento y la velocidad de reacción.** De esta manera el programa de estabilidad pone énfasis primero en la precisión del movimiento y después en la velocidad.

RESUMEN

- El dolor de espalda lumbar es un gran reto para los profesionales de la asistencia médica y provoca una pérdida importante de dinero en las economías occidentales.

- Las lumbalgias provocan alteraciones en los patrones de comportamiento que pueden exacerbar la enfermedad.
- El enfoque tradicional estructuralista para tratar el dolor de espalda debe ser ecuánime con la restauración de la funcionalidad.
- Los nuevos enfoques para tratar el dolor de espalda priman el ejercicio sobre el descanso.
- La estabilidad de la espalda consta de tres sistemas de control interrelacionados: activo, pasivo y neural.
- Aunque los sistemas de ejercicio tradicional que utilizan el tronco pueden fortalecer los músculos en general, también reducen la estabilidad total de la espalda.
- Mejorar el sistema activo y el neural puede compensar parcialmene la disfunción del sistema pasivo.
- Mejorar la precisión del movimiento y la velocidad de reacción muscular son vitales para la rehabilitación completa de la espalda.

CAPÍTULO 2

BIOMECÁNICA DE LA COLUMNA LUMBAR

Para explicar cómo se estabiliza la espalda, debo reseñar brevemente algunos aspectos importantes de la anatomía de la columna vertebral. En este capítulo se describe el sistema pasivo de estabilidad –los «frenos» que proporcionan los tejidos inertes que sólo se estirarán hasta una cierta longitud (individualmente y como sistema de tejidos) antes de restringir cualquier movimiento más amplio de lo permitido–. En este capítulo, describo este sistema pasivo para cada uno de los movimientos fisiológicos más importantes de la columna lumbar y luego utilizo el ejemplo de levantar un peso para ilustrar la importancia de la estabilidad.

ANATOMÍA DE LA COLUMNA VERTEBRAL

La anatomía de la columna lumbar incluye huesos vertebrales, articulaciones y discos vertebrales además de las articulaciones sacroiliacas. Aunque ninguna de estas estructuras se mueve aisladamente, será de ayuda si las describo individualmente.

Los huesos y sus articulaciones

La columna vertebral de un humano adulto está compuesta por 33 vértebras. Cinco vértebras están soldadas para formar el sacro y cuatro están soldadas para formar el coxis. Las 24 vértebras restantes que pueden moverse se dividen entre 7 cervicales, 12 torácicas y 5 en la región lumbar (figura 2.1). Dos vértebras cualesquiera que estén en contacto forman un segmento espinal (Figura 2.2). Para entender cómo dos vértebras encajan juntas en la columna vertebral, uno debe saber las partes típicas de las vértebras.

Dos vértebras en un segmento espinal están unidas (articuladas) por ligamentos y articulaciones. Hay tres articulaciones –la tríada articular– que consisten en un disco, que forma la articulación entre los cuerpos de las vértebras adyacentes y dos carillas articulares (también llamada cigapófisis o articulaciones apofiarias), donde la parte inferior de la apófisis articular de la vértebra superior se une con la apófisis articular superior de la vértebra inferior.

> **PUNTO CLAVE**
>
> Un segmento espinal comprende dos vértebras adyacentes, articuladas entre sí a través de un disco intervertebral y dos carillas articulares. Las articulaciones forman una tríada articular.

El disco y las carillas articulares asociadas están íntimamente unidos, estructural y funcionalmente. La degeneración del disco intervertebral como resultado de una lesión puede llevarnos a la degeneración de las carillas articulares colindantes (Vernon-Roberts 1992), y como veremos más tarde el soporte ligamentoso de ambas estructuras es continuo.

Podemos comparar el segmento espinal a un simple sistema de fuerzas de palancas (Kapandji 1974), con dos carillas articulares formando un fulcro. Los tejidos posteriores (li-

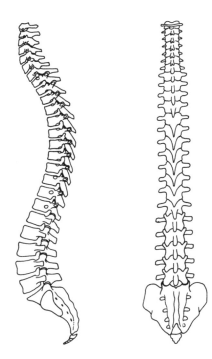

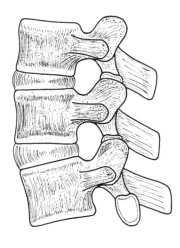

Fig. 2.1. La columna vertebral.
Impreso de Watkins 1999.

Fig. 2.2. *Un segmento típico de la columna vertebral.*
Impreso de Watkins 1999

gamentosos y musculares) y el disco anteriormente mencionado resisten ambas fuerzas,
de compresión y de extensión. Los ligamentos se pueden catalogar en tres grupos de
funciones interrelacionadas, como se muestra en la tabla 2.1.

Ligamentos

Los ligamentos del arco neural consisten
principalmente en el ligamento amarillo y el
ligamento interespinoso, con los ligamentos
supraespinoso y el intertransverso que pro-

Tabla 2.1. Ligamentos del segmento espinal

Arco neural	Capsular	Ventral
- Ligamento amarillo - Ligamento interespinoso - Ligamento supraespinoso - Ligamento intertransverso	- Cápsula de la carilla articular (reforzada por el ligamento amarillo)	- Ligamento longitudinal anterior - Ligamento longitudinal posterior

Adaptado, con autorización, de F.H. Willard, 1997, La estructura muscular, ligamentosa y neural de los lumbares y
su relación con el dolor de espalda. En Movement stability and low back pain, editado por A.Vleeming, V.
Mooney, T. Dorman, C. Snijders y R. Soeckart (Edinburgh: Churchill Livingstone).

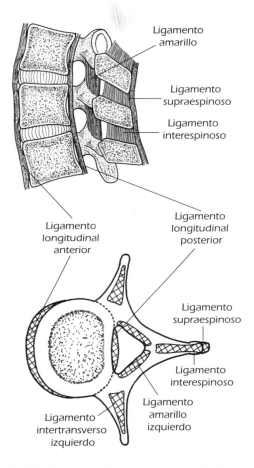

porcionan un soporte adicional (figura 2.3 a y b). Aunque estos cuatro ligamentos tradicionalmente se describen como estructuras separadas, están unidos por sus bordes y actúan funcionalmente como una unidad. Éste es un punto muy importante, ya que nos lleva a la cuestión de cómo uno estabiliza la espalda. En una disección, cuando los componentes óseos del arco neural se retiran, se puede ver cómo los ligamentos del arco neural mantienen su continuidad (Willard 1997). Las fibras laterales del ligamento amarillo son continuas a la cápsula de las carillas articulares (Young-Hing et al. 1976) y forman la pared posterior del canal espinal. El lado interior del ligamento interespinoso es una continuación del ligamento amarillo, mientras el borde posterior de este ligamento se hace más grueso al unirse con el ligamento supraespinoso. El ligamento supraespinoso se une con la fascia toracolumbar (FTL) (figura 2.4), la cual al girar se une con los músculos abdominales profundos (ver página 66). Por lo tanto la fuerza generada por los músculos abdominales profundos puede ser transmitida a través de la fascia toracolumbar, a través del ligamento supraespinoso, directamente al ligamento amarillo –impidien-

Fig. 2.3. Ligamentos del segmento espinal: (a) vista lateral, (b) vista superior.

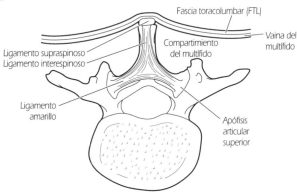

Fig. 2.4. Complejo interespinso-supraespinoso-toracolumbar (IST). El complejo IST aguanta la columna lumbar uniendo la fascia toracolumbar y la vaina del multífido a las cápsulas de las carillas articulares.

TÉRMINOS QUE DEBERÍA CONOCER

Articular: Unir o conectar de manera holgada para permitir el movimiento entre la conexión, como una articulación.

Caudal: Ubicación distal de una estructura corporal, en sentido hacia los pies.

Fibras contralaterales: Fibras orientadas hacia o que afectan al lado opuesto del cuerpo.

Fuerza de distracción: Fuerza que separa una superficie articular de una articulación sin causar lesión o dislocación.

Extensión: Movimiento que endereza una extremidad a una posición estirada o casi estirada.

Fascia: Lámina de tejido fibroso bajo la piel que rodea músculos así como los separa y los aguanta; conecta la piel con los tejidos debajo de ella.

Flexión: Doblar o ser doblado; opuesto a la extensión.

Cintura pélvica: El hueso compuesto por el ilion, isquion, y pubis; forma la pelvis.

Fascia envolvente: Fascia que envuelve en lugar de conectar o separar.

Isquemia: Deficiencia de sangre en una parte del cuerpo debido a una obstrucción o a un estrechamiento de los vasos sanguíneos.

Lámina del arco vertebral: Parte posterior del arco que da paso a la columna vertebral.

Flexión lateral: Doblar o inclinarse o ser doblado hacia un costado.

Lordosis: Curvatura hacia la extensión de las columnas lumbares y cervicales.

Occipital: Parte posterior de la cabeza.

Pedículo vertebral: Apófisis ósea que se extiende posteriormente por el cuerpo de la vértebra; una de las parejas del arco vertebral que conecta la lámina al cuerpo vertebral.

Cavidad pélvica superior: Abertura superior de la pelvis.

Cavidad pélvica inferior: La abertura inferior de la pelvis.

Periostio: Membrana gruesa, fibrosa que cubre todos los huesos del cuerpo a excepción de las superficies articulares.

Prolapso: Desplazamiento hacia el exterior de la ubicación natural de una estructura corporal.

Rotación sagital: Girar desde el frente (anterior) hacia atrás (posterior).

Plano sagital: Plano vertical a través del centro del cuerpo que lo divide en una parte derecha y una parte izquierda.

Nódulo de Schmorls: Defecto óseo irregular o hemisférico en el cuerpo de la vértebra, el cual lleva a una hernia discal.

Trabécula: Cordón fibroso de tejido conectivo que se extiende hacia la pared del órgano para servirle de soporte.

Ventral: Parte anterior del cuerpo.

do que este ligamento presione sobre la médula espinal–. Ésta es una manera de cómo los músculos abdominales profundos ayudan a la estabilización de la columna vertebral.

Hay que tener presente que no son sólo los músculos abdominales los que afectan a la columna vertebral. El ligamento interespinoso se une con el ligamento supraespinoso y luego con la fascia toracolumbar, formando el complejo interespinoso-supraespinoso-toracolumbar (IST) (Willard 1997). El complejo IST une la fascia de la espalda a la columna lumbar. La importancia de este sistema es que la tensión desarrollada en las extremidades es transmitida a la columna vertebral, haciendo que los segmentos musculares aparentemente distantes sean esenciales para la rehabilitación de la funcionalidad de la columna vertebral. El ligamento intertransverso, aunque es pequeño, llega a ser más importante al ensancharse caudalmente dentro del ligamento iliolumbar, la importancia del cual discutiremos más tarde.

PUNTO CLAVE

La fuerza de los músculos de la extremidad se transmite a la columna vertebral a través de los ligamentos y de las fascias, los cuales se unen finalmente a las vértebras mismas. Los músculos abdominales tienen gran capacidad para estabilizar la columna vertebral.

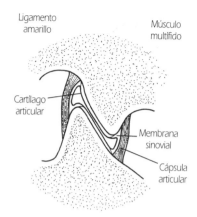

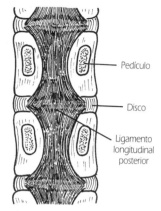

Fig. 2.5. Cápsula de la carilla articular.
Reimpreso de Watkins 1999.

Fig. 2.6. Sección vertical a través de los pedículos en la región lumbar: aspecto posterior de los cuerpos vertebrales mostrando la unión del ligamento longitudinal posterior con los discos espinales. Reimpreso de Watkins 1999.

La cápsula de las carillas articulares está reforzada posteriormente por el músculo multífido y anteriormente por el ligamento amarillo. Por tanto, está rodeada por la fascia, que es ella misma la continuación con que la que se cubre el ligamento amarillo y la fascia envolvente del cuerpo vertebral. La cápsula de las carillas articulares se ve como un «puente» de tejido conector entre los ligamentos del arco neural y aquellos del cuerpo vertebral (Willard 1997) (figura 2.5).

Los ligamentos longitudinal anterior (LLA) y longitudinal posterior (LLP) están dispuestos verticalmente en el segmento espinal. El ligamento longitudinal anterior es el más fuerte de los dos y se extiende desde el occipital al sacro, donde se une con la cápsula de la articulación sacroilíaca. El ligamento longitudinal anterior tiene dos conjuntos de fibras (Bogduk y Twomey 1991). Las fibras superficiales alcanzan varios segmentos vertebrales, mientras que las fibras profundas se unen holgadamente a los anillos del disco espinal (figura 2.6). El ligamento longitudinal posterior existe en la columna cervical como la membrana tectorial y se extiende caudal-

mente al periostio del sacro. Se expande al pasar los discos intervertebrales y se estrecha alrededor del cuerpo vertebral. Debido a que es considerablemente más débil que el ligamento longitudinal anterior, la restricción ligamentosa más importante no viene del ligamento longitudinal posterior, sino del ligamento amarillo y de las cápsulas de las carillas articulares a las cuales se une. El ligamento amarillo y las cápsulas de las carillas articulares se combinan para ofrecer un 52% de la resistencia a la flexión de la columna lumbar (Bogduk y Twomey1991). La unión estructural del ligamento longitudinal posterior y del ligamento amarillo es también funcionalmente obvio. Las curvas de carga-deformación (fuerza-tensión) trazadas por los dos ligamentos son similares (Panjabi y White 1990), lo que sugiere en este caso que los dos ligamentos tienen un objetivo parecido.

Los ligamentos longitudinales son viscoelásticos, lo que significa que se endurecen cuando se los carga rápidamente. No almacenan toda la energía que utilizan para estirarse, ya que se pierde algo de energía en calor, una característica conocida como *histéresis*. Cuando se los carga repetidamente, estos ligamentos se vuelven más rígidos y la histéresis se nota menos, haciendo que sean más propensos al fallo por fatiga (Hukins 1987). Los ligamentos supraespinoso e interespinoso están lejos del eje de flexión y por tanto necesitan estirarse más que el ligamento longitudinal posterior cuando hacen de resistencia a la flexión.

Con la edad, todos los ligamentos pierden gradualmente su capacidad para absorber energía (Tkaczuk 1968). El ligamento más rígido en la columna vertebral es el ligamento longitudinal posterior; el más flexible es el supraespinoso (Panjabi et al. 1987). El ligamento amarillo en la columna lumbar está «pre-estirado» (tiene una tensión en reposo) cuando la columna vertebral está en su posición neutra, una situación que comprime el disco espinal. Este ligamento tiene el porcentaje más alto de fibras elásticas que cualquier otro tejido en el cuerpo (Nachemson y Evans 1968) y contiene casi el doble de elastina y colágeno. El ligamento longitudinal anterior y las cápsulas articulares están dentro de los tejidos ligamentosos más fuertes del cuerpo, mientras el ligamento interespinoso y el ligamento longitudinal posterior son los más débiles (Panjabi et. al 1987).

> **PUNTO CLAVE**
>
> El ligamento amarillo es el más elástico del cuerpo y el principal limitador de la flexión. Forma la porción anterior de la cápsula de la carilla articular.

Discos de la columna vertebral

Existen 24 discos intervertebrales entre las sucesivas vértebras, haciendo de la columna vertebral una columna alternativamente rígida y elástica. La cantidad de flexibilidad en un segmento espinal en particular se determina por el tamaño y la forma de los discos y por la resistencia al movimiento de los tejidos blandos que unen las estructuras vertebrales. Los discos aumentan de tamaño al ir descendiendo por la columna vertebral, los discos lumbares tienen un grosor medio de 10 mm, el doble que los discos cervicales. Las formas de los discos se acomodan a las curvaturas de la columna vertebral y a las formas de las vértebras. Su anchura es mayor en la parte anterior de los discos en las regiones cervicales y lumbares, lo que se refleja en las curvaturas de estas áreas. Cada disco comprende tres componentes estrechamente relacionados –el anillo fibroso, un núcleo pulposo, y las láminas superficiales del cartílago (figura 2.7)–.

Los anillos constan de capas de tejido fibroso ordenado en bandas concéntricas –unas 20– como en una cebolla. Las fibras en cada banda son paralelas, con varias bandas en ángulos de 45° respecto a cada una. Las bandas están más comprimidas anterior y posterior que lateralmente, y las que están situadas más al interior son las más finas. La orientación de las fibras, aunque queda parcialmente determinada al nacer, es influenciada por el estrés de las torsiones en los adultos (Palastanga et al. 1994). Las regiones posterolaterales tiene una composición más irregular –ésta puede ser una razón del porqué se vuelven más débiles con la edad y están más predispuestas a las lesiones–.

> **PUNTO CLAVE**
>
> Los discos espinales tienen menos bandas concéntricas postero-lateralmente que otras regiones y éstas son irregulares, haciendo que esta región del disco sea más susceptible de lesionarse.

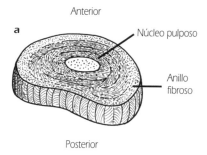

Fig. 2.7. (a) Bandas concéntricas de fibras anulares. (b) Sección horizontal a través de un disco. Reimpreso, con la autorización, de J. Watking 1999, *Structure and function of the musculoskeletal system* (Champaign, IL: Human Kinetics), 142.

Las fibras anulares pasan por encima del borde de la lámina superficial del cartílago del disco y se fijan al anillo óseo de la vértebra y a su periostio y cuerpo. Las fibras que se unen están entrelazadas con las fibras de los cuerpos trabeculares del cuerpo de la vértebra. Las fibras exteriores se combinan con el ligamento longitudinal posterior. Algunos autores afirman que el ligamento longitudinal anterior no tiene tal enlace (Vernon-Roberts 1987).

Sobre la superficie del cuerpo vertebral descansa el disco de cartílago hialino que es de aproximadamente 1 mm de grosor en su porción periférica y que se va adelgazando hacia el centro. La porción central de la lámina superficial actúa como una membrana semipermeable para facilitar el intercambio de fluidos entre el interior y el exterior del disco. También protege el cuerpo vertebral de la presión excesiva. En las primeras etapas de la vida, los canales del cuerpo vertebral penetran en la lámina superficial, pero éstos desaparecen después a la edad de 20-30 años. La lámina superficial luego empieza a osificarse y se vuelve más quebradiza, mientras la porción central se vuelve más delgada y, en algunos casos, se destruye completamente.

El núcleo pulposo es una sustancia blanda hidrofílica (captadora de agua) de un tamaño de alrededor de un 25% del área total del disco. Es una continuación del anillo, pero las fibras nucleares son menos densas que las del anillo. Los mucopolisacáridos llamados **proteoglicanos** rellenan los espacios entre el colágeno de las fibras del núcleo, dando al núcleo su capacidad retentiva de agua y haciéndolo mecánicamente plástico. Metabólicamente muy activa, el área entre el núcleo y el anillo es sensible a la fuerza física y la influencia química/hormonal (Palastanga et al. 1994). Aunque el volumen de colágeno del núcleo se mantiene inalterado, el contenido de proteoglicanos disminuye con la edad, llevándonos a una reducción neta en el contenido de agua. En etapas tempranas de la vida, el contenido de agua puede llegar a ser de un 80-90%, pero esto disminuye a un 70% en edades maduras.

Los discos lumbares son las estructuras avasculares más grandes del cuerpo. El núcleo obtiene fluidos por difusión pasiva de los márgenes del cuerpo vertebral y a través de la lámina superficial del cartílago, particularmente por el centro de la lámina superficial, el cual es más permeable que la periferia. La actividad anaeróbica intensa dentro del núcleo (Holm et al. 1981) puede llevarnos a un aumento de lactato y a una baja concentración de oxígeno, poniendo en riesgo a las células. Niveles insuficientes de ATP pueden provocar la muerte de la célula. Algunos investigadores han formulado la hipótesis que el hacer ejercicio regularmente que conlleve el movimiento de la columna vertebral puede mejorar la alimentación del disco, y a lo largo de los años puede no sólo mejorar la salud general de los discos, si no que hasta puede ralentizar la pérdida de espesor debido a la pérdida de agua de los discos.

PUNTO CLAVE

Los discos de la columna lumbar son avasculares y dependen del intercambio de fluidos por difusión pasiva. El ejercicio/actividad regular es vital para este proceso.

Carillas articulares

Las carillas articulares son articulaciones sinoviales (amortiguadas por el líquido sinovial, un fluido viscoso) entre la apófisis articular inferior de una vértebra y la apófisis articular superior de su vecina inferior. Como en otras articulaciones sinoviales típicas, tienen cartílago articular, una membrana sinovial para contener el fluido y una cápsula articular; pero también tienen un número de características únicas (Bogduk y Twomey 1991).

La cápsula de la carilla articular contiene sobre unos 2 ml de fluido sinovial. Su pared anterior está formada por el ligamento amarillo; posteriormente, la cápsula está reforzada por las fibras profundas del músculo multífido. En sus polos superior e inferior, la articulación deja un pequeño espacio, creando las bolsas subcapsulares. Éstas están rellenas de grasa, encerrada en la membrana sinovial. Dentro de las bolsas subcapsulares hay un pequeño foramen para que pase la grasa

dentro y fuera de la articulación mientras la columna vertebral se mueve.

Dentro de la cápsula, hay tres estructuras de interés. La primera es el borde del tejido conector, una área con forma de cuña que completa las formas curvas del cartílago articular de una manera muy similar a la que el menisco lo hace con la rodilla. La segunda estructura es una almohadilla de tejido adiposo, un pliegue de la membrana sinovial de 2 mm relleno de grasa y vasos sanguíneos. La tercera estructura es el menisco fibroadiposo, un pliegue de 5 mm en forma de hoja que se proyecta desde las superficies internas de las cápsulas superior e inferior. Las últimas dos estructuras tienen una función protectora. La flexión deja parte de los cartílagos de las carillas articulares al descubierto –el pliegue del tejido adiposo y el menisco fibroadiposo cubren las regiones descubiertas (Bogduk y Engel 1984)–.

Con la edad, el cartílago de la carilla articular se puede agrietar paralelamente a la superficie articular, llevándose consigo una porción de la cápsula. El cartílago agrietado, con la pieza de la cápsula pegada, forma una falso menisco intraarticular (Taylor y Twomey 1986). La flexión normalmente tira del menisco fibroadiposo fuera de la articulación, y lo vuelve a introducir con la extensión. Si el menisco falla al volver a introducirlo, se doblará y permanecerá debajo de la cápsula, provocando dolor (Bogduk y Jull 1985). Una movilización o manipulación que combine la flexión con la rotación puede aliviar el dolor pudiendo permitir que el menisco vuelva a su posición original.

La articulación sacroiliaca

Como la columna lumbar, la articulación sacroiliaca (ASI) –una superficie bastante grande donde el sacro (las últimas cinco vértebras soldadas de la columna vertebral) encaja en la pelvis (figura 2.8)– está estabilizada por varios ligamentos que se conectan a músculos en la región. El ligamento iliolumbar su une a la apófisis transversa de L5, y en algunos sujetos a L4 también (Willard 1997), y pasa anteromedialmente a la cresta iliaca y a la superficie del iliaco. El ligamento iliolumbar resiste el movimiento entre el sacro y la columna lumbar, particularmente la flexión lateral. Cuando el ligamento se corta, el movimiento de la columna lumbar (L5) en el sacro aumenta significativamente –en la flexión lateral casi un 30%; y en la flexión, en la extensión y en la rotación en casi un 18-23% (Yamamoto et al. 1990)–. El aspecto superior de la cápsula de la articulación sacroiliaca es una extensión de ligamento iliolumbar, mientras la porción anterior de la cápsula se une con el ligamento sacrotuberoso. El ligamento sacrotuberoso tiene forma triangular, extendiéndose entre la espina iliaca posterior, la cápsula de la articulación sacroiliaca y el coxis (figura 2.8). El tendón del bíceps femoral (músculo largo de la parte posterior del muslo) se extiende por encima de la tuberosidad isquiática para unirse al ligamento sacrotuberoso (Vleeming et al. 1989); el ligamento también se une a alguna de las fibras más profundas del músculo multífido (el multífido se desarrolla verticalmente a lo largo de toda la espalda, a ambos lados de la columna vertebral) (Willard 1997).

El movimiento en la articulación sacroiliaca se describe como una nutación y contranutación (Tabla 2.2). El ligamento sacrotuberoso resiste la nutación del sacro, mientras el largo ligamento sacroiliaco dorsal resiste la contranutación. Aunque es difícil discernir esto observando la mayoría de diagramas anatómicos, el sacro no está fusionado con la pel-

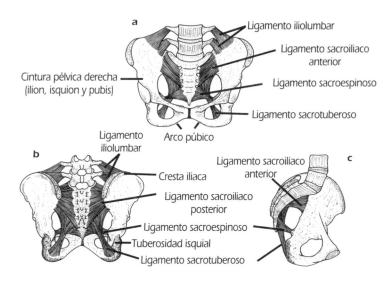

Fig. 2.8. La articulación sacroiliaca y los ligamentos que la aguantan. (a) vista frontal; (b) vista posterior; y (c) vista de una sección lateral de la pelvis.
Reimpreso, con la autorización, de J. Watking, 1999, Structure and function of the musculoskeletal system (Champaign, IL: Human Kinetics, 142.

Tabla 2.2. Movimiento de la articulación sacroiliaca (ASI)

Nutación	Contranutación
• Anteversión del sacro. • La base del sacro se desplaza hacia abajo y adelante, el platillo del sacro se desplaza hacia arriba. • La abertura inferior de la pelvis aumenta y la abertura superior disminuye. • Sucede estando de pie. • Aumenta al incrementarse la lordosis. • Los huesos iliacos se juntan, la articulación sacroiliaca impacta. • El aspecto superior del pubis se comprime.	• Se inclina posteriormente el sacro. • La base del sacro se desplaza hacia arriba y atrás, el platillo del sacro se desplaza hacia abajo. • Aumenta la abertura pélvica superior, la abertura pélvica inferior disminuye. • Sucede en posiciones del lado de la carga por ejemplo como estando estirado. • Aumenta al disminuir la lordosis (postura de espalda plana). • Los huesos iliacos se separan, la articulación sacroiliaca se distrae. • El aspecto inferior del pubis se comprime.

vis, por lo tanto cuando hablo del movimiento del sacro, quiero decir el movimiento *en* la pelvis en contraposición al movimiento *de* la pelvis, donde toda la estructura se mueve sobre la cadera. Movimientos más amplios se han apreciado en el lado de la extremidad sobre la que recae la carga, que se han manifestado con una rotación hasta de 12° de la cintura pélvica durante la flexión, juntamente con 8 mm de traslación durante la extensión (Lavignolle et al. 1983); en los lados de la carga se redujo a 2,5 de rotación y 1,6 mm de traslación máxima (Sturesson et al. 1989). En un estudio de individuos sanos de edades comprendidas entre 20-50 años, Jacob y Kissling (1995) vieron un movimiento rotacional en la articulación sacroiliaca de 2° de promedio, mientras que en pacientes con síntomas promediaron 6°.

La nutación de la articulación sacroiliaca es una anteversión del sacro sobre la cintura pélvica. La base del sacro se desplaza hacia delante, mientras el platillo del sacro se desplaza hacia delante, incrementando la abertura pélvica inferior. La nutación sucede cuando se está de pie y aumenta al incrementarse la lordosis. Juntando los huesos

iliacos, la nutación comprime la articulación sacroiliaca al mismo tiempo que la porción superior del la sínfisis púbica. La contranutación es el movimiento opuesto, siendo la base del sacro que se desplaza hacia arriba y atrás y el platillo del sacro desplazándose hacia abajo. Este movimiento sucede en situaciones sin carga en el lado de la extremidad, como estirado en cúbito prono, y aumenta al reducirse la lordosis y aplanarse la zona lumbar de la espalda (Kesson y Atkins 1998).

Hay una gran variedad de movimientos en la articulación sacroiliaca cuando se realizan acciones con el tronco (Lee 1994). Durante la inclinación hacia delante del tronco, la pelvis se inclina anteriormente y el sacro se extiende (el coxis se desplaza hacia atrás; por ejemplo, la nutación alrededor de un eje oblicuo), provocando que la cresta iliaca y la espina iliaca posterosuperior se aproximen (por ejemplo, se empujan entre ellas) y las tuberosidades isquiales y las espinas iliacas anterosuperiores se separen. Durante la inclinación lateral, el tronco se flexiona lateralmente y la pelvis se desplaza en la dirección opuesta para mantener el equilibrio. Con la flexión lateral hacia el lado izquierdo y con el desplazamiento de la pelvis hacia la derecha, la parte derecha de la cintura pélvica rota posteriormente y la parte izquierda lo hace anteriormente. El sacro realiza una rotación hacia la derecha. Durante la rotación del tronco, la pelvis rota en la misma dirección; por tanto con la rotación hacia la izquierda del tronco, la parte derecha de la cintura pélvica hace una rotación anterior y la parte izquierda la hace posterior. El sacro realiza una rotación hacia la izquierda.

LA COMPRESIÓN AXIAL

La carga vertical sobre la columna lumbar (compresión axial) ocurre en posturas verticales (sentándose o poniéndose de pie, exacerbando ciertos dolores de espalda). El conocimiento de cómo aplicar una carga puede ayudarnos a diseñar programas de ejercicios más seguros para los que padecen dolor de espalda.

Compresión de los cuerpos vertebrales

Dentro de la vértebra misma, la fuerza compresiva es transmitida tanto por el hueso esponjoso o trabecular del cuerpo de la vértebra como por el hueso cortical. Hasta los 40 años, el hueso trabecular, contribuye sobre un 25-55% de la fortaleza de la vértebra. Al disminuir la densidad del hueso con la edad, nos lleva a una disminución en la proporción del hueso trabecular, el hueso cortical asume una proporción más grande de las cargas (Rockoff et al. 1969). Al comprimirse el cuerpo vertebral, sale un flujo neto de sangre (Crock y Yoshizawa) reduciendo el volumen del hueso y disipando energía (Roaf 1960). La sangre va retornando lentamente al reducirse la fuerza –dejando un periodo latente después de la compresión inicial y disminuyendo las propiedades amortiguadoras del hueso–. Los ejercicios que incluyan periodos prolongados de presión en la columna vertebral (por ejemplo, saltar en una superficie dura) son los ejercicios con más probabilidad de dañar las vértebras que aquellos que cargan la columna vertebral durante cortos periodos de tiempo y permiten la recuperación del flujo sanguíneo vertebral antes de repetir un movimiento.

PUNTO CLAVE

La sangre fluye fuera del cuerpo vertebral al cargarse, disminuyendo sus propiedades de amortiguación. Los ejercicios que cargan repetitivamente la columna vertebral sin dejar tiempo de recuperación puede por tanto conducir a un estrés acumulado.

Compresión de los discos intervertebrales

Al estar de pie, de un 12 a un 25% de las fuerzas de compresión son transmitidas entre las vértebras adyacentes por las carillas articulares (ver la argumentación en la página 37); los discos intervertebrales absorben el resto de la fuerza (Miller et al. 1983). El anillo fibroso de un disco saludable resiste las deformaciones, incluso si un núcleo pulposo de un disco ha sido quitado, su anillo sólo puede exhibir una capacidad de carga parecida a la de un disco intacto durante un periodo breve de tiempo (Markolf y Morris 1974). Cuando se expone a una carga prolongada, las láminas de colágeno del anillo finalmente se doblegan (ver figura 2.7).

A lo largo del día, la carga discal hace disminuir la estatura de una persona hasta que las fuerzas internas del disco se igualan a las fuerzas de carga (Twomey y Taylor 1994). Reducir la carga axial y descansar recostado permite una recuperación de la longitud original de la columna vertebral. Recostarse en una posición flexionada agiliza la recuperación de la altura perdida al estar los discos lumbares sin presión (sin carga) durante la flexión (Tyrrell et al. 1985). La aplicación de una carga axial comprime el fluido del núcleo del disco, haciendo que se expanda lateralmente. Esta expansión lateral dilata las fibras del anillo, impidiendo que se plieguen. El grado de compresión axial depende del peso puesto y la proporción de la carga. Una carga axial de 100 kg puede comprimir el disco unos 1,4 mm y causar una expansión lateral de unos 0,75 mm (Hirsch y Nachemson 1954). La dilatación de las fibras del anillo almacena energía, que se libera cuando la compresión se elimina. La energía almacenada da al disco una cierta elasticidad, lo cual ayuda a compensar cualquier deformación que ocurra en el núcleo. Este mecanismo no reduce una fuerza aplicada rápidamente, pero ralentiza el ritmo de aplicación, dando a los tejidos de la columna vertebral tiempo para adaptarse.

La deformación del disco sucede más rápidamente al comienzo de la aplicación de la carga axial, la mayor parte de su deformación se produce durante los 10 primeros minutos de la aplicación. Después de este tiempo, la deformación continúa, pero el ritmo disminuye a 1 mm por hora (Markolf y Morris 1974), llevando a una pérdida de altura a lo largo del día. Bajo una carga continuada, los discos muestran un «deslizamiento» (por ejemplo, continúan deformándose aun cuando la carga ya no se incrementa). Debido a que la compresión causa una subida en la presión de fluidos, el fluido de hecho se pierde del núcleo y del anillo. Sobre un 10% del agua dentro del disco puede ser expulsada por este método (Kraemer et al. 1985); la cantidad exacta depende de cuánta y durante cuánto tiempo se ha aplicado la fuerza. Cuando las fuerzas compresivas se reducen, el fluido es reabsorbido a través de los poros de las láminas superficiales del cartílago de la vértebra. Los ejercicios que cargan la columna vertebral axialmente reducen la altura de la persona a través de la compresión discal. Los ejercicios de sentadillas en las pesas, por ejemplo, pueden crear una fuerza de compresión en el segmento L3-L4 de 6 a 10 veces el peso corporal (Cappozzo et al 1985). Los investigadores han observado un promedio de pérdida de altura de unos 5,4 mm durante un periodo de 25 minutos de un entrenamiento de pesas general, y unos 3,25 mm después de correr unos 6 km (Leatt et al. 1986) (figura 2.9). La carga axial estática de la columna vertebral con una barra de pesas de 40 kg durante un periodo de 20 minutos puede reducir la altura de un sujeto como unos 11,2 mm (Tyrrell et al. 1985). Claramente, los ejercicios que incluyen este grado de carga sobre la columna vertebral no son adecuados para las personas con patologías discales.

Las láminas superficiales vertebrales de los discos se comprimen concéntricamente y son menos capaces de sufrir deformación que el anillo o el hueso trabecular. Las láminas superficiales son por lo tanto propensas al fallo (fractura) bajo compresiones grandes (Norkin y Levangie 1992). Los discos sujetos a unas cargas compresivas muy grandes pueden mostrar una deformación permanente sin herniarse (Farfan et al. 1976; Markolf y Morris 1974). Sin embargo, semejantes fuerzas de compresión pueden conducirnos a una formación de nódulos de Schmorls (Bernhardt et al. 1992): la lámina superficial del disco (que une el disco al cuerpo de la

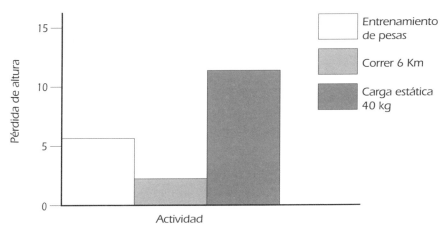

Fig. 2.9. *Compresión discal y pérdida de altura durante el ejercicio.*

vértebra) se rompe, y el material nuclear del disco pasa a través del cuerpo vertebral mismo. La inclinación y la torsión sobre la columna vertebral, cuando se combinan con la compresión, dañan más que la compresión sola, y los discos degenerados corren un riesgo mayor. El fallo medio por torsión en los discos normales es un 25% más alto en los discos degenerados (Farfan et al. 1976). Los discos degenerados también demuestran propiedades visoelásticas deficientes y por lo tanto una capacidad reducida para atenuar los choques.

El proteoglicano del núcleo del disco hace que sea hidrofílico, y su capacidad para transmitir cargas se basa en un alto contenido de agua. Aunque el volumen de agua del proteoglicano disminuye de un 65% en edades tempranas hasta un 30% en edades medias (Bogduk y Twomey 1987) cuando el contenido de proteoglicano del disco es alto (hasta la edad de 30 años en la mayoría de los sujetos), el núcleo pulposo es gelatinoso, produciendo una presión de fluido uniforme. Después de esta edad, el contenido más bajo de agua en el disco se elimina

del núcleo, que pasa a ser incapaz de crear tanta presión de fluido como antes. Se produce menos presión central y la carga se distribuye más periféricamente. Con el tiempo provoca que las fibras del anillo se vuelvan fibriladas y que se rompan (Hirsch y Schajowicz 1952). El resultado de todo esto es que la reacción de un disco a la compresión disminuye con la edad (figura 2.10).

Los cambios relacionados con la edad en los discos provocan más propensión a las lesiones. Este hecho –combinado con una reducción general en el estado de salud y cambios en los patrones de movimiento del tronco relacionado con las actividades de la vida diaria– incrementan en gran medida el riesgo de lesiones en sujetos mayores. Previamente se deben fomentar entre las personas por encima de los 40 años los ejercicios de tronco, bajo la supervisión de un fisioterapeuta, antes de asistir a clases de fitness.

Compresión de las carillas articulares

Las orientaciones de las carillas articulares difieren en varias regiones de la columna

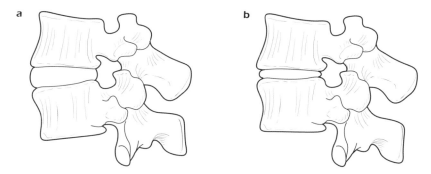

Fig. 2.10. Cambios relacionados con la edad en los discos lumbares. (a) Máxima altura del disco y longitud de la lámina superficial en la juventud. (b) Reducción de la medida a través de la edad.

lumbar, alterando de este modo la disponibilidad del movimiento. En las zonas medial y baja de la columna cervical, por ejemplo, la rotación y la flexión lateral están limitadas, pero la flexión y la extensión son posibles. En la columna dorsal, la flexión y la extensión están limitadas pero la flexión lateral y la rotación son posibles. En la unión toracolumbar (D12-L1), la rotación es el único movimiento que está limitado; en la columna lumbar, ambas, la rotación y la flexión lateral están limitadas.

El alineamiento superior/inferior de las carillas articulares en la columna lumbar significa que, durante la carga axial en la posición neutra, las superficies articulares se deslizan entre ellas. Hay que ver, sin embargo, que en cualquier lugar entre la D9 y la D12 la orientación de las carillas articulares puede cambiar sus características de tipo torácico lumbar. Por tanto, el nivel sobre el cual suceden movimientos particulares puede variar considerablemente entre los sujetos. Durante los movimientos lumbares, el desplazamiento de

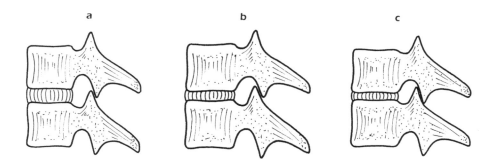

Fig. 2.11. Resultados de la compresión en los discos y las carillas articulares. (a) Grosor normal del disco y alineamiento de las apófisiss articulares inferiores y superiores. (b) Reducción del grosor del disco provocando un incremento de la carga de compresión en las carillas articulares. (c) Afectación extraarticular en la carilla articular. Reimpreso, con la autorización, de J. Watkins, 1999, Structure and function of the musculoskeletal system (Champaign, IL: Human Kinetics), 146.

la superficie de la carilla articular provoca que impacten entre ellas, o que se presionen. Debido a que el sacro está inclinado y que el cuerpo y el disco de L5 tiene forma de cuña, durante la carga axial la L5 está sujeta a una fuerza de tensión. Al incrementarse la lordosis, además, el ligamento longitudinal anterior y la porción anterior del anillo fibroso se estiran, generando tensión para hacer de resistencia a la fuerza de inclinación. La vértebra L5 nos proporciona una estabilización adicional a través del ligamento iliolumbar, unido a la apófisis transversa de L5. Este ligamento, junto con las cápsulas de las carillas articulares, se estira para resistir la fuerza de distracción.

Una vez la fuerza de compresión axial para, la liberación de la energía elástica almacenada restablece la lordosis neutral. Con la compresión de la lordosis de la columna lumbar, o en algunos casos donde ha habido un importante estrechamiento del disco, las carillas articulares inferiores pueden impactar en la lámina de la vértebra inferior (ver la figura 2.11). En este caso, las articulaciones inferiores (L3/4, L4/5, L5/S1) pueden sostener hasta un 19% de la fuerza de la compresión, mientras que las articulaciones superiores (L1/2, L2/3) sostienen tan sólo un 11% (Adams et al. 1980).

LOS MOVIMIENTOS DE LA COLUMNA LUMBAR Y DE LA PELVIS

La mayoría del material para esta sección viene de Norris (1995a) y Norris (1998), donde le remito para una lectura más extensa.

Flexión y extensión

El grosor del disco y la longitud horizontal de la lámina superficial vertebral afectan a la amplitud de movimiento asequible en los movimientos de la columna lumbar en el plano sagital. La mayor amplitud de movimiento se da con una combinación del máximo grosor del disco y la máxima longitud de la lámina superficial (figura 2.10). Ya que este alineamiento ocurre más a menudo en mujeres jóvenes, son ellas las que tienen una mayor amplitud de movimiento en la columna lumbar. Con el envejecimiento, el grosor del disco y la longitud de la lámina superficial se vuelven más parecidos entre ambos sexos, igualando la capacidad de amplitud de movimiento para los hombres y las mujeres en edades avanzadas (Twomey y Taylor 1994).

Durante los movimientos de flexión, el borde anterior de un disco lumbar se comprime, mientras que las fibras posteriores se estiran. De manera similar, el núcleo pulposo del disco se comprime anteriormente, mientras que se libera presión sobre su superficie posterior. Debido a que el volumen total del disco se mantiene igual, su presión no debería incrementarse. El incremento de presión visto con los cambios posturales no es debido al movimiento de inclinación de los huesos en las articulaciones vertebrales mismas, sino que son debidos a la tensión generada por los tejidos blandos para controlar la inclinación. Si la presión de 70 kg y en el disco L3 sobre un sujeto estando en posición vertical es del 100%, estirado en posición supina es de un 25%. Las variaciones de presión se incrementan drásticamente tan pronto como la columna vertebral se flexiona y la tensión en los tejidos se incrementa (figura 2.12). La posición de sentado incrementa la presión interdiscal hasta un 140%, mientras que en una posición de sentado e inclinado hacia adelante con un peso de 10 kg y en cada mano, la presión se incrementa hasta un 275% (Nachemson 1992). La elección de una posición de inicio adecuada para los ejercicios de tronco es por lo tanto de gran importancia. Los ejercicios de la columna dorsal desde una postura de sentado inclinado, por ejemplo, pone mayor estrés en los discos espinales que el mismo movimiento empezado desde una posición de estirado encorvado (estirado sobre la espalda con las rodillas y la cadera flexionadas, con toda la planta del pie apoyada sobre el suelo).

Los anillos posteriores se estiran durante la flexión, mientras que el núcleo se comprime hacia la pared posterior. Debido a que la porción posterior del anillo es la parte más delgada, la combinación del estiramiento y la presión sobre esta área puede dar como resultado una hernia discal o una protrusión discal. Debido a que las capas de fibras de los anillos son alternas en cuanto a la dirección, los movimientos de rotación estiran sólo la mitad de las fibras en cualquier momento dado. El disco se puede lesionar más fácilmente durante una combinación de rotación y flexión, ya que estira todas las fibras al mismo tiempo.

Al flexionarse la columna lumbar, la lordosis disminuye y por lo tanto se invierte en sus niveles superiores. La inversión de la lordosis no ocurre sobre la L5-S1 (Pearcy et al. 1984). La flexión de la columna lumbar conlleva una combinación de rotación sagital anterior y de traslación anterior. Al haber una rotación sagital, las carillas articulares se separan, permitiendo el movimiento de traslación anterior. La traslación está limitada por el contacto de la carilla inferior de una vértebra con la carilla superior de la vértebra superior. Al incrementarse la flexión, o si la columna vertebral está inclinada hacia delante sobre la cintura, la superficie (por ejemplo, la parte superior) del cuerpo vertebral se enfrenta más verticalmente, incrementando la fuerza de tensión debido a la gravedad. Las fuerzas involucradas en el contacto de la carilla incrementan el límite de traslación de la vértebra y estabilizan la columna lumbar. A causa de que la carilla articular tiene una carilla articular curva, la carga no se concentra de manera igual por toda la superficie, pero sí se centra en la porción anteromedial de las carillas (figura 2.13).

El movimiento de rotación sagital de la carilla articular hace que la articulación se abra y por tanto que esté limitada por la extensión de la cápsula articular. Los ligamentos posteriores espinales también se tensan. Adams et al. (1980) usó un modelo matemáti-

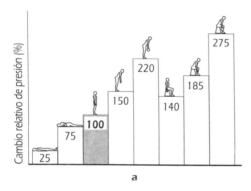

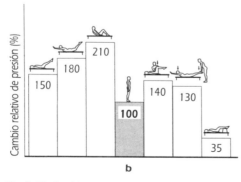

Fig. 2.12. Cambios de presión en el tercer disco lumbar: (a) en posiciones diferentes; (b) en diferentes ejercicios de fortalecimiento muscular. De Norris 1998.

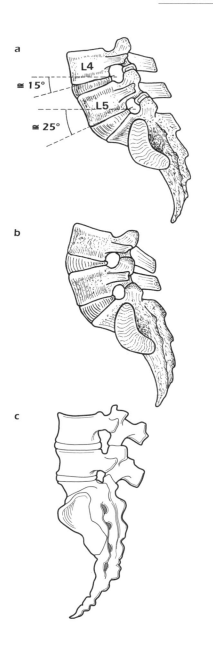

co para analizar las fuerzas que limitan la rotación sagital en la columna lumbar. Vieron que el disco contribuye en un 29% a la limitación del movimiento, los ligamentos supraespinoso e interespinoso un 19% y las cápsulas de las carillas articulares un 39%. En un experimento, los investigadores cortaron (y de este modo «liberaron») varios tejidos posteriores en unos cadáveres para medir el efecto de estos tejidos en el alcance de flexión. La amplitud de movimiento se incrementó en 4° cuando los ligamentos posteriores fueron liberados. La liberación de los pedículos hizo que se incrementara el alcance de la flexión en 24°, en sujetos (14-22 años) jóvenes. La sección de todos los elementos posteriores incrementaron el alcance de la flexión en un 100% en los sujetos jóvenes pero sólo un 60% en los sujetos (61-78 años) mayores.

Al mantener una flexión, el sobreestiramiento del tejido provoca un alejamiento, se incrementa gradualmente la amplitud del movimiento al alargar los tejidos durante un periodo de tiempo. Al envejecer, la cantidad de alejamiento es mayor y la recuperación lleva más tiempo (Twomey y Taylor 1994). Las profesiones que realizan flexiones prolongadas con poca recuperación (por ejemplo, albañil, o sentarse en una mala postura) dan pocas oportunidades al tejido sobreestirado a recuperarse, llevando esto a una adaptación crónica de los tejidos blandos y de los huesos. Estas personas padecen una alta incidencia de dolor postural de espalda crónico con muchos episodios de dolor agudo.

Fig. 2.13. La parte inferior de la columna lumbar y el sacro en: (a) en posición vertical, (b) extensión y (c) flexión.
Reimpreso, con la autorización, de J. Watkins, 1999, Structure and function of the musculoskeletal system (Champaign, IL: Human Kinetics), 147.

PUNTO CLAVE

Realizar una flexión provoca la extensión de los tejidos lumbares (por ejemplo, un incremento gradual en la amplitud del movimiento). Flexiones prolongadas sin una adecuada recuperación de los tejidos puede conducirnos a una adaptación crónica y a su dolor consiguiente.

Durante la extensión, las estructuras anteriores están bajo tensión, mientras que las estructuras posteriores inicialmente se encogen y luego se comprimen (dependiendo del alcance del movimiento). Los movimientos de extensión sujetan los cuerpos de vertebrales para la rotación sagital posterior. Las apófisis articulares inferiores se mueven hacia abajo, provocando que contacten contra la lámina de la vértebra inferior. Una vez se ha bloqueado el cuerpo óseo, si se le aplica más carga, la vértebra superior rotará axialmente pivotando sobre la apófisis articular inferior. Ésta se desplazará hacia atrás, sobre-estirándose y posiblemente dañando la cápsula articular (Yang y King 1984). Los movimientos repetitivos de este tipo pueden finalmente conducirnos a la erosión del periostio (Oliver y Middleditch 1991). En el lugar del contacto, la cápsula articular se puede quedar atrapada entre los huesos opuestos, creando otra fuente de dolor (Adams y Hutton 1983). Ya que las anomalías estructurales pueden alterar el eje de rotación de una vértebra, existen considerables variaciones entre los sujetos (Klein y Hukins 1983).

Rotación y flexión lateral

Durante la rotación, la rigidez de torsión la proporcionan las capas más exteriores de los anillos, por la orientación de las carillas articulares y por el hueso cortical de los cuerpos mismos de las vértebras. Por otra parte, las fibras anulares del disco se estiran tanto como su orientación se lo permita, debido a que las capas alternas de fibra están dispuestas en ángulo oblicuo respecto a sí mismas, algunas fibras se estiran mientras que otras se relajan. Puede existir un ángulo máximo de 3° de rotación antes de que las fibras anulares se dañen microscópicamente y un máximo de 12° antes que los tejidos fallen (Bogduk y Twomey 1987). Las apófisis transversas se separan durante la rotación, estirando el ligamento supraespinoso y el interespinoso. Existen choques entre las carillas articulares opuestas en un lado, provocando que el cartílago articular se comprima unos 0,5 mm por cada 1° de rotación y proporcionando un importante mecanismo de defensa (Bogduk y Twomey 1987). Si la rotación continúa más allá de este punto, la vértebra pivota sobre la carilla articular golpeada, causando movimientos posteriores y laterales. La combinación de movimientos y fuerzas estresan las carillas en contacto por compresión, el disco espinal con torsiones y tensiones y la cápsula de la carilla articular opuesta por tracción. El disco proporciona tan sólo un 35% de la resistencia total (Farfan et al. 1976).

Cuando la columna lumbar se flexiona lateralmente, la fibras anulares que se ubican en la concavidad de la curva se comprimen y empiezan a hincharse/sobresalir, mientras que aquellas que se disponen en la convexidad de la curva se estiran. Las fibras del lado opuesto del exterior del anillo y el ligamento del lado opuesto intertransverso ayudan a resistir movimientos extremos (Norkin y Levangie 1992). La flexión lateral y la rotación funcionan como una conexión de movimientos asociados. En la posición neutral, la rotación de los cuatro segmentos lumbares va acompañada por una flexión lateral al lado opuesto; la rotación de la articulación L5-S1, sin embargo, va acompañada de una flexión lateral hacia el mismo lado. La naturaleza de los movimientos asociados varía con el grado de flexión y extensión. En la posición neutra, la rotación y la flexión lateral suceden de manera opuesta, esto se llama «movimiento de tipo I» (por ejemplo, la rotación hacia la derecha se asocia con la flexión lateral izquierda). Pero cuando la columna lumbar está flexionada o extendida, la rotación y la flexión lateral suceden en la misma dirección, lo que se llama «movimiento del tipo II» (por ejemplo, la rotación derecha se asocia con la flexión lateral derecha). En la concavidad de la flexión lateral, la carilla inferior de las vértebras superiores se desplaza hacia abajo en la carilla superior de la vértebra inferior, reduciendo el área del foramen intervertebral en este lado. En la convexidad de la columna vertebral en flexión lateral, las carillas inferiores se desplazan hacia arriba sobre la carilla superior de la vértebra inferior, aumentando el diámetro del foramen intervertebral.

El ritmo pélvicolumbar

Cuando la gente se inclina hacia delante como si fueran a tocar sus pies, el movimiento proviene de la pelvis y de la columna lumbar. La pelvis se inclina anteriormente sobre el fémur, mientras la columna lumbar se flexiona sobre la pelvis. La combinación de movimientos de la columna lumbar y la pelvis se llama «ritmo pélvicolumbar». Manteniendo inmóvil la columna lumbar y las rodillas bloqueadas, la pelvis puede inclinarse aproximadamente sólo sobre unos 90° respecto a la flexión de cadera (la tensión de los isquiotibiales limita cualquier movimiento más lejos). Para tocar el suelo, uno debe flexionar también la columna lumbar. Igualmente manteniendo la pelvis inmóvil, la flexión lumbar está limitada a unos 30-40°, con la mayoría de movimientos llevándose a cabo en los segmentos inferiores de la columna lumbar. Por tanto, para conseguir la flexión completa hacia delante, uno debe mover ambos segmentos. Cuando flexionamos a niveles de alcance medio durante la vida diaria, las personas pueden reducir de manera significativa su flexión lumbar utilizando la inclinación pélvica. La capacidad reducida de anteversión pélvica aumenta la necesidad de flexionar la columna lumbar, haciendo que exista la posibilidad de dolor postural a causa de cargar repetitivamente los tejidos lumbares.

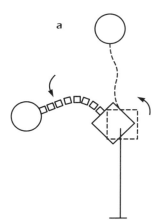 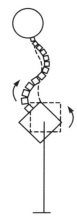

Fig. 2.14. (a) El ritmo pélvicolumbar en formación de cadena abierta de movimiento va en la misma dirección. La inclinación pélvica acompaña la flexión lumbar. (b) El ritmo pélvico lumbar en formación de cadena cerrada de movimientos va en dirección opuesta. La anteversión pélvica se compensa con la extensión lumbar. Norris 1998.

Cuando una persona se inclina hacia delante desde una posición vertical, la pelvis y la columna lumbar rotan en la misma dirección. La flexión lumbar acompaña la anteversión pélvica (figura 2.14a). En una postura erguida, los pies y los hombros están estáticos, y la pelvis y la columna lumbar se mueven en direcciones opuestas (figura 2.14b); la extensión lumbar compensa la anteversión pélvica para mantener la cabeza y los hombros en orientación erguida. La tabla 2.3 describe la relación entre varios movimientos pélvicos y la correspondiente acción de la articulación de la cadera.

Controlar la amplitud del movimiento de la columna vertebral

Si el tronco se mueve lentamente, un sujeto siente la tensión de los tejidos al final del alcance del movimiento y es capaz de parar el movimiento casi al final de este recorrido. De este modo protege del sobreestiramiento los tejidos de la columna vertebral. Sin embargo, un movimiento rápido del tronco puede adquirir una velocidad suficiente para llevar a la columna vertebral hasta el límite de la amplitud del movimiento, y así puede estresar los tejidos de la columna vertebral. Muchos directores deportivos amateurs y hasta profesionales, maestros y entrenadores mandan realizar ejercicios de calentamiento rápidos y balísticos a la gente que tienen a cargo, haciendo un gran número de repeticiones. Estas actividades pueden conducirnos a una excesiva flexibilidad y a una reducción de la estabilidad pasiva de la columna vertebral.

LA MECÁNICA DE LOS LEVANTAMIENTOS

La mayoría de personas hacen alguna clase de levantamiento a lo largo del día. Esta sección describe brevemente los fac-

Tabla 2.3. Relación de la pelvis, articulación de la cadera y de la columna lumbar durante la carga de la extremidad derecha y la posición erecta

Movimiento pélvico	Movimiento de acompañamiento de la articulación de la cadera	Movimiento lumbar compensatorio
Anteversión pélvica	Flexión de cadera	Extensión lumbar
Retroversión pélvica	Extensión de cadera	Flexión lumbar
Descenso pélvico lateral (caída pélvica)	Aducción de la cadera derecha	Flexión lateral derecha
Descenso pélvico lateral	Abducción de la cadera derecha	Flexión lateral izquierda
Rotación hacia delante	Rotación medial de la cadera derecha	Rotación hacia la izquierda
Rotación hacia atrás	Rotación lateral de la cadera izquierda	Rotación hacia la derecha

Reimpreso, con la autorización, de C.C.Norkin y P.K.Levangie, 1992, Joint structure and function: A comprehensive analyisis, 2ª ed. (Filadelfia: Davis).

tores mecánicos y el trabajo del músculo involucrado en el levantamiento. Ver el capítulo 11 para las técnicas correctas de levantamiento.

Levantamientos como un conjunto de fuerzas de rotación

Levantar un objeto del suelo actualmente representa un problema mecánico algo complejo. Uno debe crear un conjunto de fuerzas de rotación (técnicamente, torsión =fuerza x distancia del eje de rotación), involucrando el cuerpo y el objeto que se va a levantar, que producirán el resultado deseado (figura 2.15). Las fuerzas creadas durante la flexión por el sistema de palancas, el peso del cuerpo y la fuerza muscular –más aquellas creadas por el peso al ser levantado– deben ser superadas por la fuerza opuesta de la musculatura extensora de la columna vertebral.

- Si la columna vertebral no está estable, la retroversión producida por los extensores de la cadera (el glúteo mayor y los isquiotibiales) incrementa escasamente la flexión de la columna vertebral.
- Si la columna vertebral es estable, la potencia creada por la musculatura extensora de la cadera (al realizar la retroversión pélvica) será transmitida por el músculo erector espinal a lo largo de la columna hasta los miembros superiores, que a su vez, transmitirán la fuerza al objeto que está siendo levantado.

Los músculos extensores de la cadera están mejor preparados que el músculo erector espinal para iniciar un levantamiento desde una posición de flexión anterior. Un deportista de 68 kg desarrolla una torsión aproximada de 5.600 kilogramos-metro al levantar un pe-

so de 205 kg. Aunque los extensores de la cadera pueden generar una torsión de unos 8.400 kilogramos-metro, el músculo espinal puede generar tan sólo 1.700 kilogramos-metro, o un 30% de lo requerido para realizar el levantamiento (Farfan 1988). Hay que ver que la mayor parte de los músculos que crean la fuerza (glúteo mayor) están distanciados del miembro que controla el movimiento, (compare esta disposición con la de los dedos: los músculos que flexionan y extienden los dedos no están localizados cerca de los dedos, donde estarían en el camino, sino que están en el antebrazo). Al prescribir ejercicios de espalda a una persona en el programa de estabilidad de espalda para ayudar a reeducar los hábitos correctos de levantar objetos, hay que fomentar el uso de los extensores de cadera (los extensores de la columna vertebral son de lejos menos importantes en este caso), para trabajar *con una columna vertebral estable*. La acción de bisagra de la cadera, que enfatiza los glúteos, es un buen ejercicio que se puede utilizar (ver página 82).

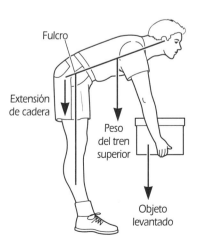

Fig. 2.15. *La mecánica de levantar.*

Al modelar la columna vertebral como un sistema de contrapesos de acuerdo con principios mecánicos, uno puede calcular las torsiones de varias fuerzas que actúan en la columna vertebral durante el levantamiento. Donde el sistema de palancas está en equilibrio, la suma de las fuerzas de torsión es cero, con las fuerzas de flexión exactamente en equilibrio con las fuerzas de extensión. Es posible calcular la fuerza necesaria para levantar un objeto y la fuerza resultante de compresión en la columna lumbar (Sullivan 1997). Para levantar un objeto, los músculos y los tejidos conectores en la columna lumbar deben contrarrestar la flexión causada por el peso del objeto, proporcionando una cantidad igual de extensión (figura 2.15). No obstante, puesto que el peso está lejos del fulcro y los músculos de la parte inferior de la espalda y los tejidos están muy cerca de él, estos músculos y tejidos tienen mucha menos palanca y por tanto deberán ejercer una fuerza muy superior a la del peso del objeto que se está levantando. Mientras tanto, las articulaciones vertebrales experimentan una compresión que es la suma de esta fuerza y el peso del objeto. Esta suma es mucho mayor a la del peso del objeto aislado y puede ser de hecho **muy grande**. Aun, utilizando mediciones **postmortem** de la fuerza vertebral, Perey (1957) estimó que el levantamiento de un peso de más de 110 kg excedería la fuerza compresiva de la vértebra. Estos cálculos indican claramente que la columna vertebral sola no puede soportar pesos excesivamente grandes sin sufrir graves daños. Para reducir la fuerza compresiva que actúa en la columna vertebral cuando levantamos grandes cantidades de peso (como, por ejemplo, en el levantamiento olímpico de pesas), el sujeto debe fortalecer sustancialmente todos los mecanismos de reforzamientos vertebrales revisados en el capítulo 3.

> **PUNTO CLAVE**
>
> La columna vertebral por sí sola no es suficientemente resistente para soportar la fuerza de compresión del levantamiento de objetos pesados. La fuerza originada por las torsiones al levantar objetos pesados pueden multiplicar en muchas veces la resistencia ofrecida por el propio cuerpo del objeto, siendo los músculos y los tejidos conectores de la columna lumbar quienes deberán soportar la gran mayoría de las fuerzas involucradas. Si estos tejidos blandos no están suficientemente entrenados, se pueden producir lesiones importantes.

La respuesta en relajación por flexión durante los levantamientos

Cuando un sujeto realiza una flexión anterior de tronco durante un levantamiento, el músculo erector espinal está potencialmente inactivo hasta casi la flexión completa (Kippers and Parker 1984). Este fenómeno, llamado respuesta de flexión relajación o punto crítico, es el resultado de un retroceso elástico (rebote) de los ligamentos y musculatura posterior. Este punto no se encuentra en todos los individuos (ver debajo) y sucede más tarde en la amplitud del movimiento cuando se transportan los pesos (Bogduk y Twomey 1991). Durante las etapas finales de la flexión y de 2 a 10° de extensión (Sullivan), los movimientos se producen por el retroceso de los tejidos estirados más que por un trabajo activo muscular.

Si el músculo erector espinal está espasmódico, la lumbalgia crónica hace que a menudo desaparezca la respuesta de flexión relajación. La insuficiencia de estos múscu-

PUNTO CLAVE

Durante la inclinación anterior, el músculo erector espinal está potencialmente inactivo hasta casi la flexión completa. Este fenómeno es la «respuesta en relajación a la flexión».

los para relajarse impide una adecuada perfusión con sangre fresca y puede conducirnos a dolor muscular local isquémico. Curiosamente, durante un levantamiento de sentadilla con la espalda perfectamente erguida, el dorsal largo se contrae potentemente en el comienzo del levantamiento, posiblemente para iniciar la extensión tirando de la fascia toracolumbar (Mcfill y Norman 1986; Sullivan 1997). Con pesos extremadamente pesados de cualquier tipo, al flexionarse el sujeto hacia delante hacia el punto potencialmente inactivo, las posiciones de las vértebras sugieren que no se alcanza el punto en el cual los ligamentos estarían cargados (por ejemplo, estirar o tensar más que el resto) (Cholewicki y McGill 1992).

El potencial inactivo del músculo y el alineamiento de los segmentos vertebrales sugieren que tanto los grados finales de flexión anterior como los primeros grados de extensión ocurren a través del retroceso elástico de los músculos extensores de la columna vertebral. La relación longitud/tensión en los músculos (figura 2.16) muestra que un músculo pierde tensión activa mientras se estira, pero aún hacia el final del alcance del movimiento hay una pequeña disminución de la tensión total, ya que el incremento en la fuerza pasiva (retroceso, como pasa con una goma estirada) compensa en gran medida el descenso en la contracción activa. Mientras la columna vertebral vuelve a una posición completa de flexión, los ligamentos pueden producir aproximadamente 50 N x m de tensión mientras el retroceso muscular produce 200 N x m. La combinación de las fuerzas extensoras de los dos sistemas pasivos representa el mayor componente del «sistema posterior ligamentoso» sustentando la columna vertebral (Bogduk y Twomey 1991).

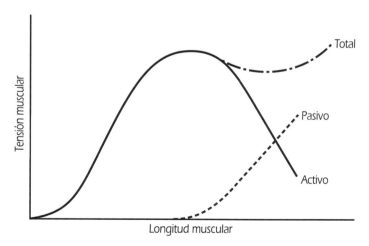

Fig. 2.16. Relación de tensión-relajación en los músculos. De Norris 1998.

El modelo de arco de la columna vertebral

En lugar de representar la columna vertebral como un sistema de contrapesos como se acaba de describir, uno puede utilizar el modelo de un arco (Aspden 1987, 1989).

Los extremos del arco se forman caudalmente con el sacro y en la parte del cráneo por una combinación del peso corporal y de las fuerzas musculares/ligamentosas. El principio de diferencia entre una palanca y un arco es que la palanca está aguantada externamente, mientras que el arco es intrínsecamente estable. Cualquier carga colocada en la superficie convexa del arco creará una línea de empuje interno que irá en línea recta a los extremos de los arcos (figura 2.17a) para que el arco permanezca estable, la línea de empuje debe estar entre los límites físicos del

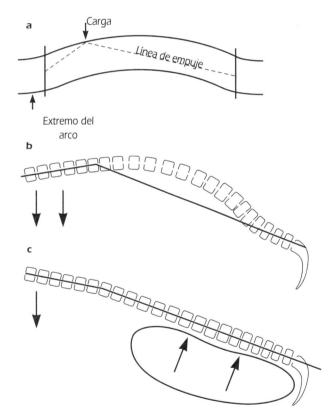

Fig. 2.17. (a) Mecánica general de un arco. Una carga en la superficie convexa de un arco crea una línea de empuje interna. Para la estabilidad, la línea debe estar comprendida en el anillo del arco. (b) Aplicar el modelo de arco a la columna vertebral. Levantar un peso pesado en una posición encorvada crea una línea de empuje que se desplaza afuera del arco de la columna vertebral, provocando que la columna vertebral sea inestable. La presión intraabdominal actuando en la superficie anterior de la columna vertebral y el ajuste de la lordosis vuelve a situar la línea de empuje dentro de los cuerpos vertebrales.
Reimpreso, con la autorización, de C. Norris, 1995, «Spinal Stabilisation,» Physiotherapy Journal 81 (3): 4-12.

arco. Cuanto más profunda en el arco esté la línea de empuje, más estable será el arco. En el caso de la columna lumbar, la línea de empuje está situada en los cuerpos vertebrales.

Debido a que el levantamiento de un peso de 100 kg en una posición inclinada (pérdida de lordosis) crea una línea de empuje fuera de la columna vertebral (figura 2.17b), el arco es inestable. Tensando los extensores de la espalda y los músculos abdominales al mismo tiempo, sin embargo, uno puede crear una presión intra-abdominal (PIA) que desplaza la línea de empuje de vuelta dentro de la columna vertebral e incrementa la estabilidad (figura 2.17c).

Además, un sujeto puede utilizar los músculos de la columna vertebral (que son intrínsecos al arco) para ajustar la lordosis, para que así se mantenga la línea de empuje continuamente dentro del arco de la columna vertebral. La rigidez de la columna vertebral (resistencia a doblarse) también se incrementa a través de la fascia toracolumbar (FTL) y mecanismos de amplificación hidráulica.

Algunos escritores creen que el modelo del arco de la columna vertebral infravalora seriamente las fuerzas compresivas en la columna vertebral (Adams 1989). Para una discusión más detallada de la presión intraabdominal y otros mecanismos de estabilización, ver el capítulo 3.

LOS MÉTODOS DE LEVANTAMIENTO

Hay dos maneras básicas para levantar alguna cosa: en un levantamiento de sentadilla, una persona flexiona las rodillas y la espalda; en el levantamiento inclinado, las piernas se mantiene rectas y la espalda se dobla sola. Debido a que las piernas están separadas y flexionadas en el levantamiento de sentadilla, una persona puede aguantar el objeto más cerca de la línea del centro de gravedad del cuerpo, por consiguiente reduce la distancia del brazo de palanca de la línea del centro de gravedad del cuerpo al centro de la línea de gravedad del objeto. La desventaja de un levantamiento de sentadilla es que el sujeto está levantando más partes de su cuerpo (las piernas y el tronco opuesto al tronco solamente) y por lo tanto debe gastar más energía que con un levantamiento en inclinación. Los músculos erectores de la espina dorsal son más activos en posiciones donde la lordosis se mantiene (Delito et al. 1987). Después de que hayan alcanzado una posición totalmente erecta cuando se levanta un peso pesado, la gente tiende a inclinarse hacia atrás para equilibrar el peso y utilizar sus músculos flexores de la cadera para resistir una mayor extensión de la columna vertebral y estabilizarla.

> **PUNTO CLAVE**
>
> En un levantamiento por sentadilla, una persona puede mantener un peso más cerca del la línea del centro de gravedad del cuerpo, de este modo reduce la torsión en la columna vertebral.

Además de la diferenciación entre la sentadilla y el levantamiento por inclinación, también debemos examinar la diferencia entre utilizar un levantamiento por sentadilla con la espalda lordótica (la columna lumbar mínimamente extendida) y con la espalda plana (la columna lumbar mínimamente flexionada). La curvatura lumbar se calcula como el ángulo formado entre la superficie del cuerpo vértebra de la L1 y la del sacro (figura 2.18). El valor medio de este ángulo entre la población es de unos 50°, aunque en los

niños se incrementa a 67° y en hombres jóvenes hasta unos 74° (Bogduk y Twomey
1991) dependiendo del tipo de postura. La
lordosis es el resultado natural de las formas
de las vértebras y de los discos de la columna lumbar. El disco vertebral L5-S1 tiene forma de cuña, su altura posterior normalmente
es de unos 7 mm menos que la anterior. El
cuerpo vertebral de la L5 también tiene forma de cuña, su altura posterior normalmente es de unos 3 mm menos que la anterior. El
resto de la lordosis es así porque el resto de
los discos tienen ellos mismos forma de cuña. El sacro está en un ángulo de unos 30°
sobre la horizontal y los cambios de este ángulo afectan a la articulación sacroiliaca.

Debido a que la orientación de las vértebras difiere entre una sentadilla y un levantamiento por inclinación, afecta a la distribución
de la carga. La longitud de varios músculos
del tronco difiere entre los dos levantamientos. Debido a que el grosor de los discos
lumbares (6-12 mm) es considerablemente
menor que la altura vertical de las vértebras
lumbares (30-45 mm), cambios mínimos en
los ángulos vertebrales pueden deformar mucho los discos. Un ángulo de flexión de 10-
12°, por ejemplo, estira el anillo posterior en
más de un 50% (Adams y Dolan 1997). Realizar cargas de manera repetitiva en una
postura lordótica puede causar estrés compresivo en el anillo posterior de un disco y
cargar las carillas articulares adyacentes. Una
máxima flexión (llegando hasta el límite elástico) puede estrechar el anillo posterior causando un prolapso posterior. Una mínima
flexión (espalda plana), sin embargo, que lleva a los cuerpos vertebrales a un alineamiento vertical, iguala el estrés compresivo a lo
largo de todo el disco y descarga las carillas
(Adams et al. 1994). Al 60-80% de la flexión
máxima, los tejidos posteriores ejercen una

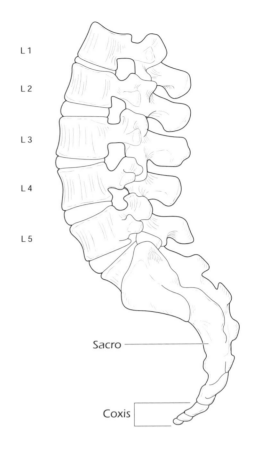

L 1

L 2

L 3

L 4

L 5

Sacro

Coxis

Fig. 2.17. La curvatura de la columna lumbar se
puede describir como el ángulo (Q) formado por las
líneas que van a lo largo de la superficie de la L1 y del
sacro.
Adaptado, con la autorización, de J.K. Loudon, S.L.
Bell, y J.M. Johnston, 1998, The clinical orthopedic
assessment guide (Champaign, IL: Human Kinetics, 54.

importante torsión extensora, aunque hay solamente un pequeño efecto de compresión
en los discos lumbares. Además, la tensión
en la fascia toracolumbar ayuda a estabilizar
la articulación sacroiliaca y la contracción de
los glúteos, de los abdominales y del dorsal
largo incrementa la tensión de la fascia toracolumbar en una postura de espalda plana.

Para levantar un objeto pesado, uno debería utilizar la sentadilla, mientras se mantiene la posición neutral de la columna vertebral. Ésta se aplana al recoger un peso, técnica que debería prevenir la hiperflexión siempre que el objeto sea llevado hacia la pelvis.

PUNTO CLAVE

Haga que su paciente, para recoger algún objeto, realice levantamientos de sentadilla, llevando el objeto hacia la pelvis. Al levantar el peso, la columna lumbar se aplana para comprimir mínimamente los discos lumbares y descargar las carillas articulares. En esta posición, el retroceso de tejidos da una fuerza de extensión sustancial.

RESUMEN

- Un segmento espinal, que comprende dos vértebras adyacentes, es comparable a un simple sistema de palancas, conectado y sostenido por los ligamentos.
- Debido a que los ligamentos de la columna vertebral están interconectados con las fascias que envuelven los músculos de la espalda, y éstos a su vez se unen con los ligamentos y los músculos tan distantes como los de las extremidades de los miembros, los movimientos de la mayoría de las partes del cuerpo pueden afectar la estabilidad de la columna vertebral.

- Los músculos abdominales profundos son muy importantes para mantener estable la columna vertebral (por ejemplo, mantener las vértebras alineadas incluso durante levantamientos de objetos pesados).
- Los discos espinales, entre cada par de vértebras, absorben el estrés a través del estiramiento de las fibras elásticas de la parte exterior del anillo y a través del amortiguamiento, debido a que el núcleo pulposo es altamente plástico y hidrofílico. Con la edad, el núcleo pierde contenido de agua y las fibras pierden elasticidad.
- Las carillas articulares son cápsulas sinoviales entre las apófisis articulares de una vértebra y las apófisis articulares superiores de sus vértebras colindantes. Sus cartílagos articulares pueden volverse quebradizos con la edad.
- Dentro de la vértebra misma, la fuerza compresiva se trasmite por el hueso esponjoso del cuerpo vertebral y por su hueso cortical. El tejido trabecular disminuye con la edad. Las vértebras mismas, sin embargo, pueden aguantar solamente una pequeña fracción de la carga colocada en la columna vertebral por grandes pesos sin sufrir serias lesiones.
- Para aguantar de manera eficaz un peso pesado, la columna vertebral debe estabilizarse con músculos y ligamentos.

CAPÍTULO 3

MECANISMOS DE ESTABILIZACIÓN EN LA COLUMNA LUMBAR

Desprovista de su musculatura, la columna vertebral humana es inherentemente inestable. La columna vertebral de un cadáver fresco despojado de sus músculos puede soportar una carga solamente de 2-2,5 kg antes de doblarse hacia una flexión (Panjabi et al. 1989). Por otra parte, el centro de gravedad del tren superior (cuando se está en posición vertical) está al nivel del esternón (Norkin y Levangie 1992). Esta combinación de distribución de flexibilidad y peso es comparable aproximadamente a equilibrar un peso de 34 kg en el extremo de una barra flexible de 35 cm (Farfan 1988).

Desde el punto de vista estrictamente mecánico, los discos no contribuyen tanto como uno puede pensar a la fortaleza de la columna lumbar: el hecho de levantar objetos pesados pone una fuerza compresiva sobre la columna lumbar que excede en gran medida la carga en que se produce el fallo de los discos vertebrales si no reciben un soporte adicional (Bartelink 1957; Bradford y Spurling 1945; Morris et al 1961).

Al reducir las fuerzas compresivas en los discos lumbares, varios mecanismos ayudan a estabilizar la columna lumbar (Norris 1995a). Estos mecanismos, en los que este capítulo se centra, incluyen el sistema posterior ligamentoso, varios procesos que involucran la fascia toracolumbar a las acciones de los músculos del tronco y a la presión intraabdominal.

EL SISTEMA LIGAMENTOSO POSTERIOR

Los ligamentos interespinoso y supraespinoso, las cápsulas de las carillas articulares y la fascia toracolumbar (FTL) juntos proporcionan un soporte pasivo a la columna vertebral suficiente para equilibrar entre un 24% y un 55% del estrés impuesto por la flexión (Adams et al. 1980).

En posición de reposo, las fibras de colágeno en los ligamentos longitudinales anterior y posterior, y el ligamento amarillo (ver figura 2.3, página 27) están alineados al azar. Cuando los ligamentos se estiran al flexionarse o extenderse, las fibras de colágeno se alinean y el ligamento se vuelve más rígido (Hukins et al. 1990; Kirby et al. 1989). Preestresados en un 10-13% en reposo, los ligamentos reaccionan cuando se cortan (Hukins et al. 1990). Los ligamentos longitudinales por lo tanto mantienen una fuerza compresiva a lo largo del eje de la columna vertebral, haciendo que actúen de alguna manera como una viga preestirada (Aspden 1992). Los ligamentos son viscoelásticos (por ejemplo, se endurecen cuando se cargan rápidamente). Una carga rápida, por lo tanto, hace aumentar la línea de empuje en la columna vertebral y tienden a aproximarse (se acercan) las vértebras, reforzando la estabilidad de la columna vertebral.

La energía creada por los extensores de la cadera inclina posteriormente la pelvis y se transmite a través de la columna vertebral hacia el tórax y a las extremidades superiores a través del sistema ligamentoso. Algunos autores han sostenido que para que este mecanismo se ponga en funcionamiento, la espalda debe mantenerse flexionada. Argumentan que si la espalda se extiende, la tensión de los ligamentos posteriores bajará y su capacidad para estabilizar la columna vertebral se perderá (Mcgill y Norman 1986). Más recientemente, sin embargo, se ha demostrado que la columna vertebral no necesita volverse cifótica antes de que pueda crear tensión estirando los tejidos (Gracovetsky et al. 1990).

El sistema ligamentoso posterior sólo puede aguantar una fuerza de torsión máxima de 50 N x m (Bogduk y Twomey 1991), menos de un 25% en comparación con el músculo erector de la espina dorsal. Sin embargo, los sistemas pasivos están activos en este caso (ver página 47). Además del retroceso del sistema ligamentoso, los músculos erectores de la espina dorsal también retroceden. En el punto de máxima flexión, estos músculos ya no se contraen (están potencialmente inactivos), pero ejercen una fuerza a través del retroceso como la de una goma elástica gigante. La fuerza que los músculos erectores de la espina dorsal ejercen a través del retroceso es de unos 200 N x m, igual que su fuerza contráctil potencial. El sistema músculo-ligamentoso posterior combinado, por tanto, proporciona un mecanismo estabilizador importante en flexión completa.

PUNTO CLAVE

Los ligamentos posteriores de la columna vertebral pueden sostener una torsión de 50 N x m y resistir por encima de un 50% del estrés de la flexión impuesta en la columna vertebral. La tensión pasiva (retroceso elástico) en el músculo erector de la espina dorsal puede crear una torsión de 200 N x m, igual que su contracción máxima.

LA FASCIA TORACOLUMBAR

La fascia toracolumbar realiza un número importante de funciones durante la estabilización de la espalda, que revisaremos brevemente aquí. Hay que tener en cuenta que la fascia también ayuda a estabilizar las articulaciones sacroiliacas.

Estructura de la fascia toracolumbar

La fascia toracolumbar (FLT) tiene tres capas que cubren los músculos de la espalda (figura 3.1). La capa anterior deriva de la fascia cubriendo el cuadrado lumbar y se une a las apófisis transversas (Bogduk y Twomey 1991). La capa de en medio, de detrás del cuadrado lumbar, se une a las apófisis transversas y a los ligamentos intertransversos. Lateralmente, se extiende para cubrir los abdominales transversos. La capa posterior, que envuelve los músculos erectores de la espina dorsal, se origina en la apófisis espinosa y se envuelve alrededor de los músculos de la espalda para mezclarse con el resto de la fascia toracolumbar a los iliocostales. El punto donde las capas se entrelazan es el punto rafe.

TÉRMINOS QUE DEBERÍA CONOCER

Aponeurosis: Tejido conector que une el músculo al hueso.
Aproximar (verbo): Mover o acercar objetos.
Contralateral: Que se origina o que afecta al lado opuesto del cuerpo.
Fascículo: Un pequeño fajo de fibras nerviosas o musculares.
Presión intraabdominal: La presión interna ejercida por los músculos que rodean el tronco.
Ipsilateral: En el mismo lado (del cuerpo).

Cifosis: Curvatura convexa de la columna torácica que genera una espalda encorvada.
Lámina: Capa fina y plana o una membrana.
Rafe, lateral: Rugosidad a lo largo del músculo erector de la espina dorsal formado por los tejidos conectivos del dorsal largo, el oblicuo menor y el abdominal transverso.

La capa superficial de la fascia toracolumbar se continúa con el dorsal largo y con el glúteo mayor. A veces algunas fibras se unen al gran oblicuo y al trapecio, y algunas cruzan la línea media del cuerpo (Vleeming et al. 1995). A nivel de la L4-L5, las fibras del dorsal largo y del glúteo mayor difieren en orientación, dando a la capa superficial de la fascia toracolumbar una apariencia de una trama entrecruzada. Esta apariencia podría extenderse hasta el nivel de las L5-S2 (Vleeming et al. 1997). Las fibras de la capa profunda son continuas con el ligamento sacrotube-

roso (y a través de él al bíceps femoral, músculo de la parte superior de la pierna) y se unen las espinas iliacas posterosuperiores, a la cresta iliaca, y a los ligamentos sacroiliacos (ver figura 2.8, página 33). En la región torácica, algunas fibras del serrato posterior inferior son continuas con la fascia toracolumbar (figura 3.2).

El mecanismo de la fascia toracolumbar

Además de este papel pasivo, la fascia toracolumbar tiene dos funciones más, que conciernen a la contracción muscular. El abdominal transverso, en su unión con el rafe lateral, estira la fascia toracolumbar. Aunque ambos se unen al rafe lateral (figura 3.3), las láminas profundas de la fascia toracolumbar están anguladas hacia arriba, mientras las láminas superficiales están anguladas hacia abajo. Al contraerse el abdominal transverso

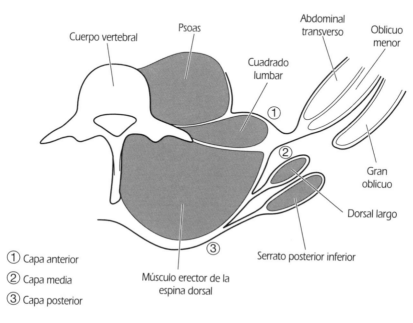

Fig. 3.1. Sección transversal del tronco mostrando la fascia toracolumbar (FTL).

y tirar del rafe lateral, la mayor parte de las fibras profundas y superficiales de la fascia toracolumbar se estiran lateralmente, aunque algo de fuerza se transmite a lo largo de toda la fascia toracolumbar.

Originalmente, esta fuerza aproximadora se calculó en un 57% de la fuerza aplicada al rafe lateral (Macintosh y Bogduk 1987), un incremento en fuerza llamado «la ganancia del FTL» (Gracovetsky et al. 1985). Sin embargo, una investigación anatómica más detallada ha revelado que la torsión creada por la contracción del abdominal transverso sobre la fascia toracolumbar es entre 3,9 y 5,9 N x m –comparada a la de los extensores de la espalda 250-280 N x m (Macintosh et al. 1987) –. Más que extender activamente la columna vertebral a través de la fuerza aproximadora representada por «la ganancia», la importancia primordial de la fascia toracolumbar parece ser que es proporcionar resistencia pasiva a la flexión.

La fascia toracolumbar como amplificador hidráulico

La fascia toracolumbar ejerce incluso un efecto estabilizador mayor a través de su papel en el llamado efecto de amplificador hidráulico (Gracovetsky et al. 1977). La capa posterior de la fascia toracolumbar es de tejido retinacular (por ejemplo, tejido conjuntivo reforzado muy fuerte) que cubre los músculos erectores de la espina dorsal. Al contraerse los músculos erectores de la espina dorsal, la fascia toracolumbar resiste la expansión de los vientres de los músculos acortados incrementando la tensión de la fascia. Algunos creen que el efecto predominante de antiflexión de la fascia toraco-

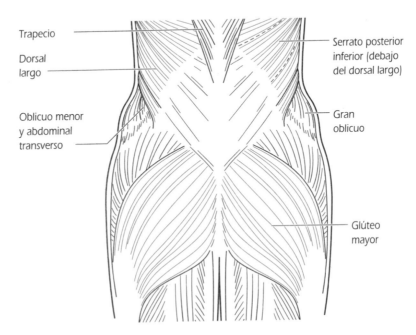

Trapecio

Dorsal largo

Oblicuo menor y abdominal transverso

Serrato posterior inferior (debajo del dorsal largo)

Gran oblicuo

Glúteo mayor

Fig. 3.2. Uniones musculares a la fascia toracolumbar (FTL).

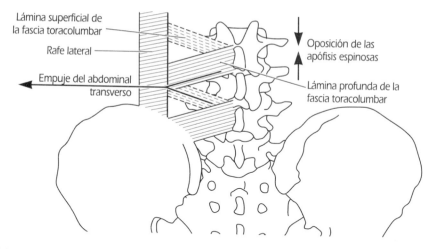

Fig. 3.3. Mecanismo de la fascia toracolumbar. A través de sus uniones con la rafe lateral, el abdominal transverso tira de la fascia toracolumbar. La disposición angular de las capas profundas y superficiales de la fascia toracolumbar crean una fuerza neta que tiende a aproximar las vértebras.

lumbar sucede a través de este efecto amplificador hidráulico más que por el tirar del abdominal transverso (Macintosh et al. 1987). La restricción de la expansión radial del músculo erector de la espina dorsal por la fascia toracolumbar ha demostrado que ha aumentado un 30% el estrés generado por estos músculos (Hukins et al. 1990).

El acoplamiento de la fascia toracolumbar y la articulación sacroiliaca

Una combinación de cierre de forma y cierre de fuerza estabiliza la articulación sacroiliaca (ASI) (Vleeming et al. 1990). El cierre de forma surge del alineamiento anatómico de los huesos del ilion y del sacro, donde el sacro forma una especie de piedra angular entre las alas de la pelvis (Norris 1998). El cierre de fuerza resulta del tirar de los músculos lateralmente sobre la fascia y de los ligamentos que pasan por encima de la articulación. La combinación de cierre de forma y de fuerza crea un mecanismo de autocierre muy útil en la articulación sacroiliaca. Cualquier actividad que debilite estos cierres de forma puede provocar síntomas patológicos en la articulación sacroiliaca.

La nutación tensa (ver tabla 2.2 en la página 26) los ligamentos de la articulación sacroiliaca, juntando las partes posteriores de los huesos iliacos e incrementando la compresión de la articulación sacroiliaca. Dos ligamentos son de especial importancia para el autocierre –el ligamento sacrotuberoso que conecta el sacro con la tuberosidad isquial y el ligamento sacroiliaco dorsal largo que se origina en el tercer y cuarto segmento sacro hacia la espina iliaca posterosuperior (EIPS)–. Ambos ligamentos se unen al aspecto posterolateral del sacro para formar una extensión aproximadamente de 20 mm de ancho por 60 mm de largo. Los ligamentos se unen a la capa posterior de la fascia toracolumbar y a la aponeurosis del músculo erector de la espina dorsal. La nutación tensa el ligamento sacrotuberoso, mientras la contranutación tensa el ligamento sacroiliaco del dorsal largo. El ligamento sacroiliaco se tensa por la contracción del bíceps femoral y del glúteo mayor.

El cierre de fuerza de la articulación sacroiliaca abre la posibilidad de tratar las lesiones de la misma con terapias de ejercicios tanto pasivos (autoinmovilización) como activos, a través de la contracción del bíceps femoral, del glúteo mayor, del dorsal ancho, o del músculo erector de la espina dorsal. Claramente, si un músculo afecta a la articulación sacroiliaca, Vleeming ha demostrado (Vleeming et al. 1995a), que trabajando estos músculos se pueden mejorar las funciones de la articulación sacroiliaca. Además, cualquier músculo que tensa la fascia toracolumbar también debería afectar al cierre de fuerza de la aquella sacroiliaca.

Cuando el músculo erector de espina dorsal se contrae, tira del sacro hacia adelante, induciendo la nutación en la articulación sacroiliaca y tensando los ligamentos interóseos y sacrotuberoso. La porción iliaca del músculo tiende a unir del aspecto craneal de la articulación sacroiliaca, mientras que la acción de nutación separa el aspecto caudal. El glúteo mayor puede comprimir la articulación sacroiliaca directa e indirectamente a través de sus inserciones en el ligamento sacrotuberoso. Esto sucede particularmente cuando el glúteo mayor se contrae con el gran dorsal opuesto y ambos músculos tensan la fascia toracolumbar, las fibras de la cual se unen a los dos músculos. La tensión del ligamento sacrotuberoso se incrementa tensando la larga cabeza del bíceps femoral. Esto se ve más en un tronco flexionado o en una posición encorvada, en la que el ligamento sacrotuberoso está también tensado por la

porción sacra del músculo erector de la espina dorsal y el glúteo mayor.

Con frecuencia, se siente dolor en la articulación sacroiliaca durante y después del embarazo, cuando la falta de laxitud de los ligamentos de la articulación sacroiliaca reduce el cierre de forma de las articulaciones. Las gimnastas femeninas experimentan problemas parecidos: la hiperflexibilidad inherente de las gimnastas generalmente incrementa la laxitud de los ligamentos pélvicos, reduciendo el cierre de forma que producen. El aumento de estabilidad muscular que es el resultado de las demandas musculares del deporte se compensa por la falta de laxitud, durante todo el tiempo que las mujeres continúan practicando su actividad. Cuando la fuerza muscular decrece después que han dejado de practicar el deporte, la articulación sacroiliaca queda inestable y expuesta a patologías. Este tipo de dolor que se produce en la articulación sacroiliaca muy a menudo se compensa con un cinturón; también se puede compensar mejorando el cierre de fuerza de la articulación sacroiliaca utilizando técnicas de estabilización para la columna lumbar y aumentando la fuerza de los músculos de los glúteos haciendo la acción de «bisagra de la cadera» (ver página 85).

> **PUNTO CLAVE**
>
> Algunos ejercicios específicos pueden mejorar la estabilidad de la articulación sacroiliaca restaurando los mecanismos naturales de cierre de forma y cierre de fuerza.

LA ACCIÓN MUSCULAR DEL TRONCO

Facilitar la contracción de los músculos que rodean la columna lumbar –incluyendo el músculo erector de la espina dorsal, el abdominal transverso, el multífido, y los abdominales oblicuos– puede mejorar la estabilidad de la columna vertebral (Richardson et al. 1990).

Músculos extensores de la columna vertebral

Los extensores de la columna vertebral se pueden clasificar, en general, en músculos superficiales (el músculo erector de la espina dorsal) que van a lo largo de toda la columna lumbar y se insertan en el sacro y en la pelvis, y los profundos, o músculos intersegmentales (unisegmentales) (multífidos, interespinales e intertransversales) que ocupan los espacios entre cada segmento lumbar individual.

Los músculos intersegmentales, que están situados más profundamente, están más cerca del centro de rotación de la columna vertebral y tienen un brazo de palanca más corto que los músculos superficiales. Sin embargo, su cercanía con el centro de rotación significa que el cambio de longitud de los músculos intersegmentales es menor que cualquier cambio que ocurre en la posición angular de la columna vertebral; y los músculos de menor longitud tienen un tiempo de reacción más rápido, creando un sistema de control de estabilidad más seguro y eficiente (Panjabi et al. 1989). La naturaleza intersegmental de estos músculos también quiere decir que son capaces de «afinar» los movimientos de la columna vertebral actuando en cada segmento individual antes que en toda la columna vertebral (Aspden 1992).

Siendo de mayor tamaño y estando más alejados del centro de rotación, los músculos superficiales están mejor situados para generar mayores movimientos de rotación sagital, mientras que los músculos intersegmentales son de mayor importancia para la estabilidad de la columna vertebral (Panjabi et al. 1989). Lo que es más, debido a que los músculos intersegmentales son más pequeños tienen casi siete veces el número de husos musculares (Bastide et al. 1989) que tienen los músculos mayores, teniendo un rol más importante en la propiocepción (ver el apartado siguiente).

Músculos profundos (intersegmentales)

De los músculos intersegmentales más profundos, el multífido es el más importante para la estabilidad lumbar. Las fibras del multífido están ordenadas segmentalmente, y cada fascículo de una vértebra tiene una inervación separada, por la porción medial de la porción dorsal de la vértebra inferior (Macintosh y Bogduk 1986). La función principal de cada fascículo del multífido es la de controlar la lordosis a su nivel vertebral particular y contrarrestar independientemente cualquier carga impuesta (Aspden 1992). La acción del multífido se puede resumir en un componente horizontal y uno vertical mucho mayor (figura 3.4), que (como queda claro cuando se ve lateralmente) trabaja a 90° de las apófisis espinosas. Esta configuración permite al multífido generar una rotación sagital posterior (balancear) de las vértebras lumbares (Macintosh y Bogduk et al. 1986). Esta acción neutraliza la flexión espinal provocada como acción secundaria producida por los abdominales oblicuos cuando producen una rotación espinal. Debido a que la línea de acción de los fascículos largos del multífido se encuentra detrás de la columna lumbar, el músculo también incrementa la lordosis lumbar. El multífido está activo a través de toda la amplitud de la flexión, durante la rotación en cualquier dirección y durante los movimientos de extensión de la cadera (Valencia y Munro 1985). La rotación posterior sagital se produce en todos los movimientos de flexión, para resistir la rotación sagital anterior que acompaña naturalmente a la flexión. La importancia del multífido al realizar esta acción es por lo tanto esencial para la estabilidad de la columna lumbar en los movimientos normales.

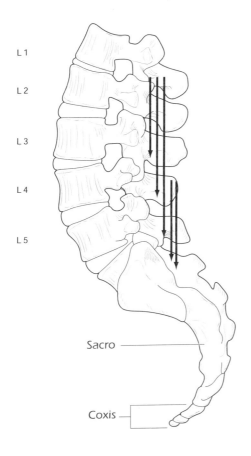

L 1

L 2

L 3

L 4

L 5

Sacro

Coxis

Fig. 3.4. Vista lateral que muestra la línea de acción del multífido, con su alineamiento vertical.
Adaptado, con permiso, de J.K. Loudon, S.L. Bell, y J.M.Johnston, 1998, The clinical orthopedic assessment guide (Champaing, IL: Human Kinetics), 54.

En la descripción de la estabilidad hecha por Panjabi (1992) (como una reducción de la rigidez en la zona neutral de la columna lumbar) es particularmente importante la función del multífido. Es un músculo que está bien situado para acrecentar la rigidez segmental en la zona neutral y contribuye casi en un 70% de la rigidez como resultado de la contracción muscular (Wilke et al. 1994).

La ecografía ha mostrado una notable asimetría del multífido en pacientes con lumbalgia (Hides et al. 1994). En una sección transversal del multífido se veía bastante reducido en el lado contrario de los síntomas, el lugar de la reducción correspondiente al nivel de lesión lumbar como se evaluó por palpación manual. El músculo también mostró una forma más redondeada, sugiriendo espasmos musculares. El mecanismo propuesto para la reducción de la sección transversal era por inhibición a través del dolor percibido por vía refjeja. El nivel de la patología vertebral pudo haber sido dirigido a proteger los tejidos dañados por el movimiento. Los autores han sugerido que la rápida atrofia muscular (menos de 14 días en 20 de los 26 pacientes estudiados) puede haberse producido por una reducción de espasmos inducidos en la circulación del músculo.

Además de los cambios en volumen, (Biedermann et al. 1991) observó tipos de fibras alteradas en el multífido de pacientes con lumbalgias (L); los pacientes que tendían a disminuir sus actividades físicas y sociales como resultado de la lumbalgia mostraron un ratio reducido de fibras lentas respecto a las rápidas. Ésta podría ser la respuesta adaptativa del músculo a cambios en el requerimiento de demandas funcionales, y/o la lesión podría haber cambiado los patrones

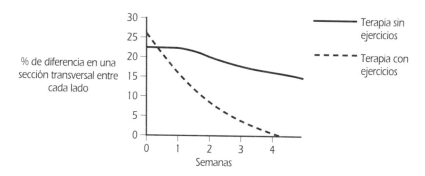

Fig. 3.5. Resultado de la ecografía de la recuperación del músculo multífido. Reimpreso de Hides et al. 1996.

de reclutamiento de las unidades motoras de los músculos paraespinales, siendo las unidades motoras de fibras rápidas reclutadas antes que las unidades motoras de fibras lentas. Los cambios patológicos en el multífido después de lumbalgias incluyen el apolillamiento de las fibras de tipo I (Hides et al. 1996) y un aumento en los depósitos de grasa (Parkkola et al. 1993).

La recuperación de la función del multífido después de una lumbalgia no sucede automáticamente después de la resolución del dolor y de la reanudación de las actividades diarias. En un estudio que comparaba solamente tratamientos médicos (1-3 días de descanso en cama, analgésicos, y antiinflamatorios) con tratamientos médicos más terapia con ejercicios físicos específicos para el multífido, Hides et al. (1996) demostró que la actividad del multífido podía ser entrenada de vuelta. Los sujetos que habían experimentado un primer episodio de una lumbalgia aguda mostraron una media de reducción de un 24% en una sección transversal del multífido en el lado del dolor. La diferencia entre el lado del dolor y el lado que no tenía dolor cambiaba casi un 17% después de 4 semanas y hasta un 14% después de 10 semanas en aquellos sujetos que recibían solamente tra-

tamiento médico. Para aquellos que recibieron terapia adicional con ejercicios, los valores medios eran de un 0,7% a las 4 semanas bajando hasta un 0,24% después de 10 semanas (figura 3.5).

> **PUNTO CLAVE**
>
> La lumbalgia conduce a una reducción del área transversal del músculo multífido. Al reducirse el dolor, la recuperación no es automática, se necesita rehabilitación.

Músculos superficiales

El músculo erector de la columna lumbar consta de dos músculos: el iliocostal y el dorsal largo (figura 3.6). Cada uno de estos músculos tiene dos componentes que surgen de la columna torácica y de la columna lumbar. Funcionalmente, por tanto el músculo erector de la espina dorsal puede ser considerado en cuatro grupos distintos: longissimus lumbar, lumbar iliocostal, longissimus torácico y el iliocostal torácico (Macintosh y Bogduk 1987).

La fuerza producida por el **longissimus lumbar** se puede resumir en un gran vector vertical y un vector horizontal más pequeño (figura 3.7). No obstante, las inserciones de los

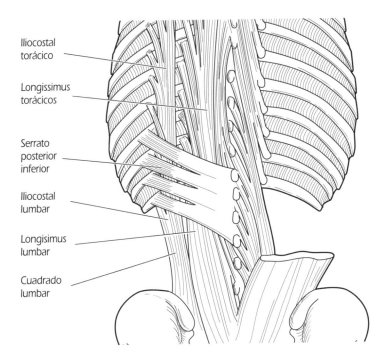

Iliocostal
torácico

Longissimus
torácicos

Serrato
posterior
inferior

Iliocostal
lumbar

Longisimus
lumbar

Cuadrado
lumbar

Fig. 3.6. *Músculos de la espalda.*

fascículos están más cerca del eje de rotación sagital que los del multífido, por lo tanto su efecto en la rotación posterior sagital es menor. Debido a que los vectores horizontales del longissimus lumbar están dirigidos hacia atrás, el músculo es capaz de tirar de la vértebra hacia atrás en una traslación posterior y restaurar la traslación anterior que ocurre en la flexión lumbar. Los fascículos lumbares superiores están mejor equipados para facilitar la rotación sagital posterior, mientras que los niveles inferiores están mejor equipados para resistir la traslación anterior.

El **iliocostal lumbar** tiene una acción parecida a la del longissimus lumbar. Además, el músculo coopera con el multífido para neutralizar la flexión causada cuando el abdominal hacer rotar el tronco.

El **longissimus torácico** puede incrementar directamente la lordosis lumbar a través de su efecto sobre la aponeurosis del músculo erector de la espina dorsal. También flexiona indirectamente la columna lumbar a través de la flexión lateral de la espina torácica.

El **iliocostal torácico** no se inserta en las vértebras lumbares si no que se inserta en la cresta iliaca. Cuando se contraen, estos fascículos incrementan la lordosis lumbar; a través de su fuerza de palanca adicional desde las costillas, de manera indirecta puede flexionar lateralmente la columna lumbar. Durante la rotación del lado contrario, las costillas se separan, estirando el iliocostal torácico que puede actuar como factor limitante de este movimiento. En la contracción, el iliocostal torácico rota la caja torácica en dirección contraria y la columna lumbar desde una posición de rotación del lado contrario.

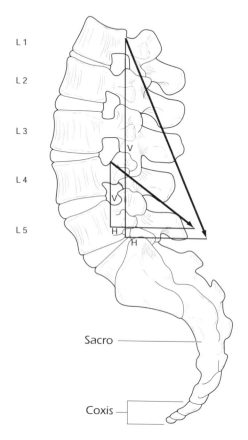

L 1
L 2
L 3
L 4
L 5

V
V
H
H

Sacro

Coxis

Fig. 3.7. Vista lateral de la columna lumbar, mostrando las líneas del ilicostal lumbar y el longissimus lumbar, y su orientación más oblicua. Vea la mayor fuerza del vector horizontal (H) y la menor fuerza del vector vertical (V) de las fibras inferiores de estos músculos. Adaptado, con la autorización de J.K. Loundon, S.L. Bell, y J.M. Johnston, 1998, The clinical orthopedic assessment guide (Champaign, IL: Human Kinetics), 54.

Es probablemente la resistencia más que la fuerza del músculo erector de la espina dorsal que es importante de cara a la rehabi-

litación de las lumbalgias. La resistencia ha venido siendo utilizada como indicador para la susceptibilidad hacia las lumbalgias (Beiring-Sorensen 1984). Además, los sujetos con un historial con lumbalgias han podido reducir la resistencia de los extensores de la espalda comparándolos con sujetos normales, con una fuerza similar (Jorgensen y Nicolaisen 1987). Al incrementarse la fatiga, los sujetos con lumbalgias han mostrado una reducción de la precisión y del control de los movimientos del tronco. La pérdida de fuerza de los músculos del tronco en estos sujetos es relativamente menor que la pérdida de control y precisión (Parnianpour et al. 1988), indicando que el programa de rehabilitación debe incluir la restauración de la resistencia de los extensores de la columna vertebral. El reclutamiento selectivo de la fuerza de torsión producida por los músculos superficiales de los músculos estabilizadores profundos es también importante para la rehabilitación de la estabilización lumbar activa (Ng y Richardson 1994).

El cuadrado lumbar (figura 3.6) puede ser un importante estabilizador de la espalda en ciertas circunstancias (McGill et al. 1996). El músculo es más profundo que el músculo erector de la espina dorsal y tiene fibras mediales y laterales. Las fibras mediales conectan las apófisis transversas de las vértebras lumbares al iliaco y al ligamento iliolumbar o a la duodécima costilla, mientras las fibras laterales conectan directamente el iliaco y el ligamento iliolumbar y la duodécima costilla (Bogduk y Twomey 1991). El cuadrado lumbar tiene una fuerza de torsión extensora pequeña y una fuerza de flexión lateral mayor y es capaz de estabilizar la columna lumbar a través de su inserciones segmentales (McGill et al. 1996). Los registros electromiográficos demuestran que el músculo está más activo durante la inclinación lateral que durante la extensión y está especialmente activo estando de pie en posición erecta y en la acción de acarrear algún objeto unilateralmente (McGill et al. 1996). Las acciones de soporte lateral cambian algunas cargas en los músculos de los discos y de las carillas articulares de la columna lumbar al costado (McGill 1998). Este rol del cuadrado lumbar como un estabilizador potencial de la columna lumbar amplía el rol reconocido tradicionalmente de principal músculo flexor lateral y de un músculo auxiliar de la respiración.

El psoasiliaco

El psoasiliaco (figura 3.8) se compone del psoas y el iliaco, dos músculos diferentes. El psoas se origina en la duodécima vértebra torácica, en las caras laterales de los cuerpos vertebrales lumbares, en sus apófisis transversas y en los discos lumbares. El músculo desciende, por debajo del ligamento inguinal, para mezclarse con las fibras del iliaco para luego insertarse en el trocánter menor del fémur. El iliaco es un músculo grande de forma triangular, en la cara anterior de la pelvis. Se origina principalmente en la parte superior y posterior de la fosa iliaca, pero se encuentran algunas fibras en el sacro y en el ligamento sacroiliaco (Palastanga et al. 1994). Las fibras del iliaco descienden por la parte medial para unirse con las fibras del psoas en el trocánter menor, mientras unas cuantas fibras se insertan en la cápsula articular.

El psoasiliaco flexiona la cadera. Con la cadera fijada, inclina anteriormente la pelvis y flexiona la columna lumbar. Aunque estas acciones son mínimas, el psoas extiende la parte superior de la columna lumbar y flexiona la parte inferior de la misma (Bogduk et

al. 1992); mucho más importante es la generación de fuerzas de compresión y tensión sobre la columna lumbar. Los fascículos individuales del psoas giran en espiral anteromedialmente y son de longitudes similares. La línea de acción de estos fascículos desciende muy cerca del eje de rotación de la columna lumbar, dando a los fascículos musculares un brazo de torsión muy pequeño y reduciendo la capacidad de flexionar el tronco cuando la cadera está fija. Sin embargo, las fuerzas de compresión y tensión creadas por el psoas sobre la columna lumbar son considerables y pueden incluso igualar todo el peso del tronco. La fuerza de tensión ejercida en la L5-S1 por la contracción máxima sólo del psoas es casi el doble que la ejercida en esta articulación por el peso normal del tronco en posición vertical (Bogduk

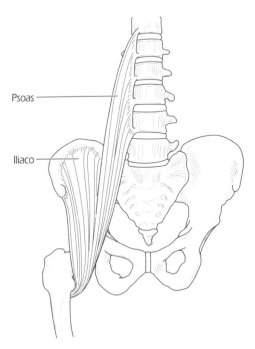

Fig. 3.8. El músculo psoasiliaco está formado por el psoas y por el iliaco, vista anterior.

et al 1992). Debido a que los dos componentes del psoasiliaco tienen una inervación diferente (el psoas de la porción anterior y L1-3, y el iliaco del nervio femoral, pueden ser activados de manera separada. En un estudio utilizando electrodos dirigidos por ultrasonidos de alta resolución, Anderson et al. (1995) demostró el reclutamiento selectivo del iliaco durante la extensión contralateral de una pierna estando de pie. No se vio actividad postural en cualquiera de los músculos estando de pie relajado o con todo el tronco flexionado 30°. Cuando se cargaba de peso la mano contraria (34 kg de peso), el psoas estaba activo pero el iliaco estaba potencialmente inactivo. Durante el ejercicio de estar sentado con la espalda recta, el psoas estaba activo pero el iliaco relativamente inactivo, mientras que en el ejercicio de estar

sentado de manera relajada, ambos músculos estaban inactivos. Ambos músculos mostraron una actividad moderada cuando los sujetos se sentaron con una anteversión pélvica y con una lordosis incrementada. Durante el ejercicio de abdominales, ambos músculos estuvieron activos en las elevaciones de piernas extendidas, con un nivel más alto de actividad durante los abdominales con las rodillas y caderas flexionadas 90° (posición encorvada). Sin embargo, tuvo muy poca actividad cuando los sujetos hicieron curls de tronco desde la posición encorvada. Durante las elevaciones de piernas extendidas, ambos músculos estuvieron activos cuando la pierna del mismo lado se levantaba. Ambos músculos estuvieron inactivos cuando la pierna del lado contrario se levantaba (tabla 3.1).

Tabla 3.1. La actividad del psoas y el iliaco medida en registros electromiográficos como porcentaje del máximo.

Posición de inicio	% del psoas	% del iliaco
De pie con una sola pierna	0	0
Misma pierna flexionada (90°)	99	99
Extensión de la pierna opuesta (30°)	0	26
Abducción de la misma pierna	36	56
Estando de pie	0	0
Estando de pie con el tronco flexionado a 30°	0	0
Estando de pie con la mano opuesta cargada	11	0
Sentado con la espalda recta	9	4
Sentado relajado	0	0
Sentado, con hiperlordosis e inclinación pélvica	17	22
Abdominal, con las piernas rectas	52	42
Abdominales, piernas 45° respecto al suelo	88	60
Curl de tronco, piernas rectas	0	0
Curl de tronco, piernas 90° (final de la amplitud)	4	0
Piernas extendidas, elevación (bilateral)	59	58

Información de Anderson et al. 1995.

Músculos abdominales

El grupo muscular abdominal consiste en cuatro músculos, divididos en dos grupos. Los abdominales profundos (anterolaterales) que no son el abdominal transverso y el oblicuo menor; los abdominales superficiales (delante) que son el recto mayor y el gran oblicuo.

Anatomía de los abdominales superficiales

El recto mayor (figura 3.9) está situado verticalmente en el centro del abdomen. Se inserta en la sínfisis del pubis y la cresta púbica, siguiendo hasta la apófisis xifoides y las costillas 5ª, 6ª y 7ª, siendo más ancho el borde superior. El borde lateral (semilunares) se puede ver en sujetos delgados, como también se puede ver la separación central entre los dos músculos, la línea alba. De las tres inserciones tendinosas percibibles de este músculo, una está al nivel del ombligo, una al nivel del xifoides y otra está entre la mitad de las dos. Cada músculo del recto está envuelto dentro de una funda fibrosa (la vaina del recto mayor) formada desde la aponeurosis de los músculos oblicuo menor y gran oblicuo y del abdominal transverso. Estas aponeurosis se unen en el centro formando la línea alba. La vaina de recto cambia a un nivel medio entre la sínfisis púbica y el ombligo. En el área superior del músculo, por encima de este punto, la aponeurosis del oblicuo menor se divide en dos, una parte pasando detrás del recto y la otra hacia delante. La aponeurosis del abdominal transverso se une con la porción posterior de la vaina, mientras la aponeurosis del gran oblicuo se une con la porción de la vaina. En la porción inferior de músculo (por debajo del punto medio entre el pubis y el ombligo), la aponeurosis de los abdominales oblicuos y el transverso pasa por delante del recto, y como resultado de esto el

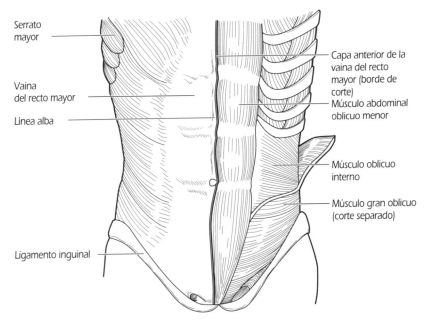

Serrato mayor

Vaina del recto mayor

Línea alba

Capa anterior de la vaina del recto mayor (borde de corte)

Músculo abdominal oblicuo menor

Músculo oblicuo interno

Músculo gran oblicuo (corte separado)

Ligamento inguinal

Fig. 3.9. Músculo de abdomen I (disección intermedia).

recto es menos visible en esta región (Palastanga et al. 1994).

El **gran oblicuo** (figura 3.9) está en la parte anterior lateral del abdomen, con sus fibras que van hacia abajo y hacia al medio. Se inserta en el borde exterior de las últimas ocho costillas (y en sus cartílagos costales) y luego pasa hacia la línea media. El músculo se entrelaza con el serrato mayor (por encima) y con el dorsal ancho (por debajo). Las fibras laterales son casi verticales y se unen a la cresta iliaca en el arco crural, mientras que las fibras mediales se unen con la vaina del recto mayor. El borde inferior de la aponeurosis del músculo pasa entre el tubérculo púbico y la espina iliaca anterosuperior para formar el ligamento inguinal.

Anatomía de los abdominales profundos

El **oblicuo menor** (figura 3.9) está por debajo del gran oblicuo y se inserta sobre los dos tercios laterales del ligamento inguinal y en los dos tercios anteriores de la cresta iliaca. También se une en la fascia toracolumbar. Las fibras salen en abanico hacia fuera y arriba (las fibras posteriores casi de manera vertical) para insertarse en los bordes inferiores de las últimas cuatro costillas. Las fibras anteriores pasan medialmente para ayudar desde la vaina del recto mayor (figura 3.10). La porción del músculo que se une al ligamento inguinal, une sus fibras colindantes a las del abdominal transverso para formar el tendón conjunto.

El **abdominal transverso** (figura 3.10) es el más profundo de los músculos abdominales de capas y se origina en el tercio lateral del ligamento inguinal y en los dos tercios anteriores de labio interno de la cresta iliaca (Palastanga et al 1994). Además, tiene una inserción en la fascia toracolumbar (donde se entrelaza con el oblicuo menor para formar el

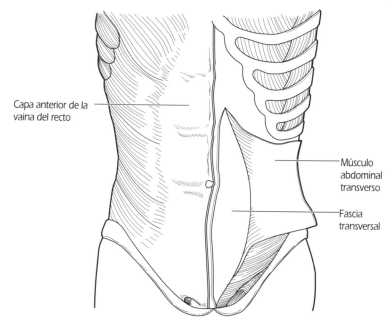

Capa anterior de la vaina del recto

Músculo abdominal transverso

Fascia transversal

Fig. 3.10. Músculos del abdomen II (disección profunda).

rafe lateral) y en las últimas seis costillas, donde se entremezcla con el diafragma. Sus fibras pasan horizontalmente para unirse con la vaina del recto mayor (figura 3.11), las fibras inferiores que se insertan en el ligamento inguinal y se unen con las fibras del oblicuo menor para formar el tendón conjunto. La parte inferior del abdominal transverso va hacia la fascia transversal, en la que se encuentra el anillo inguinal profundo.

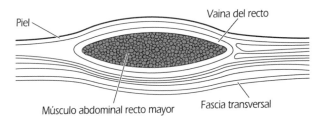

Fig. 3.11. Sección transversal de la vaina del recto.

Funciones de los abdominales

El recto mayor y las fibras laterales del gran oblicuo son los flexores principales del tronco; el oblicuo menor y el abdominal transverso son los principales estabilizadores (Millar y Medeiros 1987). El recto mayor y el gran oblicuo son músculos superficiales que a menudo dominan las acciones del tronco. El abdominal transverso y el oblicuo menor son más profundos, y los pacientes a menudo no son capaces de contraerlos voluntariamente.

El recto mayor flexiona el tronco aproximando la pelvis y la caja torácica. La investigación hecha con registros electromiográficos muestra que en la flexión del tronco destaca la porción supraumbilical, mientras que en la retroversión pélvica muestra una actividad mayor la porción infraumbilical (Guimaraes et al. 1991; Lipetz y Gutin 1970). La reducción del diámetro de la región abdominal activa los músculos oblicuo menor y abdominal transverso (Richardson et al. 1992), y el abdominal transverso se contrae en el inicio del movimiento para estabilizar el tronco en acciones que se realicen por encima de la cabeza y por los miembros inferiores (Hodges y Richardson 1996).

En acciones como el hacer deporte o levantar objetos, la función básica de los músculos abdominales es estabilizar el tronco y dotarlo de una base de soporte firme para los brazos y las piernas a partir de la cual poder ejecutar acciones. Si la estabilidad no es buena (en relación con la fuerza del sujeto), parte de la energía de las acciones que se hacen con las extremidades pueden desplazar la pelvis y el tronco en lugar de proporcionar la acción deseada del miembro. Compare qué pasaría si un bateador de béisbol que llevara zapatillas estuviera sobre hielo cuando golpeara la pelota, en lugar de tener los pies en tierra firme. Parte de la energía del swing se perdería y su cuerpo giraría torpemente. De la misma manera, si la estabilidad del tronco no es buena, la fuerza de los miembros sale perjudicada y hay un estrés adicional en los tejidos espinales si se fuerzan hasta el final de su amplitud.

Tenga en cuenta el levantamiento de un peso por encima de la cabeza realizado con una columna vertebral inestable (figura 3.12, a y b): si la pelvis se inclina hacia delante, la lordosis lumbar se incrementa y los músculos abdominales se sobreestiran al mismo tiempo que la columna lumbar se extiende completamente (ver página 43). En este caso, la estabilidad del tronco previene la aproximación de las carillas articulares y el retroceso elástico de los tejidos no contráctiles (estabilidad pasiva) más que la acción muscular (estabilidad activa) (ver página 40). La clave para entrenar la musculatura abdominal de manera segura y efectiva es trabajar la estabilidad del tronco antes que entrenar acciones musculares con el tronco. De esta manera, los ejercicios se realizan sobre una columna vertebral muscularmente estable, en lugar de poner un estrés excesivo sobre las articulaciones vertebrales antes de que se haya podido generar una buena estabilidad muscular.

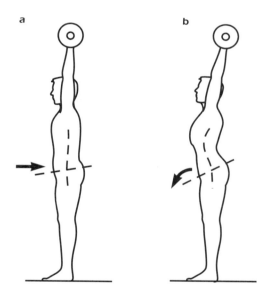

Fig. 3.12. Estabilidad del tronco en una elevación de un peso por encima de la cabeza: (a) estabilidad activa del tronco a través de la contracción abdominal y con la pelvis nivelada, dando como resultado una reducción del estrés en los tejidos lumbares; (b) estabilidad pasiva del tronco a través de abdominales laxos y pelvis inclinada, dando como resultado un aumento del estrés en los tejidos lumbares.
De C .Norris, 1998 Diagnosis and Mangement, 2ª ed. (Oxford: Butterworth Heinemann), 175. Reimpreso con la autorización de Butterworth Heinemann Publishers, una división de Reed Educational & Professional Publishing Ltd.

> ◖ **PUNTO CLAVE** ◗
>
> La estabilidad conforma las bases de todos los ejercicios del tronco. Los individuos deben trabajar la estabilidad del tronco antes de entrenar acciones musculares que impliquen el tronco.

Patrones de coordinación entre los abdominales durante el movimiento de la columna vertebral

En términos de estabilización de la columna vertebral, la velocidad de contracción de los abdominales es más crítica que su fuerza cuando reaccionan a una fuerza que tiende a desplazar la columna lumbar (Saal y Saal 1989). Además, la capacidad de un paciente para disociar la función de los abdominales profundos de los superficiales es importante, y la clave para la estabilización lumbar parece que puede ser la proporción entre ellos más que la intensidad de su actividad muscular. En la reducción del diámetro de la región abdominal (más que hacer el movimiento de un abdominal clásico) trabaja el abdominal transverso y el oblicuo menor (no el recto mayor y el oblicuo menor) (Richardson et al. 1992). Los pacientes con lumbalgia crónica (LC) tienen una capacidad inferior de utilizar el oblicuo menor respecto al recto mayor y al gran oblicuo, reflejando un cambio en los patrones de la actividad motriz (O'Sullivan et al. 1997). Cuando los pacientes con LC intentan una acción de reducción del diámetro de la región abdominal, tienden a sustituir los músculos superficiales que predominan sobre los abdominales profundos. Cuando se presenta como proporción entre el oblicuo menor y el recto mayor (om, rm), el valor del grupo de control (sin LC) era de 8,74, mientras que el grupo con LC tenían un ratio de sólo 2,41 –indicando una proporción

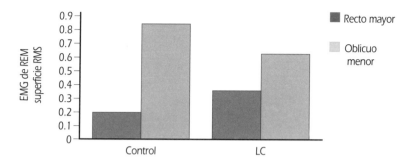

Fig. 3.13. *Activación abdominal muscular con lumbalgias crónicas (LC).*
Datos de O'Sullivan et al. 1997.

de contribución mucho mayor en reducción del diámetro de la región abdominal del oblicuo menor en el grupo de control (figura 3.13)–. La inhibición del dolor en los sujetos con LC puede haber conducido a alteraciones en el reclutamiento muscular y estrategias de compensación (O'Sullivan et al 1997).

Los registros electromiográficos de los músculos del tronco muestran que los músculos no trabajan simplemente como movilizadores de la columna vertebral, si no que también muestran actividad antagonista durante varios movimientos. Los abdominales oblicuos están más activos que lo que se predijo para ayudar a estabilizar el tronco. En un estudio de Zetterberg et al. (1987), la actividad muscular de los abdominales en los sujetos durante la extensión máxima del tronco se movió entre un 32% y un 68% de las actividades de los longissimus. Como se esperaba, los músculos del mismo lado mostraron una actividad máxima en la resistencia a la flexión lateral, pero los músculos del lado opuesto también estuvieron activos en casi un 10-20% de los valores máximos.

Los patrones coordinados entre los músculos abdominales son específicos por tareas. Pero el único músculo que está activo en todos los patrones es el abdominal transverso. Durante la contracción isométrica voluntaria del tronco en extensión, el abdominal transverso es el único de los músculos abdominales que mostró una actividad apreciable. También es el músculo más consistentemente relacionado con los cambios en la presión intraabdominal (PIA) (Cresswell et al. 1992). El abdominal transverso no sólo se contrae cuando el tronco se mueve en cualquier dirección –su actividad siempre precede a la contracción de los otros músculos del tronco en un sujeto normal (sin LC) (Cresswell et al. 1994)–.

> **PUNTO CLAVE**
>
> El abdominal transverso es el único músculo abdominal que está activo en cualquier movimiento del tronco. Su actividad siempre precede la de los otros abdominales en sujetos normales.

Cuando la gente se dedica a realizar movimientos repetidos, sus cuerpos anticipan la carga predecible y los músculos se contraen de acuerdo con esto. Utilizando electrodos, Hodges y Richardson (1996) evaluaron la acción muscular abdominal durante 10 repeticiones de flexión, extensión y abducción del hombro. Vieron que el abdominal transverso

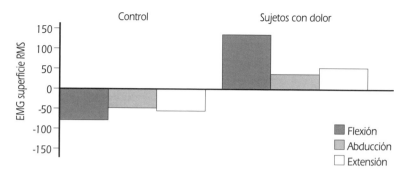

Fig. 3.14. *Actividad del músculo abdominal transverso durante los movimientos del hombro. Hay que destacar que los sujetos con dolor de espalda tienen un tiempo de reacción más largo. El punto 0 representa el comienzo del movimiento.*

se contraía 38,9 milisegundos antes que los músculos del hombro. El tiempo de reacción medio para el deltoides era de 188 mseg, con los músculos abdominales (excepto el abdominal transverso) siguiendo la contracción del deltoides 9,84 mseg más tarde. Con sujetos con historial de lumbalgias, sin embargo, les fallaba la contracción del abdominal transverso que precedía a la del deltoides, indicando que los sujetos habían perdido la naturaleza anticipadora de la estabilidad (figura 3.14). Este dato altamente significativo revela una disfunción uniforme en el control motor del abdominal transverso en personas con lumbalgias –no es simplemente un problema de fuerza muscular–. Parece que la naturaleza anticipadora del abdominal transverso se puede perder en aquellos sujetos con lumbalgias, dejando abierta la posibilidad que este mecanismo pueda volver a desarrollarse terapéuticamente.

PUNTO CLAVE

Los pacientes con lumbalgia crónica muestran un control motor deficitario (una alteración en el tiempo de reacción muscular y en la anticipación a la contracción) del abdominal transverso.

Unos cuantos autores han resaltado la contracción del los músculos abdominales antes del inicio del movimiento de las extremidades, como un ejemplo de una reacción postural de anticipación (Friedli et al. 1984; Aruin y Latach 1995). Es estos casos, como sería de esperar, el músculo erector de la espina dorsal y el gran oblicuo se contraen antes que la flexión del brazo, mientras el recto mayor abdominal se contrae antes que la extensión del brazo. En cada caso, los músculos del tronco actúan para limitar la reacción del movimiento corporal hacia el segmento que se mueve. La contracción del abdominal transverso, antes que los otros músculos abdominales, ha sido descrita por Cresswell et al. (1994) en respuesta a los movimientos del tronco, pero la contracción anticipatoria durante los movimientos de los segmentos es un nuevo descubrimiento. El abdominal transverso parece que se contrae cuando se mantiene la postura no simplemente para llevar el cuerpo hacia la línea correcta de la postura, si no que también se contrae para incrementar la rigidez de la región lumbar y para mejorar la estabilidad (Hodges et al. 1996).

EL MECANISMO DE PRESIÓN INTRAABDOMINAL

La presión intraabdominal (PIA) se describe a veces como presión intratroncal (Watkins 1999), aunque en último término incluye ambas presiones, intraabdominal y intratorácica. La presión intratorácica se crea durante la inspiración, expandiendo los pulmones dentro de la caja torácica para coincidir con el levantamiento de un objeto u otro esfuerzo. Aunque la presión intratorácica puede ser útil en deportes competitivos, no pongo más énfasis en esto en este texto ya que la más que compleja coordinación entre la presión intratorácica y la reducción del diámetro de la región abdominal (descrita más tarde) la hace inapropiada para la mayoría de programas de rehabilitación. El coordinar la inspiración con el esfuerzo, además, puede llevarnos a la utilización de la maniobra de Valsalva, donde la respiración se aguanta para mantener el aumento de la presión torácica. Si esto se hace durante el ejercicio, la maniobra de valsalva puede subir la presión sanguínea a niveles peligrosos (Linsenbardt et al. 1992), una situación inapropiada dado el mal estado de salud de muchos individuos con dolores de espalda.

La presión intraabdominal conlleva la contracción sincrónica de los músculos abdominales, del diafragma, y de los músculos del suelo pélvico. Los abdominales profundos (el abdominal transverso y el oblicuo menor) son el grupo más importante de los músculos abdominales a este respecto, ya que son compresores viscerales más que flexores. Aunque no haya un nombre para esto, la mayoría de gente experimenta la presión intraabdominal en las acciones del día a día, como por ejemplo, cuando los músculos se contraen de manera refleja para encajar un golpe directo en el abdomen. Las bases teóricas para el mecanismo de la presión intraabdominal es que la presión de dentro del abdomen, actuando contra la pelvis y el diafragma, proporciona la fuerza extensor adicional a la columna vertebral (figura 3.15) –además, el «globo inflado» actúa sobre la fuerza de torsión que es tres veces mayor que la del músculo erector de la espina dorsal–.

> **PUNTO CLAVE**
>
> La presión intraabdominal se crea por la contracción sincrónica de los músculos abdominales, el diafragma y los músculos del suelo pélvico.

La contracción del abdominal transverso y del oblicuo menor incrementa la presión intraabdominal, se previene cerrando la glotis. Imagine el tronco como un cilindro. La parte de arriba del cilindro está formada por el diafragma, el fondo del suelo pélvico y por las paredes de los abdominales profundos (abdominal transverso y oblicuo menor). Al tirar hacia arriba y adentro las paredes abdominales, las paredes del cilindro son tiradas hacia adentro de manera eficaz. Si se hace una inspiración profunda, el diafragma baja, comprimiendo el cilindro desde encima. Proporcionando suelo pélvico (el fondo de cilindro) queda intacto, el cilindro está «presurizado» y se vuelve más macizo. De esta manera, es capaz de resistir cualquier estrés de flexión que se le aplique.

La presión intraabdominal es mayor si la respiración se aguanta después de una inspiración profunda (maniobra de Valsalva), ya que el diafragma está más bajo y el tamaño relativo de la cavidad abdominal (el cilindro) se reduce. Durante el levantamiento de un objeto, los músculos del suelo pélvico (el piso del cilindro) se contraen para mantener la integridad pélvica y para evitar orinar. La maniobra de Valsalva es por lo tanto apropiada en el levantamiento de objetos siempre y cuando la acción sea breve. Se debe tener presente sin embargo, que los cambios de la presión sanguínea pueden no ser convenientes en algunos sujetos con una mala salud cardiovascular. El levantamiento de objetos pesados para este grupo de personas, por lo tanto, no es recomendable.

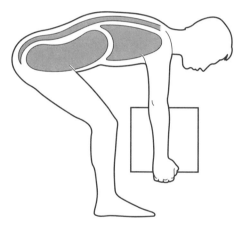

Fig. 3.15. *Mecanismo de presión intraabdominal. La presión en el abdomen cuando actúa contra la pelvis y el diafragma proporciona una fuerza extensora adicional a la columna vertebral.*

Hacer del tronco un cilindro más sólido reduce la compresión axial y las cargas de tensión y distribuye la carga en un área más amplia (Twomey y Taylor 1987). La presión intraabdominal también puede ayudar a proteger la columna vertebral de cargas indirectas excesivas (aquellas que no actúan directamente sobre la columna vertebral, si no a través de la carga de un segmento corporal), con los músculos actuando involuntariamente para fijar la caja torácica. La presión intraabdominal es mayor cuando se levantan objetos pesados y cuando se hace un levantamiento de manera rápida (Davis y Troup 1964).

La fuerza muscular abdominal afecta a la presión intraabdominal –los deportistas fuertes pueden producir unos valores muy altos de presión intraabdominal (Harman et al. 1998)–. A pesar de esto el fortalecer los músculos abdominales con ejercicios como los abdominales no incrementa permanentemente la presión intraabdominal (Hemborg et al. 1983), ya que estos ejercicios normalmente no imitan la coordinación entre los músculos abdominales que está inherente en el mecanismo de la presión intraabdominal (Oliver y Middleditch 1991). Investigando el efecto del entrenamiento de los músculos abdominales en la presión intraabdominal, Hemborg et al. (1985), utilizó ejercicios de curls isométricos y ejercicios giratorios. El incremento del reclutamiento de la unidades motoras de los músculos oblicuos demostraron claramente el fortalecimiento muscular, a pesar de que la actividad de los registros electromiográficos decreció durante los levantamientos, implicando que los sujetos no hacen una utilización funcional de su mejor capacidad de reclutamiento de la unidades motoras. La diferenciación entre el incremento de la fuerza y de la capacidad funcional es importante. Si un ejercicio no es específico para la tarea que se está realizando, la adaptación psicológica del sistema músculo-esquelético puede ser inapropiada. Ver la página 108 para más información sobre el entrenamiento específico.

PUNTO CLAVE

Los ejercicios de abdominales no subirán permanentemente la presión intraabdominal.

El mecanismo de la presión intraabdominal ha recibido un importante número de críticas cuando se ha presentado como el único proceso estabilizador de la columna vertebral (Bogduk y Twomey 1987). Primero, para estabilizar completamente la columna vertebral durante el levantamiento de objetos pesados, la presión intraabdominal tendría que haber excedido la presión sistólica en la aorta, cortando eficazmente el riego sanguíneo a las vísceras y a las extremidades inferiores. Los levantadores de pesas que compiten se sabe que se desmayan cuando levantan pesos extremadamente pesados, a lo mejor debido a la alta presión intraabdominal (McGill et al. 1990). Al iniciar el levantamiento, hay una rápida elevación inicial de presión intraabdominal –conocida como «smatch pressure»– que puede durar menos de 0,5 segundos. La presión baja durante el resto del levantamiento. Hemborg et al. (1985) calculó que se necesitaría un pico de presión intraabdominal de 250 mm Hg para levantar un peso de 100 kg. Segundo, la fuerza muscular que se necesita para crear una presión intraabdominal suficientemente alta es mayor que el aro de presión de los músculos abdominales (Gracovetsky et al. 1985). Tercero, si el recto abdominal se contrae para incrementar la presión intraabdominal, produce una fuerza de flexión que contrarresta el efecto de antiflexión de la presión intraabdominal creado al separarse el diafragma y el suelo pélvico. Esas críticas de la presión intraabdominal han conducido a volver a examinar la contribución de ésta a la estabilidad de la espalda. Originalmente, se pensaba que la presión intraabdominal reducía la compresión sobre la columna lumbar en un 40% (Eie 1966), pero estudios más recientes han demostrado sólo es de un 7% (McGill et al. 1990).

PUNTO CLAVE

La presión intraabdominal se estima que reduce la compresión sobre la columna vertebral tan sólo en un 7%.

Bogduk y Twomey (1991) han considerado el efecto de la presión intraabdominal en el control axial de la rotación mientras se hace un levantamiento. La mayoría de modelos matemáticos describen el levantamiento sólo en el plano sagital. Desde un punto de vista funcional, sin embargo, el levantamiento es una actividad en la que intervienen diversos planos, en la que se requiere estabilidad respecto a la rotación tanto como a la flexión-extensión. Si el oblicuo menor y gran oblicuo se contraen para controlar la rotación, la presión intraabdominal puede aumentar como efecto secundario.

RESUMEN

- La columna vertebral humana es inherentemente inestable sin su musculatura.
- Los ligamentos interespinosos y supraespinosos, la cápsulas de las carillas articulares, y la fascia toracolumbar (FTL) juntos proporcionan un soporte pasivo a la columna vertebral suficiente para equilibrar entre un 24% y un 55% del estrés impuesto por la flexión.
- La columna vertebral se estabiliza pasivamente a través del sistema ligamentoso posterior y del retroceso elástico.
- La fascia toracolumbar estabiliza la columna vertebral a través de tres mecanismos principales: (1) resistencia pasiva a través de sus conexiones con los músculos abdominales transversos; (2) la amplificación hidráulica como tal, restrin-

ge la expansión del músculo erector de la espina dorsal; (3) el «cierre de forma» y «el cierre de fuerza» de la articulación sacroiliaca.

- De los músculos intersegmentales profundos, el multífido es el más importante para la estabilización de la columna vertebral, ayudando a controlar la lordosis y para la neutralización de la flexión espinal. Después de una lesión en los lumbares, se necesita de terapia con ejercicios para restaurar la función del multífido.
- De los músculos superficiales de la espalda, el músculo erector de la espina dorsal es el más importante para la estabilización de la espalda. Es su resistencia más que su fuerza lo que es especialmente importante.
- De los músculos abdominales, el oblicuo menor y el abdominal transverso son los estabilizadores más importantes de la espalda, más que los superficiales oblicuo menor y recto mayor. La proporción en que estos músculos son utilizados es más importante que simplemente la fuerza muscular de éstos.
- La clave para el entrenamiento abdominal efectivo en deportes es entrenar antes la estabilidad del tronco que las ejecuciones musculares con el tronco.
- Los individuos con lumbalgia tienden a favorecer los músculos abdominales más externos. El ahuecamiento abdominal (más que los abdominales), sin embargo, activa el oblicuo menor y abdominal transverso y, ya que un objetivo importante de la rehabilitación es ayudar a los pacientes a que aprendan a disociar el uso de los músculos profundos de los más superficiales, aprender a practicar la reducción del diámetro de la región abdominal es una parte vital de la rehabilitación.

SEGUNDA PARTE

EJERCICIOS PARA PROPORCIONAR ESTABILIDAD

El capítulo 4 («Enseñar a sus pacientes las técnicas básicas») es probablemente el capítulo más importante en este libro. Sólo con enseñar a sus pacientes que sufran dolores de espalda a dominar todos los ejercicios de este capítulo, puede que los ayude más que lo hubiera hecho cualquier programa estándar de pesas, ejercicios, masajes, manipulaciones, etc.

Enseñar a sus pacientes la inclinación pélvica, la reducción del diámetro de la región abdominal, cómo asumir la posición neutra lumbar y cómo contraer el multífido (la esencia del capítulo 4) es sólo el comienzo. Las técnicas descritas es este capítulo hacen llegar a sus pacientes hasta el punto donde usted puede conseguir con el resto de su programa de tratamiento. Querrá identificar y corregir el desequilibrio muscular, ya que es la fuente de la mayoría de dolores de espalda y de la inestabilidad. El capítulo 5 («Desequilibirio muscular») le dice cómo de-

be diagnosticar el desequilibrio y cómo corregirlo. El capítulo 6 («Entrenamiento básico de la musculatura abdominal»), le muestra cómo debe enseñar a sus pacientes a trabajar los músculos en que algunos terapeutas se centran cuando le encomiendan a los pacientes a hacer «sesiones con el AB roller» para enfrentarse a los problemas de espalda. Sus pacientes pueden hacer abdominales hasta tenerlas bien marcadas en la playa de Malibú y aún estarán deshechos por el dolor de espalda. Le muestro cómo apuntar a todas las estructuras importantes (y no sólo los músculos –necesita enseñar a sus pacientes a entrenar sus respuestas neurológicas también–).

En el capítulo 7 («Actitud postural»), le muestro cómo determinar si sus pacientes no tienen la postura ideal y cómo corregir las diferentes clases de posturas anómalas, que pueden ser el factor más importante de las lumbalgias.

CAPÍTULO 4

ENSEÑAR A SUS PACIENTES LAS TÉCNICAS BÁSICAS

Antes de que sus pacientes puedan seguir rigurosamente los programas y prácticas explicadas posteriormente en este libro, deben tener ciertas aptitudes básicas. Este capítulo le ayudará a entender cómo enseñar a sus pacientes estas técnicas.

La acción muscular puede estabilizar de manera eficiente el tronco sólo si éste es un cilindro sólido. En el capítulo 3 hemos visto que los músculos abdominales (laterales) profundos (el abdominal transverso y el oblicuo interno) eran los más importantes dentro del grupo abdominal para lograr este objetivo, mientras que el multífido es el más importante de los músculos de la espalda. Nuestro objetivo inicial es reeducar estos músculos para ganar control voluntario sobre sus acciones.

PUNTO CLAVE

El programa de estabilidad de espalda empieza con la reeducación muscular. Antes de proseguir con los ejercicios descritos en capítulos posteriores, sus pacientes deberían ser capaces de controlar la inclinación pélvica; identificar y asumir la posición neutral de la columna lumbar; realizar la reducción del diámetro de la región abdominal y contraer voluntariamente el músculo multífido.

Una vez sus pacientes hayan obtenido un control voluntario, serán más capaces de utilizar los músculos con un esfuerzo mínimo. El objetivo de todos estos ejercicios es realizar las intensidades de contracción de sólo un 30-40% del máximo, que se puedan sostener fácilmente. Sus pacientes deben entonces aprender a desarrollar la resistencia de los músculos, con la intención de realizar 10 repeticiones y mantenerlas durante 10 segundos. También deben aprender a reconocer la posición neutral de la columna lumbar, a detectar cuando la columna lumbar se ha desplazado de su posición neutral y corregir la posición de la columna lumbar utilizando la acción de inclinación pélvica.

ENSEÑAR A SUS PACIENTES EL CONTROL DE LA INCLINACIÓN PÉLVICA

Si diagnostica que el alineamiento pélvi-columbar de su paciente es incorrecto, necesitará enseñarle a cómo inclinar y mantener esta inclinación de su pelvis para corregir este desalineamiento. Al empezar el tratamiento, recuerde que para algunos, el tocarse puede ser una cuestión delicada. Tiene que estar atento al lenguaje corporal o a las palabras que puedan indicar tensión en su paciente. Antes de tocar al paciente, explíquele claramente lo que va a hacer y asegúrese de que él o ella se sienta cómoda o cómodo con la manipulación propuesta. Si no es así, intente una aproximación diferente. Con pacientes muy sensibles al contacto, procediendo con cuidado, normalmente puede establecer la confianza necesaria para llevar a cabo el curso terapéutico que más puede ayudarle a su paciente. Ha de tener siempre en cuenta que la confianza terapeuta-paciente es un ingrediente esencial para un tratamiento satisfactorio. Haga todo lo posible para establecer y mantener la confianza.

Control segmental

La capacidad de disociar el movimiento de un segmento corporal de otro segmento cercano depende de la capacidad de estabilización y de la longitud muscular adecuada. El requisito principal del control segmental concerniente a la estabilidad de la espalda es que la pelvis debe ser capaz de inclinarse independientemente de la columna lumbar en ambos planos, sagital y frontal.

La combinación de movimientos de la cadera con la pelvis y la columna lumbar sobre la pelvis incrementa la amplitud de movimiento en esta área del cuerpo. La relación entre el movimiento lumbar y el pélvico se llama ritmo pélvicolumbar (ver en la página 43). Durante la flexión hacia delante en posición vertical (estando de pie), cuando las piernas permanecen estiradas, el movimiento de la pelvis sobre la cadera está limitado a una flexión hasta de 90°. Cualquier otro movimiento más allá de esta flexión, permitiendo al sujeto tocar el suelo, se debe realizar en la columna lumbar. Para que el ritmo pélvicolumbar funcione correctamente, el movimiento de la pelvis sobre la cadera deberá ser igual o mayor que el movimiento de la columna lumbar sobre ésta. En gente con un historial de dolor de espalda, sin embargo, la capacidad para realizar la inclinación pélvica (la pelvis se mueve sobre la cadera) muy a menudo se pierde. Casi todo el movimiento durante la anteversión pélvica proviene de la columna lumbar, lo cual muestra una excesiva flexión pero limitada, o muy a menudo un bloqueo de la extensión. En la parte inferior del tronco, la capacidad de disociar el movimiento lumbar del movimiento pélvico por lo tanto es importante, y la corrección del ritmo pélvicolumbar defectuoso es vital.

> **PUNTO CLAVE**
>
> La capacidad de disociar el movimiento de la columna lumbar del movimiento de la pelvis es esencial para un buen funcionamiento de la espalda.

Evaluar la disociación pélvicolumbar

Puede utilizar una gran variedad de ejercicios para evaluar el ritmo pélvicolumbar. Posteriormente puede utilizar los mismos ejercicios como una parte del proceso de rehabilitación. No hay un objetivo fijado para cada uno de los siguientes ejercicios, porque todos tienen básicamente el mismo objetivo: permitirle evaluar la capacidad de sus pacientes de disociar el movimiento pélvico del lumbar.

Elevación de rodilla de pie en posición vertical

El sujeto se coloca en ángulo recto respecto a una espaldera para ayudarse, debe flexionar la cadera más allá de los 90° levantando su muslo hacia el pecho y dejando que su rodilla se flexione. El movimiento tendría que hacerse a ser posible en tres fases. Inicialmente no debería haber ningún movimiento pélvico o lumbar, consistiendo en la sola flexión de la cadera en la fase I (a). Durante la fase II, la

continúa

Elevación de rodilla de pie en posición vertical, continuación

pelvis debería empezar a inclinarse posteriormente al acercarse la cadera a los 90°. La lordosis debería aplanarse, pero el movimiento de la columna lumbar no debería ser excesivo (b). En la fase III, no se puede mover más la cadera o la pelvis, y se consigue la posición final con la flexión lumbar solamente (c). Cuando el control del ritmo pélvicolumbar es deficiente, la flexión lumbar y la rotación pélvica con frecuencia suceden temprano en la fase I, con un movimiento torácico que se ve cuando el sujeto hunde el pecho en un movimiento descendente hacia la rodilla (d).

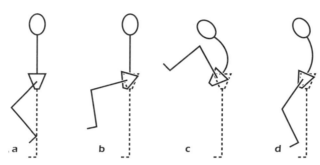

Cuando la flexión lumbar se produce pronto durante en el movimiento, la acción de elevación de la rodilla en posición vertical se puede utilizar como un ejercicio de estabilidad. Instruya a su paciente a levantar la rodilla inicialmente haciendo una flexión de cadera de unos 10-20° mientras mantiene la estabilidad de la zona pélvicolumbar y evita cualquier inclinación pélvica. Para aumentar la carga del ejercicio, incremente la amplitud del movimiento de la cadera hasta unos 30-45° y ralentice la acción para que la elevación de la rodilla dure unos 10 segundos.

Evaluación pasiva de la inclinación pélvica

Mientras su paciente está de pie, sujételo por debajo de la cintura con su antebrazo colocado alrededor del borde pélvico. Coloque su otra mano de manera plana en el sacro y utilice su hombro para estabilizar su espina torácica. Haga que su paciente realice una anteversión pélvica y luego una retroversión, evaluando hasta donde puede mover la pelvis en cada dirección. Si su paciente manifiesta una actitud postural con la espalda plana, el total de anteversión se reducirá; si manifiesta una postura lordótica, la correspondiente cantidad de retroversión se verá limitada.

Evaluar el ritmo pélvicolumbar al arrodillarse en posición prona

El sujeto se va sentando hacia sus tobillos. Otra vez, la acción debería realizarse en tres fases. En la fase I, no debería haber ningún movimiento lumbar o pélvico (a); en la fase II, hay una retroversión pélvi-

continúa

Evaluar el ritmo pélvicolumbar al arrodillarse en posición prona, continuación

ca y una flexión de cadera (b); y en la fase III, la flexión lumbar y parte de flexión torácica finalizan la acción (c). A menudo el ritmo pélvicolumbar defectuoso aparece inmediatamente cuando la flexión lumbar y la inclinación pélvica ocurren al mismo tiempo (d).

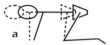   

Movimiento bisagra de la cadera en posición vertical

Esta acción le permite observar la capacidad de su paciente de aislar el movimiento pélvico del de la columna lumbar, en la posición más funcional de pie o vertical. Su primer objetivo es evaluar la flexión hacia delante de su paciente, ya que la contribución relativa de la anteversión pélvica de este movimiento es importante. Con un ritmo pélvicolumbar normal, la flexión de rodilla y la anteversión pélvica reducen la cantidad de flexión lumbar necesaria para agacharse por debajo de la altura de la cintura, cuando se está de pie y cuando se hace el ejercicio en un

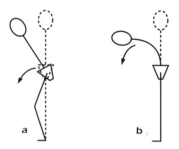

banco bajo (a). Donde vea que la inclinación pélvica esta limitada, se necesita una mayor flexión lumbar. A lo largo del día, el número de flexiones lumbares se incrementa en buena medida, haciendo que se acumule un gran estrés en los tejidos del cuerpo en esta área (b).

Evaluar el control pélvico en el plano frontal: el signo de trendelenburg

Cuando una pierna aguanta todo el peso del cuerpo, los abductores de la cadera (en gran medida los glúteos medios) de la pierna que aguanta el peso evitan que la cadera se hunda (a). Cuando estos músculos son incapaces de mantener una contracción interna, la pelvis se hunde en dirección a la pierna que se levanta, aduciendo la extremidad que soporta el peso (b). Si realiza esta acción de manera continuada puede conducir a un desequilibrio, combinado conjuntamente con el estiramiento de los abductores de la cadera y acortartamiento de los aductores.

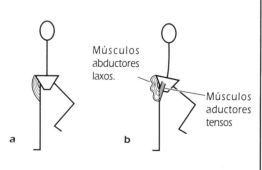

Músculos abductores laxos.

Músculos aductores tensos

Reconocer una abducción falsa de cadera

En una situación sin peso, la inactividad del glúteo medio se muestra como un movimiento de falsa abducción. Normalmente cuando la pierna superior se levanta desde una posición de estirado sobre un costado, la pelvis se mantiene al mismo nivel y la cadera se mueve sobre esta base estable (a). Cuando los abductores de la cadera son débiles, el sujeto es incapaz de abducir la pierna correctamente (b). En lugar de esto, su pelvis se inclina lateralmente sobre la espina dorsal utilizando los flexores laterales del tronco, lo cual da una falsa apariencia de abducción de cadera. Aunque la pierna se levanta, la relación entre el fémur y la pelvis se mantiene inalterable. Al realizar una inspección cercana se ve el movimiento aislado de la columna lumbar.

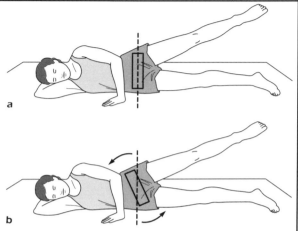

Recuperar el ritmo pélvicolumbar correcto

La restauración del ritmo pélvicolumbar es esencial para el correcto funcionamiento de esta región. La rehabilitación de este mecanismo comienza con el reconocimiento por parte de su paciente de la acción de la inclinación pélvica y de ser capaz de mantener la columna lumbar neutral.

El control del ritmo pélvicolumbar se utiliza de manera extensa durante la carga estática del sistema estabilizador, que veremos en el capítulo 8 y durante la rehabilitación del levantamiento en el capítulo 9. Los siguientes ejercicios ayudarán a su paciente a ganar el control de la inclinación pélvica esencial que se necesita para la estabilidad básica de la espalda. En los dos últimos ejercicios se utiliza una *fitball* y prepararán a su paciente para ejercicios con mayor dificultad con la pelota de fitness explicados en el capítulo 9.

> **PUNTO CLAVE**
>
> El mecanismo de la inclinación pélvica es clave para los movimientos de la región pélvicolumbar.

Inclinación pélvica asistida de pie en posición vertical

OBJETIVO *Para sujetos que son incapaces de iniciar una inclinación pélvica.*

Hay que fomentar el movimiento pasivo mientras sus pacientes están en posición vertical, cogiéndolos alrededor del borde pélvico y sosteniéndoles el sacro con la palma de su mano opuesta (como en la «evaluación pasiva de la inclinación pélvica», página 81). Se debe empujar la pelvis hacia una anteversión y luego hacia una retroversión, y hacer que los pacientes intenten volver a la posición neutral cada vez (por ejemplo, reproducir el movimiento pasivo) para mejorar el imput de estímulos propioceptivos en esta área.

Inclinación pélvica asistida sentado

OBJETIVO *Para sujetos que de momento no son capaces de hacer una inclinación pélvica mientras están sentados. La acción es especialmente útil para personas que tienen una actitud postural de espalda plana que les causa dolor después de estar sentado prolongadamente.*

Ponerse delante de su paciente y colocar la venda alrededor de su cintura. Cogiendo la cinta, coloque su mano por encima del esternón para prevenir cualquier inclinación del cuerpo. Al tirar del cinturón (vendaje), su lordosis lumbar aumenta y su pelvis tiende a inclinarse anteriormente. Esta manipulación se puede hacer más fácilmente si su paciente se sienta en una cuña –en este caso, las tuberosidades isquiales están situadas más altas que el hueso púbico, y fuerza a la pelvis a descender lateralmente–.

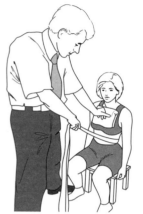

Inicialmente, la mayoría de la fuerza proviene de tirar del cinturón (vendaje), pero gradualmente el cinturón va proporcionando menos ayuda a medida que el sujeto es cada vez más capaz de realizar la acción de inclinación por sí mismo.

Inclinación pélvica asistida desde una posición estirada encorvada

OBJETIVO *Para sujetos que son incapaces de realizar una inclinación activa completa por sí solos en cualquier posición.*

El sujeto comienza en la posición de decúbito supino con las rodillas flexionadas, como en la maniobra de desplazamiento de talones. Sujete la pelvis por encima del borde pélvico en cada lado, y empuje la pelvis inclinándola hacia delante y luego hacia atrás. Haga que su paciente visualice el efecto de la inclinación sobre la columna lumbar mientras la lordosis aumenta y disminuye. Haga que intente primero seguir la acción utilizando su propia musculatura (abdominales y glúteos), luego vaya reduciendo gradualmente la fuerza que ejerce sobre la pelvis hasta que haga la acción independientemente.

Una vez que su paciente haga esta acción regularmente en esta posición encorvada, él debería intentar hacer los mismos movimientos en una posición vertical (de pie). Empiece con el control pasivo (usted proporciona la fuerza para hacer el movimiento), luego haga que su paciente gradualmente asuma el control activo. Finalmente haga que realice inclinaciones pélvicas variando las posiciones en las que comienza el ejercicio, incluyendo arrodillado con 4 puntos de apoyo, arrodillado con 2 puntos de apoyo, sentado y estirado en decúbito supino. En cada caso la acción de la inclinación pélvica es importante, y la capacidad de reproducir la posición neutral lumbar es esencial.

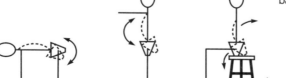

Acción de bisagra de la cadera arrodillado con 2 puntos de apoyo (asistido)

OBJETIVO *Se utiliza una inclinación pélvica para mover la espina dorsal hacia delante y hacia atrás.*

Una vez su sujeto puede hacer bien la inclinación pélvica, debería combinarla con las acciones clásicas de «movimiento de bisagra de cadera», donde el tronco se mueve sobre la cadera haciendo de bisagra, y la espina dorsal se mantiene recta. Con su paciente en una posición arrodillada con dos puntos de apoyo, ayúdele a realizar una inclinación pélvica. Anímele a seguir este movimiento con sus hombros, manteniendo su espina estable y evitando cualquier incremento o disminución de la lordosis de la espalda.

El paciente debería contraer suavemente sus músculos abdominales (ahuecamiento abdominal, ver página 89) y mantener esta mínima contracción (notar solamente la tensión) a través del movimiento. El objetivo de esta acción es angular la espina dorsal hacia delante y hacia atrás desde la cadera sin flexionar o extender la espina dorsal. El movimiento se realiza más fácilmente si el sujeto visualiza una barra inclinándose hacia delante y hacia atrás desde un solo punto (la cadera) en lugar de una cuerda doblándose. Debería proporcionar una suave presión en la parte posterior de los hombros de su paciente para iniciar la angulación hacia delante de la columna lumbar y presionar en la parte anterior de sus codos, para iniciar la angulación hacia atrás. En cada caso, la espina se mantiene recta, y la acción viene de la espina dorsal (actuando como una sola unidad) inclinándose sobre la cadera a través de la inclinación pélvica.

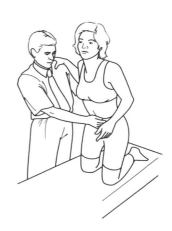

Acción de bisagra de la cadera (con ayuda de una mesa)

OBJETIVO *Una progresión de la acción de bisagra de la cadera con asistencia*

El sujeto está de pie frente a una camilla u otro objeto colocado justo debajo del nivel de la cintura, con sus manos sobre la superficie de la camilla (a). Con las rodillas flexionadas ligeramente para relajar los músculos isquiotibiales, realiza la acción descrita en el ejercicio anterior, utilizando la inclinación pélvica y una espina dorsal completamente estable. Al inclinarse hacia delante, se sostiene parte del peso con las manos, así se reduce la carga en la espina dorsal. Después de que su paciente domine esta acción, debería continuar la progresión hacia una posición vertical sin ayuda (b).

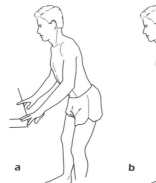

a   b

Anteversión controlada

OBJETIVO *Se aprende control segmental de la región pélvicolumbar como precursor de un levantamiento.*

Una vez la persona domine las acciones de bisagra con la cadera, permítale un pequeño grado de flexión lumbar. Haga que realice acciones de anteversión, con la pelvis iniciando la acción y haciendo que ambas, la pelvis y la columna lumbar, contribuyan de igual manera a través de la primera mitad del movimiento de extensión.

Inclinación pélvica sentado utilizando una fitball

OBJETIVO *Aprender a controlar la anteversión pélvica y posterior.*

Ver el capítulo 9 para un más exhaustivo análisis de ejercicios con pelota de fitball y para ejercicios más avanzados. La pelota utilizada es de una medida estándar, de 65 cm. Enseñe a su paciente a sentarse sobre la pelota con las rodillas separadas y apoyando toda la planta del pie en el suelo. Las rodillas y la cadera deberían flexionarse 90°. Luego el sujeto debería inclinar alternativamente la pelvis anterior y posteriormente, asegurándose de que los hombros y la espina dorsal no participan en el movimiento. Al principio, debería intentar solamente el movimiento en una pequeña parte del recorrido; mientras se va evolucionando gradualmente hacia amplitudes de movimiento mayores, la pelota debería desplazarse hacia delante y hacia atrás ligeramente.

Inclinación lateral sentado en una fitball

OBJETIVO *Educar el control en la inclinación lateral pélvica.*

Enseñe a su paciente a sentarse en la pelota, como en el ejercicios previo, y utilice la inclinación lateral para hacer girar la pelota de lado a lado, trasladando el peso del cuerpo de una tuberosidad isquial a la otra. Otra vez, los hombros deberían mantenerse inmóviles a lo largo de toda la acción. El objetivo es el control del movimiento a lo largo del recorrido utilizando una acción controlada para evitar «llegar» a una posición máxima de amplitud articular.

ENSEÑAR A SUS PACIENTES A IDENTIFICAR Y A ADOPTAR LA POSICIÓN NEUTRAL

El enseñar a los pacientes a identificar y mantener la posición neutral de su columna lumbar es importante para cada etapa del programa de estabilidad de espalda, ya que la posición neutral pone un estrés mínimo sobre los tejidos del cuerpo. La posición lumbar está entre la mitad de la extensión completa y de la flexión completa producida por la anteversión y retroversión de la pelvis. Los discos vertebrales y las carillas articulares tienen una carga mínima en esta posición, y los tejidos blandos que envuelven a la columna lumbar están en equilibrio elástico. Debido a que el alineamiento postural es óptimo en esta posición, generalmente es la posición más efectiva en la que los músculos del tronco pueden trabajar.

En una persona normal (sin ninguna patología), la posición neutral corresponde a un alineamiento lumbar en una postura óptima. Individuos con una postura no óptima pueden incrementar o reducir su inclinación pélvica, acusando los correspondientes cambios en la musculatura profunda de la lordosis. En cualquier caso, la posición neutral se mantiene entre la mitad de la extensión completa y de la flexión completa. En casos de un mal alineamiento postural, sin embargo, parte del tratamiento tiene como objetivo restaurar la postura óptima, mediante un reequilibrio de la longitud de los elementos blandos circundantes. Los sujetos pueden llegar a la posición neutral pasivamente (si usted le mueve la pelvis) o activamente (el sujeto mueve su propia pelvis con la acción muscular).

Diríjase a «Alineamiento postural óptimo» en el capítulo 7 (página 141) para un trata-miento completo de la posición neutral en posición vertical (de pie). Arrodillado, el sujeto intenta conseguir un alineamiento lumbar parecido ahuecando la columna lumbar. Una espalda plana o una lordosis excesiva significan que el sujeto se ha desplazado de la posición neutral y que necesitará recalibrar a través de la inclinación pélvica.

Con tiempo, su paciente será capaz de reconocer la posición y de conservarla de manera apropiada. En las primeras etapas del programa, sin embargo, deberá constantemente recordarles su alineamiento espinal. Los ejercicios propioceptivos ayudarán a su paciente a aprender a asumir esta posición neutral voluntariamente.

Propiocepción-Conceptos básicos

Ya que la propiocepción es vital para el proceso de la estabilidad de la espalda durante las últimas etapas de la rehabilitación (Norris 1998), sus pacientes deberían comenzar con ejercicios propioceptivos adecuados al comienzo de sus programas de tratamiento. Lephart y Fu (1995) definieron la propiocepción como una variación especializada táctil que abarca las sensaciones de movimiento articular y de posición articular. En el proceso de una lesión, los reflejos iniciados por el desplazamiento de mecanorreceptores y de husos musculares ocurren mucho más rápidamente que el dolor producido por la lesión (nociocepción) (Barrack y Skinner 1990). La efusión (escape de fluido) desde las articulaciones contribuye a una reducción de mecanorreceptores liberados, que resulta en una inhibición de la contracción muscular. Esta inhibición se produce normalmente en el vasto interno de la rodilla, por ejemplo, donde tan sólo con 60 ml de una efusión intraarticular puede acusar una inhibición de la contracción del cuádriceps entre un 30-50% (Kennedy et al 1982). El déficit propioceptivo es equivalente a la degeneración articular (Barret et al. 1991), pero no está claro si ésta es la causa o el resultado de la degeneración (Lephart y Fu 1995). Ejercicios propioceptivos son útiles en las primeras etapas de la rehabilitación para restaurar el funcionamiento normal del control propioceptivo de la espalda. Y no hay nada más útil que ayudar a sus pacientes a dominar la posición neutral.

Desde un punto de vista clínico, la propiocepción consiste en tres componentes interrelacionados (Beard et al 1994) que representan la actividad en la columna vertebral, en la raíz del cerebro, y en sistemas complejos (Tyldesley y Grieve 1989) (Tabla 4.1). Las personas que empiezan el entrenamiento de la estabilidad de espalda deberían centrarse en actividades de la raíz del cerebro, caracterizadas especialmente en la colocación articular estática, porque ellos deben cultivar esta capacidad antes de proseguir con un entrenamiento más avanzado.

Posicionamiento articular estático

La percepción del posicionamiento articular estático ayuda a mantener la actitud postural y el equilibrio a nivel de la raíz del cerebro. El imput para estas acciones proviene de la propiocepción articular, de los centros vestibulares en las orejas y de los ojos. Los ejercicios posturales y de equilibrio con los ojos abiertos pueden mejorar la percepción de la colocación estática articular. La reproducción del posicionamiento pasivo (RPP) y la reproducción del posicionamiento activo (RPA), son ejercicios en los que el sujeto intenta colocar la articulación en su posición original después de un movimiento tanto activo como pasivo.

Tabla 4.1. Componentes de la propiocepción.

Nivel del sistema neural	Componentes controlados de la propiocepción
Espina dorsal	Regula la rigidez muscular
Raíz del Cerebro	Controla el posicionamiento estático articular
Sistema más complejos	Controla la cinestesia (la percepción del movimiento)

Reproducción del posicionamiento pasivo

OBJETIVO *Enseñar a las personas cómo mantener la posición neutral mejorando la precisión del posicionamiento de los segmentos corporales.*

Arrodillado con cuatro puntos de apoyo es la mejor manera de empezar para restablecer la reproducción del posicionamiento pasivo durante el entrenamiento de la estabilidad de la espalda. Haga que su paciente se arrodille, con la columna lumbar en posición neutral. Después de que haya desplazado la columna lumbar de la posición neutral, enseñe a su paciente a recolocar la columna lumbar en su posición inicial neutral. Inicialmente, usted debería hacer movimientos únicamente desde flexión hasta volver a la posición neutral y luego extenderla y volver a la posición neutral; luego se debe progresar hacia combinaciones de movimientos, flexión-extensión y flexión lateral y luego vuelta a la posición

continúa

Reproducción del posicionamiento pasivo , continuación

neutral, por ejemplo. El objetivo es mejorar la precisión de los movimientos para que el individuo sea capaz de reproducir con precisión el alineamiento de la posición neutral después de hacer cada movimiento de desplazamiento de esta posición neutral de inicio. Después de que su paciente ya domine la reproducción del posicionamiento pasivo en la posición de arrodillado con cuatro puntos de apoyo, avance a otras posiciones, especialmente aquellas que hacemos comúnmente en las actividades diarias, como sentarse o ponerse de pie.

Reproducción del posicionamiento activo

OBJETIVO *Enseñar a las personas cómo mantener la posición neutral mejorando la precisión del movimiento.*

Después de que su paciente ya sea hábil realizando el posicionamiento pasivo, debería comenzar a realizar sus propios movimientos. Enséñele a comenzar en la posición neutral, a desplazarse de esta posición utilizando movimientos sencillos, y luego que se recoloque en la posición neutral del inicio. A veces funciona mejor si él comienza la reproducción del posicionamiento activo en posición vertical o sentado. De esta manera puede practicar delante de un espejo, colocando sus manos sobre la parte inferior del abdomen y el sacro para controlar la inclinación pélvica. Más adelante, no utilizará el espejo y hará los movimientos sin controlarse la acción con las manos. Asimismo, utilice variedad de movimientos empezando desde distintas posiciones.

PUNTO CLAVE

Al realizar un ejercicio para mejorar la reproducción del posicionamiento activo o pasivo (RPA o RPP), su paciente debería centrarse en la precisión del movimiento.

ENSEÑAR A SUS PACIENTES A UTILIZAR EL AHUECAMIENTO ABDOMINAL

Las personas con lumbalgias deben reeducar sus músculos comenzando por aislar los abdominales profundos (laterales) de los abdominales superficiales. Esto requiere una acción de ahuecamiento del abdomen, utilizando los músculos abdominales oblicuos y transversos (Lacote et al. 1987) en lugar de hacer los movimientos tradicionales de flexión lumbar (por ejemplo hacer ab-

dominales) que acentúan más el recto abdominal (O'Sullivan et al. 1998). Antes de que ellos puedan avanzar a los ejercicios descritos más adelante en este libro, sus pacientes deberían ser capaces de realizar el ahuecamiento abdominal de forma consistente y bien hecho.

Debido a que el concepto de ahuecamiento abdominal es probablemente menos familiar que otros puntos importantes en este capítulo, dedicaré una parte desproporcionada del capítulo a este tema.

Ahuecamiento abdominal. Consideraciones generales

El proceso básico del ahuecamiento abdominal es en teoría simple y el mismo en todas las posiciones: el sujeto contrae el estómago hacia adentro y arriba sobre el ombligo sin mover la caja torácica, la pelvis, o la columna vertebral. El resto de esta sección simplemente explica con más detalle esta acción básica y cómo usted puede enseñar de la mejor manera para que sus pacientes lo aprendan bien.

En comparación con los músculos movilizadores (ver página 103), los músculos estabilizadores están mejor equipados para la resistencia (aguantar la postura) y se reclutan mejor a niveles de resistencia bajos. Las intensidades de la contracción voluntaria máxima en que los músculos abdominales laterales trabajan mejor es de un 30-40%. Inicialmente sus pacientes tendrán poco control sobre la intensidad de sus contracciones. Muy a menudo empezarán con contracciones muy débiles, luego se irán generando intensidades más altas (60-70% de la contracción voluntaria máxima). Esto es aceptable durante las etapas más tempranas del aprendizaje y permite a sus pacientes «notar como los músculos trabajan». Finalmente los músculos obtendrán un control preciso. Debe enseñar a sus pacientes a dominar el cambio de intensidad de la contracción en todos los ejercicios de ahuecamiento abdominal. Una manera efectiva para conseguir dominar esta acción es demandar una máxima contracción, luego decirles que relajen la contracción a la mitad, y luego a la mitad otra vez. Una vez hayan conseguido la contracción mínima, deben generar intensidad otra vez, paso a paso, hasta al máximo. Sólo cuando puedan controlar el ahuecamiento abdominal con la intensidad muscular mínima durante un tiempo (10 repeticiones cada una de 30-40% de la contracción muscular voluntaria, mantenidas durante 10 segundos), deberían proseguir con ejercicios más avanzados.

La posición en que los movimientos se hacen es importante. Haga que sus pacientes coloquen la columna vertebral en la posición neutral cuando sea posible. Inicialmente, tendrá que poner a su cliente en la posición correcta (le sugerimos lea más adelante en la sección de «Alineamiento postural óptimo» en el capítulo 7 [página 141] para conocer la posición óptima estando de pie). Si sus pacientes están arrodillados, haga que intenten conseguir el alineamiento correcto haciendo que ahuequen ligeramente la columna lumbar. Una espalda plana o una lordosis excesiva significan que el sujeto se ha desplazado de la posición neutral y debería recolocarse apropiadamente inclinando la pelvis. Finalmente, sus pacientes serán capaces de mantener la posición neutral a lo largo de sus ejercicios.

> **PUNTO CLAVE**
>
> Haga que sus pacientes mantengan la posición neutral de la columna vertebral a lo largo de todos los ejercicios en este capítulo.

Ahuecamiento abdominal. Posiciones de inicio

Cada individuo necesita su posición de inicio, dependiendo de su peso, grado de lesión, flexibilidad y demás. De pie (sosteniéndose en la pared) y arrodillado con cuatro apoyos son probablemente las posiciones más fáciles de adoptar para la mayoría de la gente.

La posición de arrodillado con cuatro apoyos pone las fibras del abdominal transverso verticales. De ese modo comienza a estirar un poco el abdominal transverso haciendo la contracción de este músculo más fácil. La posición de arrodillado con cuatro puntos de apoyo es normalmente más cómoda que las otras posiciones para la gente que le duela la espalda. Por otro lado, el estar arrodillado con cuatro puntos de apoyo requiere control de las estructuras en la columna vertebral, hombros, y caderas, mientras que las posiciones estiradas requieren control sobre las estructuras de la columna vertebral. Ya que controlar un solo segmento corporal es considerablemente más fácil que controlar tres, mucha gente (especialmente los que tienen un control deficiente, y especialmente cuando no están supervisados) encuentran que los ejercicios en la posición de estirados son más fáciles de hacer. Además, debido a que arrodillado con cuatro puntos de apoyo pone más compresión en las rótulas y las muñecas, los individuos con patologías en estas articulaciones (como la artritis) puede que necesiten modificar esta posición arrodillada. Las modificaciones incluyen (a) colocar el puño abierto en el suelo en lugar de la palma de la mano para reducir el estrés en la extensión de muñeca; (b) colocar una almohadilla debajo de las espinillas y dejar la rótula libre; (c) poner el peso del cuerpo en los antebrazos antes que en las muñecas; y (d) ayudarse de una silla como soporte en la que colocar el pecho sobre la silla, para así reducir el peso del tren superior que se trasmite a los brazos y muñecas.

Los sujetos obesos a menudo tienen problemas para hacer el ahuecamiento abdominal en la posición de arrodillado con cuatro puntos de apoyo. El peso absoluto de su tejido abdominal es una sobrecarga demasiado grande para que sus abdominales luchen contra ello. Para los individuos obesos, la posición de estar de pie (utilizando la pared como soporte) es mejor: aunque normalmente es una progresión de arrodillado (el estar de pie no da un estiramiento para facilitar la contracción de los abdominales profundos), los individuos obesos pueden controlar las acciones más fácilmente. Pueden utilizar las manos para palpar la pared abdominal, y la acción de «tirar la barriga hacia adentro» es a menudo familiar en la posición de pie.

La posición de estirado en decúbito prono no es adecuada para los individuos obesos con un tono muscular abdominal malo, debido a la compresión del exceso del tejido corporal en esta posición. A los individuos delgados generalmente les gusta la posición de decúbito prono, ya que da muchas señales sensoriales. La acción del ahuecar para levantar la pared abdominal de la superficie de soporte da un *feedback* táctil útil (especialmente si se utiliza una unidad del *biofeedback* de presión, como se describe más adelante en este capítulo).

Debe utilizar su propio juicio para escoger la posición de inicio apropiada para los clientes, teniendo en cuenta el tamaño corporal, cómo se encuentra el cuerpo, edad y patologías. Hay que ser flexible –debe experimentar con diferentes posiciones de inicio hasta que su paciente se sienta cómodo con el ejercicio.

Ahuecamiento abdominal: arrodillado con cuatro puntos de apoyo

OBJETIVO *Aislar el abdominal transverso y el oblicuo menor.*

Debido a que las fibras del abdominal transverso están alineadas horizontalmente, la posición de arrodillado con cuatro puntos de apoyo permite a los músculos abdominales que se suelten, facilitando el estira-

continúa

Ahuecamiento abdominal: arrodillado con cuatro puntos de apoyo, continuación

miento. Coloque a su paciente con la columna lumbar en posición neutral, su cabeza debe mirar al suelo, no hacia delante, y sus orejas horizontalmente alineadas con la articulación del hombro. La cadera debe estar situada por encima de las rodillas, sus hombros justo encima de sus manos. Las manos y rodillas están separadas el ancho de los hombros.

Enseñe a su paciente a enfocar su atención en el área de su ombligo, y tirar de la zona hacia arriba y adentro mientras respira normalmente. Esta acción disocia la actividad en el oblicuo menor y abdominal transverso de la del recto mayor (Richardson et al. 1992). El ejercicio por lo tanto es útil para reeducar la función estabilizadora de los abdominales cuando el recto mayor ha pasado a ser el músculo dominante del grupo.

Ahuecamiento abdominal: estando de pie

OBJETIVO *Progresión de la posición de arrodillado con cuatro puntos de apoyo, o una posición de inicio para individuos obesos o para otros que la posición de arrodillado con cuatro puntos de apoyo sea incómoda.*

Algunos sujetos encuentran que la posición de arrodillado con cuatro puntos de apoyo es difícil de controlar y tienden a redondear sus columna vertebral al intentar hacer el ahuecamiento abdominal. En este caso, la posición de estar de pie con una pared como soporte es más apropiada como posición de inicio. Su paciente debería estar de pie con sus pies alejados de la pared unos 15 cm y con su espalda apoyada en la pared, al mismo tiempo que se mantiene la columna vertebral en posición neutral (a). Una manera fácil de controlar la posición neutral es que su paciente coloque una mano detrás de la espalda (por encima del sacro) y la otra delante del abdomen, permitiéndole controlar la posición de su pelvis. También puede utilizar la parte delantera de su mano para notar la contracción de los músculos abdominales al iniciar el ahuecamiento abdominal y alejar la pared abdominal de su mano.

a

continúa

Ahuecamiento abdominal: estando de pie, continuación

En una persona obesa o con un tono muscular deficiente, el peso de los órganos digestivos empujarán la pared abdominal hacia fuera y hacia abajo (ptosis visceral). Si esto ocurre, coloque un cinturón por debajo de su ombligo (b), enseñándole a contraer los abdominales laterales y tirar de la pared abdominal hacia «arriba y adentro», intentando crear un espacio entre el abdomen y el cinturón. Debido a que el programamiento motor une la acción de los abdominales laterales y la acción del suelo pélvico como parte del mecanismo de presión intraabdominal, la contracciones del suelo pélvico son también útiles para ayudar en el aprendizaje del ahuecamiento abdominal. Enseñe a su paciente a tirar del suelo pélvico como si intentara orinar. En los hombres, la acción de levantar el pene también es útil como acción imaginativa.

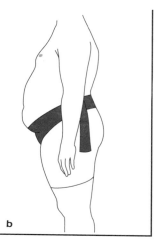

b

PUNTO CLAVE

Unir el ahuecamiento abdominal con las contracciones del suelo pélvico es una manera útil para mejorar el aprendizaje en los hombres y las mujeres.

Es importante que sus pacientes sean capaces de diferenciar la acción del ahuecamiento abdominal de la acción de inclinación pélvica. Asegúrese de que sus pacientes no aplanan la espalda completamente contra la pared, ya que esto indicaría retroversión pélvica a través de la acción del recto mayor. Una vez que un paciente ha hecho el ahuecamiento abdominal estando de pie con ayuda de la pared en repetidas veces correctamente, haga que repita la acción sin ayuda de la pared. No debería haber movimiento ni de la columna vertebral, ni de la pelvis, ni de la caja torácica.

Ahuecamiento abdominal: arrodillado con dos puntos de apoyo y sentado

OBJETIVO *Realizar el ahuecamiento abdominal para los sujetos que ya son capaces de mantener la posición lumbar neutral y que son capaces de controlar el balanceo del cuerpo.*

La posición de arrodillado con dos puntos de apoyo y sentado (banco) puede preceder a la posición de estar de pie sin ayuda de la pared, ya que necesita un mayor control segmental que el arrodillado con cuatro puntos de apoyo o que la de estirado. Esto es porque en las posiciones de arrodillado con dos puntos de apoyo y de sentado, la parte superior del tronco está sin soporte alguno, mientras en la posición arrodillado con cuatro puntos de apoyo, los brazos aguantan la parte superior del tronco. Los individuos deben tener un mayor control de la parte superior del tronco cuando no tienen soporte, del ahuecamiento abdominal como también de la posición de la columna lumbar (mantenien-

continúa

Ahuecamiento abdominal: arrodillado con dos puntos de apoyo y sentado, continuación

do la posición neutral) y la posición de sus hombros, evitando que el cuerpo se balancee. Estas posiciones también son las posiciones de inicio para las acciones de bisagra con la cadera descritas más adelante. Haga que sus pacientes estén muy atentos al movimiento de la caja torácica, además de mantener la posición de los hombros, inclinación pélvica y mantenimiento de una lordosis neutral. El hecho de enseñar a su paciente a «sentarse alto» o a «arrodillarse alto» puede facilitar el alineamiento correcto; este concepto es también de ayuda al corregir la postura corporal de todo el cuerpo mientras se está de pie.

Ahuecamiento abdominal: estirado

OBJETIVO *Es adecuado para individuos delgados y aquellos que ya son capaces de realizar el ahuecamiento abdominal.*

Estirado en posición prona, el ahuecamiento abdominal aleja la pared abdominal del suelo –una señal práctica para los sujetos noveles–. Utilizar una unidad de *biofeedback* de presión puede ser muy útil (consulte un catálogo de material médico). Vea que la unidad de *biofeedback* de presión es útil sólo para la evaluación y no para continuar con ejercicios. Coloque la vejiga de la unidad de *feedback* debajo del ombligo, su borde inferior en línea con la espina iliaca anterosuperior. Al realizar el paciente el ahuecamiento abdominal, el dial de la unidad de biofeedback mostrará una disminución de la presión que el cuerpo ejerce sobre la vejiga. Una vez su paciente ya domine esta acción, puede unirla con los movimientos de la extensión de cadera, si quiere, para proporcionar contracciones glúteo-abdominales.

El ahuecamiento abdominal estirado en decúbito supino permite al individuo notar la actividad muscular y la posición pélvica; otra vez, la unidad de biofeedback de presión puede ser útil. Haga que su paciente se estire encorvado, con sus dedos contra el abdominal lateral debajo de su obligo. Explíquele previamente que no debe haber ninguna inclinación pélvica durante la contracción de los abdominales laterales –puede controlar esto palpando la espina iliaca anterosuperior–. Puede utilizar la unidad de biofeedback de presión para controlar la profundidad de la lordosis: el aplanamiento de la espalda (retroversión pélvica) muestra un incremento de presión en el marcador, indicando actividad en el recto mayor; un ahuecamiento abdominal excesivo se ve, ya que se reduce la presión e indica una pérdida de la estabilidad asociada con la anteversión pélvica.

Al realizar el paciente el ahuecamiento abdominal, la presión de la unidad de biofeedback no debe registrar un incremento de presión de más de 5 mm Hg –a este nivel de presión el oblicuo menor, el abdominal transverso y el diafragma se reclutan juntos–. Si hay valores más altos (hasta 15 mm Hg) no aumentará el reclutamiento de los abdominales profundos, pero se incrementará la actividad en el diafragma y en el recto mayor (Allison et al. 1998).

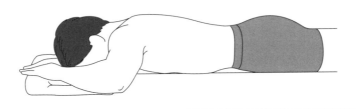

Consejos para enseñar el ahuecamiento abdominal

Las señales multisensoriales pueden facilitar el aprendizaje (Millar y Medeiros 1987). Puede proporcionar señales audibles dando un feedback frecuente a sus pacientes sobre cómo realizan el ejercicio; para crear señales visuales, diga a sus pacientes que miren a sus músculos cuando realizan las contracciones y que coloquen un espejo en el suelo/sofá debajo del abdomen; para señales cinestésicas, dígales que «noten» la acción particular –por ejemplo, que «noten su estómago como se empuja hacia adentro»–.

PUNTO CLAVE

Las señales multisensoriales suponen un incremento de imputs sensoriales a través de estímulos sonoros, visuales, cinestésicos y táctiles, juntamente con la visualización de la técnica correcta del ejercicio.

Las señales táctiles para el ahuecamiento abdominal pueden provenir de usted o de un cinturón que toque el abdomen del paciente. La primera técnica conlleva la **palpación**. Coloque la eminencia hipotenar de la mano encima de la espina iliaca anteriosuperior y señale con sus dedos hacia el hueso púbico (figura 4.1). La yema de los dedos se encontrarán en el triángulo retroaponeurótico, que es la posición más superficial del abdominal transverso (Walters y Partridge 1957). En este punto el oblicuo menor es aponeurótico y, por lo tanto, no está eléctricamente activo. Este punto se puede utilizar para colocar el electrodo de una unidad de registro electromiográfico de superficie. Debido a que los músculos son laminares, se aplanarán más que abultarán cuando se contraigan. Una manera de facilitar la contracción es enseñar a sus pacientes a «no deje que le empuje hacia adentro» al palpar la pared abdominal. Otra manera es haciendo que tosan (compresión visceral) y aguantar la contracción muscular que sientan debajo de sus dedos. Este procedimiento de «toser y aguantar» es también útil juntamente con el registro electromiográfico de superficie –ya que se ve la contracción muscular en la unidad, y esto fomenta que el sujeto mantenga la contracción mientras respira normalmente–. Continúe con este ejercicio hasta que su paciente pueda aguantar la contracción durante una sola repetición de 30 segundos o 10 repeticiones de 10 segundos cada una.

Otro consejo para señales táctiles en la postura de arrodillado con cuatro puntos de apoyo: abroche un cinturón alrededor del abdomen por debajo del ombligo de su paciente, con los músculos relajados y caídos (figura 4.2). El cinturón debe estar suficientemente apretado para tocar la piel pero no para empujar los músculos hacia adentro. Haga que su paciente haga un ahuecamiento abdominal, alejar los músculos del cinturón, y luego debe relajarlos completamente para rellenar el cinturón otra vez. Algunas personas puede que sean incapaces de contraer los músculos y hacer que se alejen del cinturón; otras puede que contraigan los músculos demasiado fuertemente, haciendo que la pared abdominal quede demasiado rígida y conduciendo esto a una incapacidad para relajar los músculos otra vez para rellenar el cinturón. Unos cuantos días de práctica les dará un control total de los músculos sobre sus acciones. Una vez hayan conseguido la contracción apropiada, haga que adquieran la capacidad de aguantar durante períodos de 10-30 segundos mientras respiran normalmente.

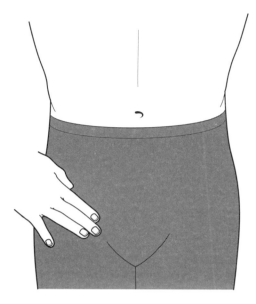

Fig. 4.1. Palpación de los abdominales profundos –el triángulo retroaponeurótico- para enseñar el ahuecamiento abdominal.

Una técnica final de aprendizaje es la visualización de la técnica correcta del ejercicio seguida de su demostración. Para esta «práctica mental», sus pacientes deberían relajarse y «verse» a sí mismos haciendo el ejercicio en su mente. Esta visualización ha demostrado ser beneficiosa para el desarro-

Fig. 4.2. Utilizar un cinturón para enseñar el ahuecamiento abdominal.

llo de las habilidades motoras (Fansler et al. 1985) y de fuerza (Cornwall et al. 1991). Para ayudar a sus pacientes a visualizar la acción de ahuecamiento abdominal, ayúdelos a entender las acciones de los músculos abdominal transverso y oblicuo menor –puede utilizar diagramas simples de los músculos y luego demostrar su localización utilizando la palpación–. Analogías como «un corsé muscular personal» o «un cilindro de músculos» pueden ser útiles.

Ahuecamiento abdominal: errores comunes

Asegúrese de que la caja abdominal, hombros y pelvis de sus pacientes, se mantenga quieta a lo largo de toda la acción de ahuecamiento abdominal (figura 4.3a). El contorno del abdomen se aplanará si una persona hace y aguanta una respiración profunda, pero usted verá la expansión del pecho (figura 4.3b). Si esto sucede, enseñe a su paciente a espirar y luego a que mantenga la posición del pecho mientras se hace el ejercicio. Colocando un cinturón alrededor de la parte baja del pecho aporta un feedback útil sobre el movimiento del pecho (Richardson y Hodges 1996). Si su paciente está utilizando el gran oblicuo para corregir el abdomen, que también es una técnica incorrecta, las costillas inferiores descenderán, y podrá observar un pliegue horizontal de piel cruzar el abdomen (figura 4.3c). Cuando esto suceda, enseñe a su paciente a realizar una contracción del suelo pélvico al mismo tiempo que realiza un ahuecamiento abdominal, pero debe evitar contraer el glúteo mayor (el uso del cual conduce en este caso a patrones motores inapropiados para la estabilidad del tronco durante la actividad de deportes dinámicos).

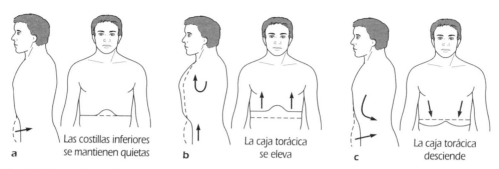

Fig. 4.3. Ahuecamiento abdominal estando de pie: (a) es correcto, (b) y (c) son incorrectos.

Estando arrodillado y en posiciones sentadas, el empujar contra el suelo con los pies indica un fallo para aislar la acción de los abdominales profundos de los músculos de la cadera. Poner los pies de su paciente en una balanza de baño le proporcionará un feedback bastante claro sobre la presión que ejercen los extensores de la cadera –a ser posible, la balanza no debería mostrar ningún incremento de peso durante el ejercicio–.

> **PUNTO CLAVE**
>
> Sus pacientes deben mantener una posición lumbar neutral durante el ahuecamiento abdominal y abstenerse de realizar movimientos significativos de las costillas, pelvis o cadera.

ENSEÑAR A SUS PACIENTES A CONTRAER LOS MÚSCULOS MULTÍFIDOS VOLUNTARIAMENTE

El multífido es un músculo estabilizador clave dentro del grupo extensor de la columna vertebral (página 59). Los sujetos con lumbalgias a menudo pierden la capacidad de contraer este músculo (probablemente a través de la inhibición del dolor), y no vuelven a tener esta capacidad espontáneamente (Hides et al. 1996). Dos clases de ejercicios ayudarán a su paciente a incrementar la estabilidad básica de la espalda. El primero se centra solamente en los músculos multífidos, con un énfasis sobre todo en ayudar a su paciente a aprender a reconocer lo que se siente cuando se contraen/relajan sólo estos músculos. El segundo, utiliza las técnicas de propiocepción, se centra no sólo en el multífido, si no también en los abdominales laterales, los que por supuesto son vitales para la estabilidad básica.

El ejercicio básico para la contracción del multífido

Su ayuda es primordial para que el paciente aprenda a controlar adecuadamente este músculo.

Contracción del multífido

OBJETIVO *Aprender a utilizar el multífido cuando quiera, separadamente de los otros músculos.*

Su paciente inicia el ejercicio en posición estirada prona mientras usted palpa la parte inferior medial de la espalda hasta el longissimus en los niveles de las vértebras L4 y L5. Identifique las apófisis espinosas y

continúa

Contracción del multífido, continuación

deslice sus dedos lateralmente hacia el agujero entre la apófisis transversa y el bulto del longissimus. Evalúe la diferencia en la consistencia muscular, y luego determine la capacidad de su paciente a contraer el multífido en una acción «establecida». Una vez el individuo puede contraer el músculo conscientemente, anímelo a que haga la contracción del multífido en una posición de sentado con la espina lumbar neutral. Debería se capaz de contraer simétricamente los dos músculos multífidos y mantener esta contracción durante 10-30 segundos.

Estabilización rítmica

La estabilización rítmica conlleva una gran acción por parte del multífido conjuntamente con los abdominales laterales. La estabilización rítmica es una técnica de FNP (facilitación neuromuscular propioceptiva) que conlleva alternar contracciones isométricas de los músculos agonistas y antagonistas, progresando a co-contracciones (Sullivan et al. 1982). La idea general es simple: primero, se aplica una resistencia en una dirección y su paciente contrae el músculo contra la resistencia. Una vez ve que la contracción ha alcanzado el máximo, instantáneamente se aplica una resistencia en la dirección opuesta –siendo éste el punto que contrae el músculo antagonista, sin **relajación momentánea** entre las dos contracciones–. De esta manera, las parejas musculares se contraen a niveles gradualmente más altos. El ejercicio siguiente utiliza esta técnica para enseñar al paciente a contraer el multífido.

Estabilización rítmica del multífido y de los abdominales laterales en la posición de estirados de lado

OBJETIVO *Hacer que su paciente contraiga el multífido y los abdominales laterales simultáneamente.*

Con su paciente estirado en posición encorvada de lado, palpe las articulaciones intervertebrales para determinar el punto medio del alcance de movimiento al nivel de la columna vertebral donde existe un dolor/patología (Maitland 1986). Recuerde que el músculo multífido es unisegmental –esto es, cada fascículo se estira sobre un solo segmento de la columna lumbar–. La atrofia del músculo se produce en el mismo nivel que el segmento patológico (Hides et al. 1994). Para recobrar la longitud óptima de un fascículo muscular relevante, debe mover el segmento dolorido hacia la mitad de su alcance. Si cree inapropiado hacer esto, pídale a un fisioterapeuta con experiencia que lo haga con usted.
El ejercicio consiste en que usted empuje hacia delante en la pelvis de su paciente y hacia atrás en el hombro mientras su paciente resiste ambas acciones. Luego invertir la acción: mientas empuja hacia atrás sobre la pelvis y hacia delante al hombro, el paciente continúa resistiendo la acción, sin dejar que se relaje ni siquiera un segundo. La acción puede ser más localizada por un fisioterapeuta que puede palpar el nivel específico de la columna vertebral que requiere la resistencia a la rotación. Se puede hacer una resistencia general a la rotación para toda la columna vertebral con una persona que ayude a hacer este ejercicio en casa.
El ejercicio debe repetirse 5-10 veces en cada sesión de tratamiento.

Enseñar consejos para la contracción del multífido

Inicialmente, palpará con su dedo gordo y el nudillo de su primer dedo puesto en cualquier lado de las apófisis espinosas lumbares en cualquier nivel. Enseñe a su paciente a «sentir como se hincha» sin flexionar la columna lumbar activamente (figura 4.4). A lo mejor quiere sugerirle que practique esta acción con usted con sus propios dedos gordos, así el tendrá *feedback* para poder realizarlo en casa. Mientras está sentado, el paciente debería colocar los dedos en la región extensora con sus dedos gordos a los costados de las apófisis espinosas. La presión que se ejerce debe ser constante pero profunda. El objetivo es sentir el músculo hincharse cuando ejerza la presión con los dedos, sin dejar que la pelvis se incline o que la columna vertebral se arquee. Inclinando el

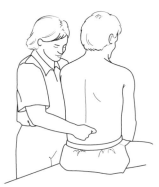

Fig. 4.4. Palpación para ayudar a su cliente a detectar la contracción del multífido.
De Norris 1998.

tronco hacia delante desde la cadera (la acción de bisagra de la cadera) contraerá el longíssimus y permitirá que su paciente distinga entre las fibras del longissimus (más laterales) y del multífido. Haciendo el ahuecamiento abdominal al mismo tiempo mejorará la contracción del multífido.

RESUMEN

- El hecho de mejorar la estabilidad de la espalda exige que el individuo aprenda a contraer ciertos músculos voluntaria e independientemente, en particular los músculos abdominales profundos (el abdominal transverso y el oblicuo menor) y los músculos multífido de la espalda.
- Este control muscular independiente permite al individuo:
  1. Controlar la inclinación pélvica (por ejemplo, mover voluntariamente la pelvis independientemente de la columna vertebral).
  2. Aguantar la columna vertebral con la contracción del multífido.
  3. Aguantar la columna vertebral con el ahuecamiento abdominal.
  4. Conseguir la posición neutral de la columna lumbar, posición a partir de la cual empiezan la mayoría de ejercicios en este libro.
- Este capítulo le enseña al terapeuta cómo ayudar a sus pacientes a aprender estas habilidades.

CAPÍTULO 5

DESEQUILIBRIO MUSCULAR

Se produce un desequilibrio muscular cuando un músculo cualquiera agonista está significativamente más tonificado que su antagonista, o cuando uno o el otro están anómalamente acortados o elongados. Los intentos del cuerpo para compensar los desequilibrios exacerban el problema y pueden conducirnos a discapacidades considerables. Este capítulo principalmente nos muestra la teoría general sobre el equilibrio y desequilibrio muscular. Más adelante nos muestra cómo identificar esta clase de problemas y cómo tratarlos. La mayoría del material de esta sección está modificado de Norris (1998), al cual le remito si quiere profundizar más en el tema.

CONCEPTOS BÁSICOS

Podemos clasificar los músculos en dos grupos diferenciados (Janda y Schmid 1980; Richardson 1992): (1) Los músculos que principalmente estabilizan una articulación y aproximan las superficies articulares se conocen como estabilizadores o «músculos posturales». (2) Los músculos que principalmente son responsables del movimiento (aquellos que desarrollan la rotación angular de mane-

> **TÉRMINOS QUE DEBERÍA CONOCER**
>
> **Diastasis:** Separación de partes normalmente unidas.
> **Seudoparesia:** Aparente debilidad producida por el incremento del tono muscular en el músculo antagonista.

ra más efectiva que los estabilizadores), se llaman movilizadores o «músculos que realizan las tareas».

> **PUNTO CLAVE**
>
> Los estabilizadores (músculos posturales) principalmente fijan una articulación y evitan el desplazamiento. Los movilizadores (músculos que realizan la tarea) principalmente generan el movimiento.

Los músculos estabilizadores forman parte de la musculatura profunda y son generalmente músculos monarticulares (una articulación), mientras que los movilizadores son músculos superficiales y muy a menudo músculos biarticulares (dos articulaciones). Por ejemplo en la pierna, el recto femoral está clasificado como movilizador, mientras que los otros músculos del cuádriceps son estabilizadores. La función estabilizadora es más de fibras lentas (tipo I) o fibras de carácter tónico, mientras que los movilizadores tienden a realizar las acciones con fibras rápidas (tipo II). Estas características fisiológicas encajan en el requerimiento funcional de los músculos –permitiendo a los movilizadores contraerse y desarrollar tensiones máximas de manera rápida, pero también a fatigarse rápidamente–. Los músculos estabilizadores generan tensión lentamente y actúan mejor bajo tensiones bajas durante largos periodos de tiempo, siendo más resistentes a la fatiga.

Los músculos estabilizadores se pueden subdividir en primarios y secundarios (por ejemplo el multífido, el abdominal transverso, y el abdominal oblicuo menor) tienen orígenes muy profundos, cerca del eje de rotación de la articulación. En esta posición no son capaces de contribuir de manera significativa a realizar la fuerza pero estabilizan la articulación.

Además, muchos de estos pequeños músculos tienen importantes funciones propioceptivas (Bastide et. al). Los estabilizadores secundarios (por ejemplo los glúteos y los abdominales oblicuos) son los principales generadores de fuerza, siendo músculos grandes y monarticulares unidos a través de una aponeurosis. Su disposición multipinate de las fibras los hace potentes y capaces de absorber grandes cantidades de fuerza a través de acciones excéntricas. Los movilizadores (por ejemplo el recto femoral y el cuádriceps) actúan como estabilizadores sólo en condiciones

Tabla 5.1. Tipos de músculos

Estabilizadores		Movilizadores
• Principalmente responsables de estabilizar y fijar las articulaciones. • Ejemplos: multífido, abdominal transverso, oblicuo menor.		• Principalmente responsables del movimiento, incluyendo la rotación angular. • Ejemplos: recto femoral, isquiotibiales.
Estabilizadores primarios	**Estabilizadores secundarios**	
• Profundos, cerca de la articulación • Fibras lentas • Normalmente monoarticular • (1 articulación) • No generan fuerza de manera significativa • Fibras cortas	• Profundidad intermedia • Fibras lentas • Normalmente monoarticulares • Fuente primaria de fuerza en distintos ángulos • músculos multipinnados	• Superficial • Fibras rápidas • Generalmente biarticulares (2 articulaciones) • Fuente secundaria de fuerza
• Generan tensión lentamente, más resistentes a la fatiga • Actúan mejor a niveles bajos de resistencia • Más efectivo en una cadena cerrada de movimiento • En desequilibrio muscular, tiende a debilitarse y elongarse		• Genera tensión de manera rápida, se fatiga rápidamente • Trabaja mejor bajo grandes niveles de resistencia • Más efectivos en una cadena abierta de movimientos • En desequilibrio muscular, tiende a volverse rígido y a acortarse

de extrema necesidad. Son fusiformes –una disposición fibrilar menos potente, pero capaz de realizar movimientos de gran amplitud–.

Los músculos estabilizadores se activan mejor bajo niveles de resistencia bajos –sobre un 30-40% de la contracción máxima voluntaria (CMV)– mientras que los músculos movilizadores se activan mejor por encima de este nivel. Por lo tanto, para reeducar los músculos lumbares, se necesitan contracciones con resistencias de bajo nivel, no sesiones con trabajos fuertes que los terapeutas algunas veces prescriben con buenas intenciones para los dolores lumbares. Además, los músculos estabilizadores responden mejor en acciones de cadenas cinéticas cerradas, donde el movimiento ocurre cerca con el segmento distal estabilizado. Estando de pie, esto sería con el pie en el suelo para la extremidad inferior, o la mano en una pared para la extremidad superior. La función estabilizadora es más efectiva en una situación de cadena abierta, donde el movimiento es libre sin fijación distal. En la extremidad inferior, la fase de oscilación del caminar es una cadena abierta; en las extremidades superiores, lanzar es un buen ejemplo. La estructura y las características funcionales de las dos categorías musculares hace que los estabilizadores

estén mejor equipados para las funciones de mantenimiento postural y antigravitatioria. Los movilizadores están mejor diseñados para movimientos rápidos balísticos.

Aparecen dos cambios fundamentales cuando se produce un desequilibrio muscular: (1) tensión en los músculos movilizadores (dos articulaciones) y pérdida de la resistencia (aguante) dentro de la amplitud interna de movimiento de los músculos estabilizadores (una articulación), lo cual sucede debido a que están anómalamente estirados. Estos dos cambios se utilizan como tests para conocer el grado de desequilibrio muscular presente. Ya que los cambios en longitud y tensión alteran la tracción alrededor de una articulación, pueden sacar la articulación de su alineamiento. Los cambios en el alineamiento segmental del cuerpo y el grado de control segmental (la capacidad de mover un segmento corporal sin mover cualquier otro) conforman las bases del tercer tipo de tests que se utiliza cuando se evalúa el desequilibrio muscular. La mezcla entre rigidez y debilidad cuando hay un desequilibrio muscular, alteran el alineamiento de los segmentos corporales y cambia el punto de equilibrio de las articulaciones. Normalmente, el mismo tono de reposo de los músculos agonistas y anta-

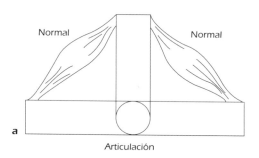

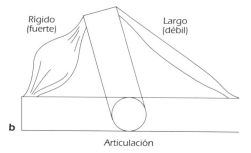

Fig. 5.1. Postura y desequilibrio muscular. (a) Un tono muscular igual da un alineamiento correcto. (b) Un tono muscular desigual conduce a la articulación a un desalineamiento, dando como resultado una postura incorrecta. De Griffin, 1998.

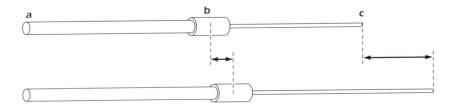

Fig. 5.2. Flexibilidad relativa. Cuando los cordones unidos se estiran, la cuerda más tensa (A-B) se mueve menos que el cordón más suelto (B-C).
De Norris 1998.

gonistas permite a la articulación adoptar en reposo una posición de equilibrio, con las superficies articulares igualmente cargadas y sin que los tejidos inertes estén excesivamente cargados. Sin embargo, si los músculos de un lado de una articulación están rígidos y los músculos opuestos están laxos, la articulación perderá el alineamiento e irá hacia el músculo que está tenso (figura 5.1). Esta alteración en el alineamiento conlleva una carga que provoca estrés en una pequeña región de la superficie articular, incrementando la presión por unidad de área. Más adelante, los tejidos inertes del lado acortado de la articulación se contraerán permanentemente.

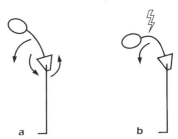

Fig. 5.3. Rigidez relativa en el cuerpo.
(a) Flexión hacia delante debería combinar en igual manera la inclinación pélvica y la flexión espinal.
(b) Unos isquiotibiales poco flexibles limitan la inclinación pélvica, estresando los tejidos espinales más laxos.
De Norris 1998.

El desequilibrio también conduce a la falta de control segmental preciso. La combinación de rigidez (hipoflexibilidad) en un segmento corporal y la laxitud (hiperflexibilidad) en un segmento adyacente conduce a una flexibilidad relativa (White y Sahrmann 1994). En una cadena de movimiento, el cuerpo parece que toma el camino de menor resistencia, teniendo en cuenta que el segmento más flexible es el que contribuye más al total de la amplitud del movimiento. Consideren dos tubos de goma de fuerza desigual que están unidos uno al otro (figura 5.2). Si el movimiento empieza en C y A está fijado, el área más flexible B-C se mueve más. Éste seguirá siendo el caso si C se mantiene inmóvil y A se mueve.

Tomando este ejemplo en el cuerpo, la figura 5.3 muestra el ejercicio de tocarse los pies. Las dos áreas de interés para la flexibilidad relativa son los isquiotibiales y los tejidos de la espina lumbar. Al flexionarse hacia delante, el movimiento debería realizarse a través de una combinación de una anteversión pélvica y de una flexión de la espina lumbar. Mucha gente tiene los isquiotibiales acortados y una excesiva laxitud en los tejidos lumbares, debido al excesivo número de veces que se inclinan (flexión lumbar) durante las actividades del día a día. Durante esta acción de flexión, siempre hay un mayor movimiento (y por lo tanto mayor presión en los tejidos) en la espina lumbar. *La rigidez relativa en este caso hace que el ejercicio de tocarse los pies sea ineficaz como estiramiento de isquiotibiales, a menos que los músculos del tronco estén contraídos para estabilizar la espina lumbar.*

(PUNTO CLAVE)

El desequilibrio muscular puede conducir a cambios tanto en la función como en la estructura de los tejidos del cuerpo.

ADAPTACIÓN MUSCULAR A LAS LESIONES, INMOVILIZACIÓN Y ENTRENAMIENTO

Las diferentes clases de músculos reaccionan diferentemente a las lesiones e inmovilizaciones. Los estabilizadores principales como el multífido y el abdominal transverso, por ejemplo, reaccionan rápidamente (por inhibición) al dolor y a la inflamación (ver tabla 5.2).

Existen diferencias más evidentes a reacciones de desuso, que han sido estudiadas extensamente utilizando miembros inmovilizados. El cambio más grande en los tejidos sucede dentro de los primeros días de inactividad. Se puede producir una pérdi-

Tabla 5.2. Músculos estabilizadores y movilizadores que afectan a la parte lumbar

Los músculos que están señalados con un * pueden actuar tanto como estabilizadores como movilizadores, en situaciones diferentes.

Estabilizadores	Movilizadores

• Estabilizadores principales
  Multífido
  Abdominal transverso
  Oblicuo menor
  Glúteo medio
  Vasto interno
  Serrato mayor
  Trapecio inferior
  Flexores profundos del cuello
• Estabilizadores secundarios
  Glúteo mayor
  Cuádriceps
  Psoasiliaco
  Subescapular
  Infraespinoso
  Trapecio superior*
  Cuadrado lumbar*
	• Psoasiliaco
	• Isquiotibiales
	• Recto anterior
	• Tensor de la fascia lata (TFL)
	• Aductores de la cadera
	• Piramidal de la pleura
	• Recto mayor
	• Gran oblicuo
	• Cuadrado lumbar*
	• Músculo erector de la espina dorsal
	• Esternocleidomastoideo
	• Trapecio superior*
	• Elevador de la escápula
	• Romboides
	• Pectoral menor
	• Pectoral mayor
	• Escalenos

da que puede alcanzar hasta un 6% por día durante los ocho primeros días, con una mínima pérdida después de este periodo de tiempo (Appeal 1990).

Las fibras musculares de Tipo I y Tipo II se distinguen considerablemente en la respuesta a la inactividad. Las fibras del Tipo I muestran una mayor reducción en tamaño y en número total de fibras que las de Tipo II. De hecho, el número de fibras del Tipo II en realidad se incrementa –demostrando un proceso de atrofia selectiva de las fibras del Tipo I (Templeton et al. 1984). Sin embargo, no todos los músculos muestran una misma cantidad de atrofiamiento de fibras del Tipo I. La atrofia está relacionada en gran medida al cambio del uso de las funciones normales, siendo el porcentaje inicial de fibras del Tipo I que los músculos contienen un buen indicador de la evolución de la atrofia muscular. Estos músculos predominantemente antigravitatorios, que atraviesan una articulación y que tienen una gran proporción de fibras del Tipo I (por ejemplo, el sóleo y el vasto interno) muestran una gran atrofia se-

lectiva. Fundamentalmente los músculos antigravitatorios de fibras lentas que atraviesan varias articulaciones son los siguientes en orden de atrofia (por ejemplo, el músculo erector de la espina dorsal). Finalmente, los fásicos, fundamentalmente músculos de fibras rápidas de Tipo II (por ejemplo, el bíceps) pueden ser inmovilizados con una pérdida menor de fuerza que los otros dos grupos (Lieber 1992).

El entrenamiento también causa cambios selectivos en el músculo. En la rodilla, las acciones rápidas de flexoextensión pueden incrementar selectivamente la actividad en el recto femoral y en los isquiotibiales (movilizadores biarticulares) pero no en los vastos (estabilizadores monoarticulares). En un estudio llevado a cabo por Richardson y Bullock (1986) comparando velocidades de 75°/seg y 195°/seg, conllevaban una actividad muscular al recto anterior incrementada de un 23,0 μV a 69,9 μV. En contraste, la actividad muscular en el vasto interno se incrementa de un 35,5 μV a solamente 42,3 μV (figura 5.4). La evolución de la actividad muscular es nota-

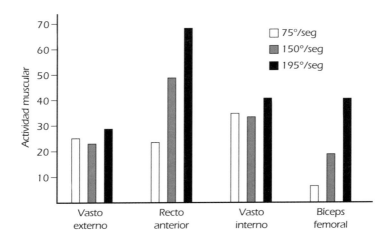

Fig. 5.4. Cambios de la actividad muscular con el incremento de velocidad. Reimpreso de Richardson y Bullock 1986.

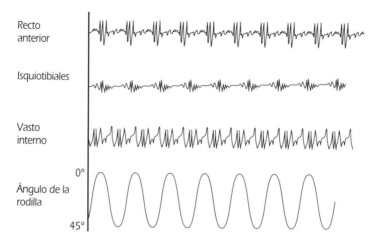

Recto
anterior

Isquiotibiales

Vasto
interno

0°
Ángulo de la
rodilla
45°

Fig. 5.5. Patrones de la actividad muscular durante flexoextensiones rápidas alternas de la rodilla. Hay que observar que los músculos biarticulares son fásicos, mientras que los músculos monoarticulares son tónicos. Reimpreso de Richardson y Bullock 1986.

blemente diferente después del entrenamiento. El recto anterior y los isquiotibiales han desarrollado actividad fásica a velocidades altas, mientras el vasto interno ha mostrado un desarrollo (continuado) tónico. Los gráficos en la figura 5.5 muestran un trazo del registro electromiográfico de la actividad de la diferencia de potencial producida cuando un músculo se contrae. La tendencia general de la forma del gráfico es importante, más que cada línea individual. Hay que ver que hay grupos claros de puntas eléctricas para el vasto interno y los isquiotibiales, que indican que la actividad ha ocurrido en estos músculos en puntos específicos a lo largo de todo el movimiento. Para el vasto interno no hay grupos claros, indicando que la actividad ha sido continua a través de todo el movimiento.

Ng y Richardson (1990) encontraron cambios parecidos incluso en las cadenas cerradas más funcionales. Un entrenamiento de la flexión plantar rápida (estando de pie) de cuatro semanas dio un incremento significativo en el salto vertical (gastrocnemio, biarticular) pero también una pérdida significativa de función estática del sóleo (monoarticular).

Los patrones de reclutamiento de los músculos lumbares también cambian dependiendo del tipo de entrenamiento utilizado (O'Sullivan et al. 1998). Algunos sujetos siguieron un programa de entrenamiento de 10 semanas que implicaba o la reducción del diámetro de la región abdominal (15 minutos al día, progresando a hacerlos con una carga en el miembro) o ejercicios en el gimnasio que incluían curls de tronco. La actividad del registro electromiográfico del oblicuo menor (importante para la estabilidad de la espalda) se incrementó en el grupo del ahuecamiento abdominal, mientras que los del recto mayor se mantuvieron relativamente sin cambios. Los curls de tronco (pero no los ahuecamientos) llevaron a un incremento de la actividad del recto abdominal y una reducción en la actividad del oblicuo interno (figura 5.6).

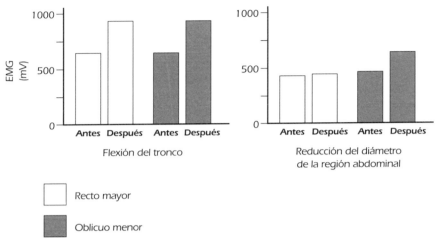

Fig. 5.6. Patrón de reclutamiento muscular abdominal alterado con el entrenamiento. Datos de O'Sullivan et al. 1998.

ENTRENAMIENTO ESPECÍFICO

Las diferencias mencionadas anteriormente en respuesta de los músculos estabilizadores y los movilizadores ilustran la importancia del estiramiento específico. Las respuestas al entrenamiento corresponden estrechamente con el tipo de ejercicio que se ha hecho. Por ejemplo, si los corredores quieren reducir el tiempo en que corren una maratón, los entrenamientos de velocidad no serán efectivos. Esto es debido a que esprintar es principalmente una actividad anaeróbica (la energía suministrada viene de las reservas del cuerpo), mientras que el entrenamiento de maratón es principalmente aeróbico (se suministra la energía utilizando oxígeno y comida como combustible). Podemos decir en este caso que, aunque el entrenamiento de velocidad provoca una mejora en la forma, el aspecto de la forma que ha mejorado no era estrictamente relevante para el evento para el que estaba diseñado el entrenamiento. El entrenamiento no era específico para el evento.

De la misma manera, hemos visto que los entrenamientos musculares de alta velocidad nos llevan al reclutamiento de los músculos movilizadores. En el ejemplo de Richardson y Bullock (1986) descrito previamente, el recto anterior aumentó su actividad acusadamente en movimientos a altas velocidades (195°/seg). Si utilizamos este entrenamiento de alta velocidad para intentar mejorar el vasto interno, no sería muy efectivo.

La especificidad puede ser recordada con una simple frase mnemotémica, A.E.D.I., que significa Adaptación Específica a una Demanda Impuesta (S.A.I.D. Specific Adaptation to Imposed Demand). El cambio que ocurre en el cuerpo (la adaptación) es específico (coincide exactamente) al entrenamiento utilizado (la demanda impuesta). Usted puede dirigirse adecuadamente a los desequilibrios musculares de sus pacientes utilizando solamente unos ejercicios específicos, que, naturalmente, requieren tanto de una precisión como de una evaluación específica de la clase de tratamiento que el músculo necesita.

Los tests descritos más adelante en este capítulo le ayudarán a realizar estas evaluaciones apropiadamente.

> **PUNTO CLAVE**
>
> El entrenamiento específico dicta que, cuando se diseña un programa de ejercicios para un paciente, se deben considerar los requerimientos funcionales, el tipo de contracción y la velocidad de contracción de un músculo.

CAMBIOS EN LA LONGITUD MUSCULAR

Los cambios en la longitud muscular no ocurren de manera uniforme a través de todo el cuerpo. Una descripción muy simplista pero útil es que un músculo estabilizador acostumbra a «debilitarse» (combarse), mientras que los movilizadores tienden a «acortarse» (tensarse). La terapia dirigida al músculo debe ser por tanto más selectiva que general, buscando alargar (estirar) los músculos movilizadores tirantes y acortar/desarrollar resistencia de los músculos estabilizadores inactivos.

Elongación muscular crónica

El debilitamiento de los músculos estabilizadores se ha denominado **debilidad elástica** (Kendall et al. 1993): el músculo permanece en una posición alargada, más allá de su posición normal de reposo pero **dentro** de su alcance normal. Esto es diferente del sobreestiramiento, en el que el músculo está alongado más allá de su alcance normal.

La relación entre longitud-tensión de un músculo (página 47) dicta que el músculo estirado, donde los puentes de actina y miosina se separan, puede ejercer menos fuerza que un músculo en longitud normal en reposo. Cuando el estiramiento es mantenido, sin embargo, esta respuesta a corto plazo (producción reducida de fuerza) se vuelve una adaptación a largo plazo: el músculo añade más sarcómeros en sus extremos en un intento para aproximar sus puentes de actina y miosina (figura 5.7). Esta adaptación, conocida como incremento en número de sarcómeros en serie (N.S.S.), puede alargar un músculo hasta casi un 20% más (Gossman et al. 1982).

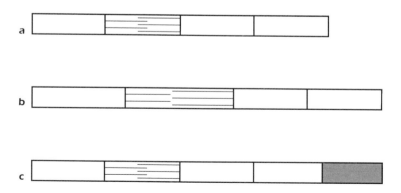

Fig. 5.7. Adaptación a la elongación muscular. (a) Longitud muscular normal. (b) En un músculo estirado, los puentes se separan, dando como resultado una pérdida de tensión muscular. (c) El alineamiento de los puentes se restaura por el incremento del número de sarcómeros en serie (NSS), dando como resultado una anómala longitud muscular crónica. De Norris 1998.

La curva de longitud-tensión de la adaptabilidad de un músculo alargado se desplaza hacia la derecha (figura 5.8). El pico de tensión que un músculo puede producir en un laboratorio es un 35% mayor que aquel músculo con una longitud normal (Williams y Goldspink 1978). Sin embargo, este pico de tensión ocurre aproximadamente en la posición donde el músculo ha sido inmovilizado (punto a, figura 5.8). Si la fuerza del músculo alargado se pone a prueba con la articulación de la rodilla en alcance medio o en amplitud interna (*midrange or inner range*) (punto b, figura 5.8), como es normal en pruebas clínicas, el músculo no puede producir su pico de tensión y parece «débil». Por esta razón, las pruebas musculares manuales parecen ser indicadores más precisos en el equilibrio de fuerzas entre los músculos que en la medida de fuerza total (Sharmann 1987).

En el laboratorio, un músculo alargado retorna a su longitud óptima en aproximadamente una semana si se vuelve a la posición de reposo (Goldspink 1992). Clínicamente, el restablecimiento de la longitud óptima se puede conseguir inmovilizando el músculo en su posición de reposo psicológico (Kendall et al. 1993) y/o ejercitándolo en su posición de amplitud interna (Sahrmann 1990). El aumento de la fuerza no es la prioridad en esta situación. La carga en el músculo a lo mejor tiene que ser reducida para asegurar el correcto alineamiento de varios segmentos corporales y corregir la ejecución de los patrones de los movimientos importantes.

El número de sarcómeros en serie puede ser parcialmente responsable de los cambios en la fuerza sin cambios paralelos en hipertrofia (Koh 1995). Un número de factores influencian el número de sarcómeros en serie, el cual muestra una plasticidad apreciable. Por ejemplo, la inmovilización de los flexores plantares de un conejo en posición estirada mostró un incremento del 8% en el número de sarcómeros en serie en tan sólo cuatro días; la aplicación de estimulación eléctrica pa-

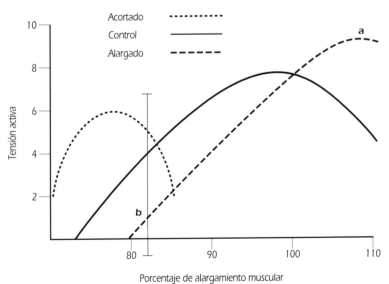

Fig. 5.8. Efectos de inmovilizar un músculo en posiciones encogidas o estiradas (ver texto para explicación). De Norris 1998.

ra incrementar la fuerza dio incluso un aumento mayor (Williams et al. 1986). El estiramiento de un músculo parece afectar al número de sarcómeros en serie de manera significativa, más que lo hacen las inmovilizaciones en posición encogida. Después de una inmovilización en una posición encogida durante dos semanas, el número de sarcómeros en serie del sóleo decreció alrededor de un 20% (Williams 1990). Sin embargo, estirando tan sólo durante una hora por día en este estudio no sólo eliminó la reducción de NSS, sino que en realidad incrementó el número de sarcómeros en serie cerca de un 10%. Los estímulos excéntricos parecen provocar una mayor adaptación del número de sarcómeros en serie que los estímulos concéntricos. Morgan y Lynn (1994) sometieron a unas ratas a correr cuesta arriba y cuesta abajo y vieron que después de una semana el número de sarcómeros en serie en el vasto interno era un 12% superior en las ratas entrenadas con movimientos excéntricos. Koh (1995) ha sugerido que si la adaptación en el número de sarcómeros en serie sucede en humanos, el entrenamiento de fuerza puede producir tal cambio si es realizado en un ángulo diferente del cual se produce la máxima fuerza durante una actividad normal.

El músculo alargado no es débil –solamente no tiene la capacidad de mantener una contracción completa dentro de la amplitud interna–. Esto pone en evidencia clínicamente la diferencia entre las amplitudes internas activas y pasivas. Si la articulación está situada pasivamente en su completa amplitud interna anatómica, el sujeto no es capaz de mantener la posición. Algunas veces la posición no se puede llegar a alcanzar, pero es más común que la contracción no se pueda aguantar, indicando una falta de capacidad de resistencia de las fibras lentas.

Clínicamente, la reducción de la longitud muscular es vista como el aumento de la capacidad para mantener una contracción en la amplitud interna. Esto puede o no representar una reducción en el número de sarcómeros en serie, pero se requiere de una mejora funcional en el control postural para los músculos que están anómalamente alargados. El acortamiento muscular aparece en los flexores dorsales de los caballos, que no mantienen la posición acortada permanentemente, como en los entablillados (splinting), pero más bien muestran una respuesta al entrenamiento. Después del embarazo, el número de sarcómeros en serie se incrementa en el recto mayor en combinación con la diástasis. Otra vez, la longitud del músculo se reduce gradualmente en los meses seguidos al nacimiento. En el entrenamiento de amplitud interna, pues, es posible acortar un músculo alargado (Goldspink 1996).

Evaluación de los músculos extendidos – probar la capacidad de mantenimiento en amplitud interna (Inner-Range)

Hemos visto en la figura 5.8 que la curva de longitud-tensión de un músculo estirado se desplaza hacia la derecha, indicando que no es capaz de producir una potencia significativa dentro de amplitud interna máxima. En este hecho consisten las bases de la evaluación de la longitud del músculo estabilizador del test de aguante en la amplitud interna. Más abajo se describen los tests para los músculos estabilizadores más importantes.

Músculos lumbares y de la cadera – test de aguantar en la amplitud interna (inner-range holding tests)

La capacidad de un estabilizador para mantener una contracción isométrica sometida a una resistencia baja durante largos periodos de tiempo es vital para su función antigravitatoria y se puede evaluar utilizando el test de posición muscular estándar (Richardson 1992; Richardson y Sims 1991). En todas las evaluaciones que siguen, tiene que pedir a sus pacientes que mantengan una contracción en máxima amplitud interna, siendo el factor clave el periodo de tiempo que puedan mantener la posición estática antes de empezar a hacer movimientos espasmódicos (**fásicos**). En cada caso, colocará el miembro pasivamente en la máxima amplitud interna. Si el miembro cede al soltarlo, el alcance de movimiento difiere del alcance activo –un indicador importante de que se tiene una función estabilizadora deficiente–. Toda la función estabilizadora completa está presente solamente cuando un sujeto puede mantener la posición de amplitud interna en 10 repeticiones durante 10 segundos (Jull 1994). En todos los tests, es importante que su sujeto intente las 10 repeticiones; a menudo realizarán los dos o tres primeros intentos normales, apareciendo un déficit sólo en repeticiones posteriores.

Evaluar el equilibrio muscular del psoasiliaco

Estando sentado, su paciente debe flexionar la cadera mientras mantiene una flexión de rodilla de 90° para que el pie se levante claramente del suelo. Haga que mantenga esta posición tanto tiempo como pueda, mientras usted anota el momento en el cual se empiezan a hacer movimientos espasmódicos. Anote asimismo la posición de la pelvis y de la espina lumbar. Si el psoasiliaco está alargado, una o dos cosas pueden suceder: (1) Si la estabilidad lumbar es deficiente, la pelvis se dejará caer hacia atrás a una retroversión, aplanando o hasta invirtiendo la lordosis de la espalda. (2) Si la estabilidad lumbar es buena, su paciente será capaz de mantener la posición neutral de la espina lumbar y de la pelvis, pero la rodilla simplemente cederá, indicando que los músculos flexores de la cadera se han alargado (pero no necesariamente debilitado) y no son capaces de mantener la posición de máxima amplitud interna.

Evaluar el equilibrio muscular del glúteo mayor

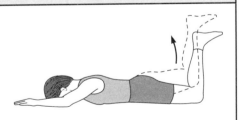

Coloque a su paciente en posición decúbito prono con la rodilla flexionada en un ángulo de 90°. Luego el paciente debería levantar su cadera a la amplitud interna de extensión y mantenerla firme (derecha; b, debajo). Utilizando la palpación, hay que ver el orden de la contracción muscular durante la extensión de la cadera. Normalmente, el isquiotibial debería contraerse primero, seguido del glúteo mayor, luego el músculo erector de la espina dorsal del lado opuesto y finalmente el músculo erector de la espina dorsal del mismo lado (Lewit 1991). En muchos casos de desequilibrio, la fibras del glúteo se contraen poco o se inhiben (seudoparesis), tensándose los

continúa

Evaluar el equilibrio muscular del glúteo mayor, continuación

flexores opuestos de la cadera (Janda 1986). Si éste es el caso, el orden de la contracción muscular cambia. Si los glúteos no funcionan adecuadamente, los isquiotibiales dominan el movimiento, hay muy poca actividad en los glúteos y la masa muscular permanece flácida. Anote cuanto tiempo su paciente puede mantener la posición firme antes de empezar a hacer movimientos espasmódicos.

Realizando este test con la rodilla flexionada reduce la contribución que los isquiotibiales hacen al movimiento acortándolos. La contribución del glúteo es más patente. Su capacidad para ver y sentir los cambios sutiles que indican el orden de contracción del músculo, sin embargo, toma su tiempo para desarrollarse. Hasta que haya ganado experiencia en esta área de reconocimiento, puede utilizar el canal dual de los registros electromiográficos para ver la intensidad y el timing de la contracción muscular. Note: mire con cuidado para ver si su paciente hace un falso movimiento de extensión; en esta acción, la pelvis se inclina hacia delante debido a la potente acción del músculo erector de la espina dorsal, y las relaciones entre la cadera y la pelvis continúan siendo iguales (c).

Explique a fondo a su paciente los músculos que debería estar utilizando para realizar esta actividad y en qué orden. Si el paciente tiende a hacer una falsa extensión de cadera, aguante su pelvis hacia abajo mientras el paciente eleva su pierna utilizando solamente sus glúteos, así aprende la correcta secuencia de movimientos y cómo debe sentirse al realizarlos.

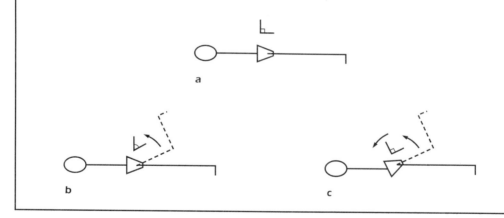

Evaluar el equilibrio muscular en el glúteo medio

La acción en este test es una combinación de abducción de cadera, con una pequeña rotación lateral para enfatizar las fibras posteriores del músculo. Haga que su paciente se coloque estirado de costado con su rodilla superior flexionada. Haga que realice una rotación externa  y una abducción de su pierna de arriba, así su fémur queda en un ángulo de 45° respecto al suelo y su rodilla está flexionada a unos 45° (la línea discontinua en el dibujo). Luego haga que realice una rotación del pecho hacia la camilla al mismo tiempo que mantiene su pierna en el sitio (Jull 1994).

Músculos profundos abdominales –
test de aguantar en la amplitud interna
(inner range holding test)

Mejor que tratar con músculos abdominales específicos como he hecho con los músculos de la cadera, creo más útil en esta sección centrarme en todo el sistema de músculos abdominales profundos que afectan a la estabilidad lumbar, que a menudo están más flácidos de lo común (y por tanto débiles en su amplitud interna). Puede evaluar la capacidad de sus pacientes para mantener la amplitud interna de los abdominales profundos (1) evaluando sus capacidades para ahuecar el abdomen y (2) monitorizando la lordosis lumbar y la inclinación pélvica al sobrecargar el sistema de estabilidad. Puede evaluar ambas acciones con una palpación precisa y registrando el movimiento, pero le recomiendo el uso de un biofeedback de presión, que hará la evaluación considerablemente más fácil. Vea que la unidad de biofeedback de presión es más útil para la evaluación de modo que pueda utilizarlos con los ejercicios continuamente.

Para evaluar la función de los miembros relativa a la estabilidad pélvicolumbar, puede utilizar un número de posiciones de inicio, dos de las cuales se las describiré en detalle.

Test de reducción del diámetro en la región abdominal en decúbito prono utilizando un biofeedback de presión

OBJETIVO *Evaluar la capacidad del paciente para mantener la amplitud interna (inner range) de los abdominales profundos.*

Con el sujeto estirado en decúbito prono, colocar la unidad del biofeedback de presión debajo de su abdomen con la parte superior de la vejiga del dispositivo debajo de su ombligo. Inflar la unidad hasta los 70 mm Hg y decirle a su paciente que haga una reducción del diámetro 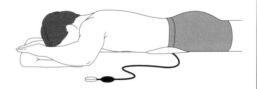 de la región abdominal (ver el capítulo 4). El objetivo es reducir la presión mirando la unidad de biofeedback entre unos 6-10 mm Hg y ser capaz de mantener esta contracción durante 10 segundos en 10 repeticiones mientras se respira normalmente (Richardson y Hodges 1996).

Maniobra de desplazamiento de los talones utilizando el biofeedback de presión

OBJETIVO *Evaluar la capacidad de los abdominales profundos para mantener la estabilidad espinal.*

El sujeto empieza estirado sobre su espalda con las rodillas flexionadas, la espina dorsal en posición neutra y con la unidad del biofeedback de presión situada debajo de los lumbares. Mientras usted palpa la espina iliaca anterosuperior, haga que el paciente estire gradualmente una pierna, desplazando el talón a lo largo de la cami-

continúa

Maniobra de desplazamiento de los talones utilizando el biofeedback de presión, continuación

lla para liberar el peso de la extremidad. Durante esta acción, los flexores de la cadera están ejercitándose excéntricamente y tirando de la pelvis y de la espina lumbar. Si el fuerte tirón de estos músculos es suficiente para sustituir la pelvis, será capaz de sentir la pelvis como se inclina. Además, verá en el marcador que la presión de la unidad del biofeedback cambiará. Si su paciente no puede completar esta acción sin ninguna modificación de la inclinación pélvica o de la lordosis, palpe la acción muscular de los abdominales. Muy a menudo los sujetos sustituirán su acción del recto mayor y/o gran oblicuo, en un intento para fijar la pelvis antes que utilizar el abdominal transverso y el oblicuo menor. Si éste es el caso, estos músculos abdominales profundos necesitarán ser reeducados.

Evaluar músculos acortados

Los músculos movilizadores tienen cierta tendencia a la rigidez (acortamiento). La rigidez en los isquiotibiales (movilizadores), por ejemplo, es bastante común, mientras que la rigidez en los glúteos (estabilizadores) es bastante extraña. Además de reducir el alcance del movimiento, la rigidez muscular nos puede conducir al desarrollo de **puntos gatillo** (Travell and Simmons 1983) –unas pequeñas regiones hipersensibles dentro de un músculo, que estimulan las fibras de los nervios aferentes, causando dolor–. Se manifiesta mediante una sensación profunda con un gran incremento en el tono, haciendo palpable el cordón muscular. Cuando se palpa profundamente, el punto gatillo crea un espasmo muscular local, «un salto como señal» (Janda 1993). Debido a que los músculos tensos tienen un umbral de irritabilidad más bajo, se activan antes que lo normal en una secuencia de movimiento, y tienen menos parte destensada para recoger antes que la contracción empiece. Además, los músculos tensos incrementan el imput aferente a través de los receptores de estiramientos (Sahrmann 1990).

Hay varias razones importantes por las que debería evaluar la tirantez de los músculos movilizadores de sus pacientes. Debido a que el alcance limitado del movimiento no permite un movimiento suficiente para el correcto alineamiento segmental del cuerpo, puede que los miembros sean estirados hacia posiciones que provoquen estrés en las superficies articulares y en los ligamentos colaterales. Segundo, la rigidez en un músculo puede, a través de la inervación recíproca inhibir los músculos antagonistas a través del proceso de pseudoparesis (Janda 1986). Tercero, la estabilidad tiene que estar en relación con la flexibilidad. Considerando el ejercicio de elevación de la pierna extendida (EPE): una mala estabilidad puede hacer que la pelvis se incline muy pronto en la amplitud del movimiento. Normalmente, la pelvis sólo se inclina cuando los músculos isquiotibiales llegan al final de su estiramiento –han llegado al final de su acción– y esto puede que no ocurra hasta los 80-90° de la flexión de la cadera. Si se percibe la inclinación pélvica antes que esto (en un individuo flexible), existe un desequilibrio. El nivel de estabilidad del individuo no es suficiente para su nivel de flexibilidad. La persona ha perdido control muscular activo sobre una parte o sobre toda su amplitud de movimiento, una característica fundamental sobre la diferencia entre la hipermovilidad y la inestabilidad.

Si ve que hay rigidez muscular, puede utilizar los «tests de movimientos» como posiciones iniciales de estiramientos. Pero antes de prescribir ejercicios de estiramientos, asegúrese de que no ponga una presión excesiva en partes corporales contiguas debido a la rigidez. Sus pacientes muy a menudo necesitarán algunos ejercicios de estabilidad antes de empezar los estiramientos. Será indicado el realizar ejercicios de estabilidad si el alineamiento corporal del sujeto está degradado (se ha perdido parcialmente) cuando realiza un estiramiento.

Para evaluar la rigidez en estos músculos, que es probable que exacerben los problemas lumbares, hay cuatro tests principales. Cada uno de los cuales a su manera le ayudarán a evaluar las restricciones en el movimien-to pélvico: (1) el test de Thomas modificado, (2) la elevación de la pierna extendida (EPE), (3) el test de Ober y (4) el test del trípode. Mire detenidamente si cualquiera de los movimientos de estos tests reproducen el dolor por el cual el paciente ha venido a realizar el tratamiento. Mire también si la amplitud es significativamente inferior al de la posición óptima. [En el test de Thomas, la posición óptima del fémur de la pierna inferior es que esté paralela al plano horizontal, y la de la tibia de la misma pierna que esté paralela al plano vertical. Para el test elevación de la pierna extendida (EPE), el valor óptimo es de 70-80° respecto a la horizontal; y para el test de Ober, la pierna superior debería caer al nivel de la camilla]. En cualquier caso el músculo necesitará un estiramiento específico.

El test de Thomas

OBJETIVO *Evaluar/corregir la rigidez en el psoasiliaco y el recto anterior.*

El paciente comienza en una posición estirada encorvada en un extremo de la camilla. Haga que el paciente levante ambas rodillas hasta su pecho, manteniendo la espalda plana hasta el punto en que el sacro se empiece a levantar de la superficie de la camilla, pero no más allá. Puede hacer un seguimiento de la pelvis y de la espina lumbar utilizando la unidad de biofeedback de presión. Cuando el paciente tenga una pierna cerca del pecho para mantener la posición de la pelvis, haga que baje la otra pierna sobre el extremo de la camilla, manteniendo la rodilla en un ángulo de 90° (a). El alineamiento óptimo existe cuando el fémur está horizontal y el hombro alineado con el plano sagital (no abducción), con la cadera y rodilla más o menos en línea. La tibia debería aguantarse verticalmente (flexión de rodilla de 90°) y alineada con el plano sagital (sin rotación de cadera –ver c–). Si el fémur descansa sobre la horizontal y la rodilla está flexionada menos de 90°, la rigidez puede estar presente tanto en el psoasiliaco como en el recto anterior. Si el recto anterior está tenso, estirando la rodilla la tirantez del músculo desaparecerá y la pierna podrá bajar (b). Si la rodilla está estirada y la pierna permane-

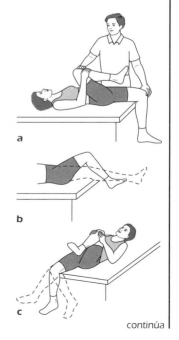

a

b

c

continúa

El test de Thomas, continuación

ce en su sitio, esto indica tirantez en el psoasiliaco. Utilice la palpación para distinguir entre el psoas y el iliaco. Se puede palpar el psoas profundamente en el abdomen al lado de la espina lumbar. El iliaco se encuentra en la parte interior de la pelvis. Se necesita experiencia para la palpación de ambos músculos, ya que están debajo de los abdominales (ver figura 3.10b, página 67).

El test de Ober

OBJETIVO *Evaluar la longitud del tensor de la fascia lata y de la banda iliotibial.*

El test modificado de Ober comienza en posición estirada de costado con la pelvis en posición neutral (a). Haga que su paciente flexione su pierna inferior para mejorar la estabilidad de todo el cuerpo mientras usted estabiliza la pelvis para evitar el descenso lateral de la misma. La camilla debería estar suficientemente baja para que pueda presionar sobre la cresta iliaca del paciente en dirección del hombro que está tocando la camilla. Puede controlar la posición de la espina dorsal y de la pelvis utilizando el biofeedback de presión. Mientras el paciente mantiene la posición neutral de la pelvis, haga que realice una abducción de la pierna superior unos 15° respecto a la horizontal y luego que extienda su cadera unos 15°. El paciente debería entonces aducirla mientras mantiene la extensión. Para un deportista, una longitud muscular óptima sería ser capaz de bajar la pierna superior al nivel de la mesa; una persona que no practique deporte debería ser capaz de bajar la pierna hasta la horizontal (b). Se obtiene una lectura equivocada si se deja que la pelvis se incline y que la espina lumbar se flexione lateralmente. Se puede realizar el test cuando la extensión de la cadera está limitada, pero debería evaluarse su rigidez para determinar si es por motivos musculares, capsulares u óseos –un reconocimiento del sujeto que debería derivar a un fisioterapeuta–.

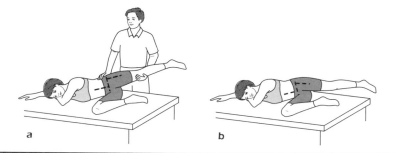

a   b

El test de elevación con la pierna extendida (EPE)

OBJETIVO *Evaluar la rigidez de los isquiotibiales.*

Haga que su paciente se estire en decúbito supino sobre la camilla, con una pierna ligeramente flexionada. Haga que levante la otra pierna manteniéndola completamente estirada. Palpe el borde anterior de la pelvis para ver el punto en el que empieza a inclinarse posteriormente debido a la rigidez

continúa

El test de elevación con la pierna extendida (EPE), continuación

de los isquiotibiales, hasta el punto en el que ya no se tiene una base estable a partir de la cual estirarlos. Dos segmentos corporales se mueven. Éste es un buen ejemplo de la flexibilidad relativa, como se menciona en la página 104. Al alcanzar la amplitud máxima de estiramiento de los isquiotibiales, la pelvis empezará a inclinarse posteriormente, llevando la tuberosidad isquial de la pelvis hacia delante en un intento de reducir la tensión de esta musculatura. Hay que buscar la inclinación pélvica, que ocurrirá antes que los isquiotibiales estén completamente estirados. Por ejemplo, si su paciente puede estirar los isquiotibiales hasta flexión de cadera de 90°, ¿la pelvis se desplaza a 80-90° como debería ya que los isquiotibiales están en tensión máxima? O, ¿la pelvis se empieza a inclinar a lo mejor a los 40-50°, cuando la tensión en los isquiotibiales es tan sólo moderada? El último caso indica una falta de control muscular sobre la pelvis –el individuo no es capaz de crear una base estable sobre la pelvis a partir de la cual estirar (utilizando los estabilizadores del tronco) los isquiotibiales–.

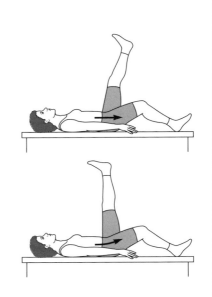

El test del trípode

OBJETIVO *Evaluar/corregir desequilibrios de isquiotibiales.*

Haga que su paciente se siente en un extremo de la camilla con su espina lumbar en posición neutra y con sus pies colgando. Cuando estire una pierna, hay que registrar dos medidas: (1) el punto en el que empieza la anteversión pélvica y (2) el alcance total del movimiento combinado de la cadera y de la rodilla. Para que sea una ejecución óptima, la espina lumbar se debería mantener en posición neutra y debería dejar que la rodilla se estire hasta que llegue a 10° de su extensión completa mientras el fémur está en posición horizontal.

Si ve que hay rigidez muscular, puede utilizar los tests de movimientos para estirar como posiciones de partida.

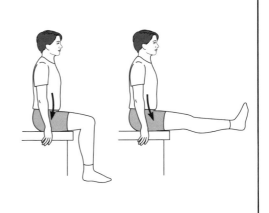

SEG

PRINCIPIOS DEL ESTIRAMIENTO MUSCULAR

Generalmente se reconocen unos cinco métodos de estiramientos musculares: balísticos, estáticos, activos y dos técnicas de FNP (Facilitación Neuromuscular Propioceptiva). El estiramiento de FNP ha sido en general adoptado por el mundo deportivo de los tratamientos de fisioterapia neurológica. Contrayendo y relajando los músculos alternativamente, estas técnicas capitalizan varios reflejos musculares para conseguir un mayor nivel de relajación durante el estiramiento. El programa de estabilidad de la espalda utiliza dos técnicas FNP; contraerrelajar (CR) y contraer-relajar-contraer el agonista (CRAC). En un momento se pensó

que el FNP era el tipo de estiramiento más efectivo (Etnyre y Abraham 1986; Holt y Smith 1983), siendo el método CRAC generalmente más efectivo que el CR. Los datos no son constantes, sin embargo, Moore y Kukulka (1991) vieron que el método CRAC provocaba más dolor que el CR o que los estiramientos estáticos; es más, vieron que el estiramiento estático parecía ser la técnica más efectiva de estirar, conllevando menos dolor y más amplitud de movimiento. Le recomiendo que escoja las técnicas dependiendo de cada paciente. Pruebe cuál se adapta mejor a cada individuo. La ventaja del estiramiento estático, por supuesto, es que no requiere de su presencia o la de cualquier otra persona.

Tabla 5.3. Principales técnicas de estiramientos

Método	Acción
• Balístico	• Rebotes hasta el final de la amplitud articular para forzar en los tejidos el estiramiento.
• Estático	• Estirar despacio y de manera pasiva los músculos hasta su máximo alcance y mantener esta posición durante un periodo de entre 15-30 segundos.
• Activo	• Contraer el músculo agonista hasta su máxima amplitud interna para conferir un estiramiento en el antagonista.
• Contraer-relajar (CR)	• Contraer isométricamente el músculo estirado, luego relajarlo y estirar el músculo pasivamente un poco más. Esta acción la ejecuta un compañero.
• Contraer-relajar-contraer el agonista (CRAC)	• Lo mismo que en el CR, excepto que durante la etapa final de la fase del estiramiento, el músculo opuesto al que se está estirando se debe contraer.

Los cinco métodos básicos de estiramientos:

1. Los **estiramientos balísticos** suponen llevar la extremidad hasta el final de la amplitud de su movimiento y añadir rebotes. Este método está cayendo en desuso, ya que parece que puede causar lesiones y dolores musculares (Etnyre y Lee 1987). Aunque no se recomienda para los entrenamientos normales, los estiramientos balísticos se pueden realizar en las etapas finales de una recuperación de deportista a los que su deporte les demanda acciones balísticas (por ejemplo, patadas altas en artes marciales) (Norris 1998).

2. Durante los **estiramientos estáticos**, un músculo se estira hasta el punto en que se produce un pequeño dolor y se aguanta ahí durante un tiempo. Se ha demostrado que el tiempo óptimo para este estiramiento es aguantar durante 30 segundos, siendo menos efectivo en 15 segundos y sin que sea más efectivo en 60 segundos (Bandy e Irion 1994). Repetir este estiramiento es importante, ya que los efectos más beneficiosos se producen durante las cuatro primeras repeticiones (Taylor et al. 1990). Es fácil de recordar, se recomiendan 5 repeticiones de este estiramiento, hay que aguantar durante 30 segundos la posición, con un reposo de 30 segundos entre cada repetición.

3. El **estiramiento activo** supone estirar la extremidad hasta la máxima amplitud interna, así el músculo antagonista se estira pasivamente mientras el agonista se fortalece. Este tipo de estiramiento puede ser importante cuando se corrige el desequilibrio muscular. La contracción de amplitud interna ayuda a acortar un músculo alargado (laxo), mientras que el músculo acortado se estira utilizando un movimiento funcional relevante. Webright et al. (1997) vio que el estiramiento estático y el activo son igualmente efectivos cuando se hacen diariamente durante un periodo de seis semanas. El estiramiento estático supone menos coordinación y menos repeticiones que el estiramiento activo, por lo tanto es más apropiado para las primeras etapas de la rehabilitación. Los estiramientos activos conllevan una coordinación compleja y requieren un mayor control segmental, haciendo que éste sea más efectivo en etapas posteriores de la rehabilitación.

4. Las técnicas de **FNP CR (contraer-relajar)** suponen un estiramiento del músculo hasta una posición cómoda en que se nota el estiramiento. Desde esta posición, el músculo se contrae isométricamente y se mantiene así durante un periodo de tiempo, el músculo se relaja, luego se lleva a una posición estirada hasta que el sujeto nota el estiramiento máximo. La razón del método de CR es que el músculo contraído se relajará como resultado de una inhibición autogénica al activarse el de los órganos tendinosos de Golgi. Algunos autores argumentan que se necesita una contracción isométrica máxima para iniciar la relajación a través de los órganos tendinosos de Golgi (Janda 1992). Otros autores recomiendan el uso de contracciones isométricas mínimas (Lewit 1991), que parece más apropiado en situaciones donde el dolor está presente. Una ventana de posibilidades se abre al efectuar la contracción isométrica, ya que el reflejo del estiramiento se suprime durante unos 10 segundos después de la con-

tracción isométrica (Moore y Kukulka 1991), el estiramiento se debe hacer en este momento.

5. Con la técnica del **FNP CRAC (contraer-relajar-contraer agonista),** el músculo se estira como describimos, pero en las etapas finales del estiramiento, los grupos musculares se contraen isométricamente para hacer uso de la inhibición recíproca del agonista y reducir su tensión.

Para ilustrar cada uno de estos procedimientos, realizaremos un estiramiento de los isquiotibiales.

1. Un **estiramiento balístico** podría implicar mantener la pierna recta, estando de pie, e intentar alcanzar los pies haciendo rebotes. Mientras la acción muscular rápida puede tensar algunos músculos incrementando su tono, puede estirar otros tejidos blandos, incluyendo los elementos musculares no contráctiles, tendones musculares y ligamentos alrededor de la cadera, rodilla y espina dorsal. En este ejercicio en particular, además, la repetición de la flexión de la espina dorsal puede incrementar la presión interdiscal entre los discos lumbares, con el peligro potencial de desplazamiento discal o hernia discal (McKenzie 1981). Por esta razón, los estiramientos balísticos solamente se deberían realizar si se tiene una buena estabilidad lumbar y un alineamiento segmental óptimo.

2. Para hacer un **estiramiento estático** de isquiotibiales el individuo se puede estirar en el suelo delante del marco de una puerta, con las caderas dentro del marco. Con la pierna más alejada del marco de la puerta estirada en el suelo y la es-

palda en posición neutral, levante la otra pierna, manteniéndola recta, hasta que descanse sobre el marco. Para incrementar o disminuir el estiramiento, se puede acercar o alejar el cuerpo del marco de la pared. El estiramiento se hace durante 30 segundos.

3. Un **estiramiento activo** se puede hacer estando de pie, sujetándose a algo y mientras se levanta la pierna hacia arriba utilizando la fuerza de los flexores de la cadera.

4. Para hacer un **estiramiento de CR** la persona se estira en el suelo sobre su espalda. Un compañero le levanta la pierna, manteniendo la rodilla sin flexionar. Después de aguantar el estiramiento durante 10 segundos, la persona contrae su isquiotibial empujando con la pierna hacia abajo en dirección hacia el suelo contra la resistencia que hace el compañero. Aguanta la tensión durante unos 10 segundos (suficiente tiempo para permitir a los órganos tendinosos de Golgi inhibir el reflejo del estiramiento). Luego afloja la tensión y su compañero vuelve a realizar el estiramiento.

5. La **técnica del CRAC** lleva el estiramiento más allá: mientras se hace el estiramiento, la persona intenta incrementarlo, intentando llevar la pierna hacia su cabeza, tensando los flexores de la cadera. Haciendo esto, el isquiotibial se relaja aún más a través de la inhibición recíproca y el estiramiento se vuelve más efectivo.

ESTIRAR LOS MÚSCULOS SELECCIONADOS

Varios músculos movilizadores en la región pélvicolumbar están a menudo tensos y pue-

El test de estiramiento de Thomas

OBJETIVO *Estirar los flexores de la cadera.*

Este estiramiento se realiza desde la posición del test de Thomas (ver página 116): se puede utilizar cualquier superficie firme en casa, como una mesita de café fuerte. Su paciente debería aguantar una rodilla apretada contra su pecho y dejar que la otra pierna descanse en una posición estirada, casi en posición horizontal. Para incrementar el énfasis en el músculo del recto anterior, la rodilla de la pierna inferior (horizontal) se puede flexionar. A lo largo del movimiento la espalda debe mantenerse plana sobre la mesa y no se debe permitir que la pelvis se mueva. Se debería aguantar en esta posición durante 10-20 segundos y luego bajar la pierna lentamente. Llegar a la posición de estiramiento y volver a la posición inicial, ambas acciones se deben hacer controladamente, las acciones deben durar unos 5 segundos. Hay que cambiar de pierna y repetir el ciclo dos veces más. Haga que su paciente realice este estiramiento diariamente hasta que pueda hacer el test de Thomas satisfactoriamente.

Medio lunge (Semiflexión)

OBJETIVO *Estirar los flexores de la cadera.*

Haga que su paciente se coloque con una rodilla en el suelo, con una mano en una silla para ayudar a equilibrarse y la otra mano empujando la espina lumbar del costado de la pierna flexionada. Haga que realice una contracción abdominal a lo largo del ejercicio para mantener la espina lumbar en posición neutra. Dígale que incline su cuerpo hacia delante, forzando la cadera de la pierna que está en el suelo a extenderse intentado evitar el incremento de la lordosis. Hay que mantener esta posición durante 10 segundos. Enseñe a su paciente a hacer este ejercicio tres veces al día, en cada sesión se deben hacer 10 inclinaciones laterales.

Descenso de cadera

OBJETIVO *Trabajar los flexores laterales de cada lado de la pierna que lleva el peso. Este ejercicio se utiliza para la preparación del estiramiento de Ober, para permitir al sujeto controlar la pelvis con los flexores laterales del tronco.*

Estando de pie, su paciente debería poner las manos sobre una mesa para tener un soporte o sobre una barra si está en el centro de rehabilitación. Dígale que mantenga las piernas sin flexionar a lo largo del ejercicio. Haga que acorte una pierna inclinando lateralmente la pelvis. Puede que ayude a su paciente el hecho de imaginarse que tira del borde de la pelvis en línea recta hacia arriba en el lado de la pierna acortada, levantando ligeramente el talón. Para evitar el hecho de que se ponga de puntitas, haga que su paciente

continúa

Descenso de cadera, continuación

haga una flexión dorsal con el pie –de esta manera usted puede evaluar el movimiento de toda la pierna en una sección–. Dígale que evite ladeos del tren superior y que relaje los hombros. Una vez ya domine esta acción, haga que la practique sin ningún soporte (saque la mano de la mesa), luego estirada en decúbito supino y finalmente estirada de costado. En cada caso, la rodilla debe permanecer a lo largo de todo el movimiento sin ser flexionada, viniendo la acción tan sólo del movimiento pélvico.

Cuando esté en posición estirada de costado, el paciente debería colocar su mano superior sobre su cadera para ofrecer resistencia (ya que no está la gravedad para ofrecer resistencia) y debería estirar simultáneamente su pierna superior al mismo tiempo que empuja el suelo con la otra (como si intentara hacer la pierna lo más larga posible).

Enseñe a su paciente a hacer este ejercicio tres veces al día, con cinco repeticiones de cada lado en cada posición de inicio (de pie, decúbito supino y estirado de lado).

El estiramiento de Ober

OBJETIVO *Estirar la banda iliotibial (BIT) y el tensor de la fascia lata (TFL).*

La banda iliotibial y el tensor de la fascia lata pueden volverse demasiado activos y tensos para compensar un glúteo medio débil o inactivo. Cuando esto sucede, la rigidez en la BIT-TFL puede causar una fricción de esta estructura con el trocánter del fémur o con el lateral del epicóndilo del fémur. Ambas áreas son lugares corrientes donde puede aparecer el síndrome de fricción de la BIT –una sobre utilización, que se produce especialmente en corredores de larga distancia y que es el resultado de desequilibrios musculares–.

Empezando en una posición estirada de lado, su paciente realiza la flexión de cadera como se acaba de describir en el ejercicio anterior. Luego continúa con las acciones del test de Ober (ver página 117): debe realizar una abducción de la pierna superior unos 15° por encima de la horizontal y la extiende a unos 15°, luego la baja aduciéndola (hacia el suelo o la camilla) mientras mantiene la pelvis inmóvil. El ejercicio es complejo, ya que requiere del control de dos partes corporales simultáneamente. Hay que supervisar al paciente muy atentamente, (1) mirando el borde pélvico para ver cualquier movimiento no deseado y (2) viendo si la extensión de cadera se mantiene. Cuando la extensión de cadera se pierde, la pierna cae en flexión hacia adelante y se pierde el estiramiento del TFL. Si su paciente no es capaz de mantener la estabilidad de la pelvis, ayúdele aguantando la pelvis en su sitio con sus manos.

Extensión activa de rodilla, aguantándose el muslo

OBJETIVO *Estirar los isquiotibiales.*

Haga que su paciente descanse en decúbito supino, luego debe levantar una pierna hasta los 90° de flexión de cadera, cómodamente flexione la rodilla y sosténgala con sus manos por debajo del muslo.

continúa

Extensión activa de rodilla, aguantándose el muslo, continuación

Luego dígale que estire la pierna tanto como pueda. La sensación debería ser de un estiramiento profundo más que un dolor agudo. La incomodidad debería reducirse al ir aguantando el estiramiento. La persona debería mantener el estiramiento durante 30 segundos. Enséñele a hacer este estiramiento en casa tres veces por día, con dos repeticiones en cada pierna por sesión.

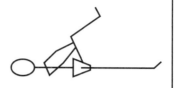

Extensión activa de rodilla, empujando contra el muslo

OBJETIVO *Fortalecer los flexores de la cadera, los extensores de la cadera y los isquiotibiales.*

Esta acción estira los isquiotibiales, al mismo tiempo que se activa el cuádriceps contra una resistencia. El hecho de incrementar la actividad del cuádriceps debería reducir el tono de los isquiotibiales a través de la inervación recíproca.

Haga que su paciente se estire en decúbito supino y, con una rodilla cómodamente flexionada, debe levantar la pierna hasta que esté en un ángulo de unos 60° respecto al suelo. Debería mantener la pierna completamente estirada y utilizar solamente los músculos flexores para levantar la pierna (¡no utilizar las manos esta vez!), sin flexionar la rodilla. Una vez que la pierna está vertical (o tanto como el paciente pueda levantarla), haga que ponga su mano en la pierna justo por encima de la rodilla y la utilice como punto de apoyo para extenderla un poquito más. Esto es especialmente útil para estirar los isquiotibiales. Debería aguantar esta posición durante 30 segundos.

Dígale a su paciente que haga este ejercicio tres veces al día, haciendo tres repeticiones por pierna en cada sesión.

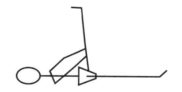

El estiramiento trípode

OBJETIVO *Estirar los isquiotibiales.*

Haga que su paciente se siente en el extremo de una mesa, tiene que tener la espina lumbar en posición neutral, con los pies colgando. Debería mantener la reducción del diámetro de la región abdominal a lo largo de todo el ejercicio. Haga que estire una pierna, para estirar el isquiotibial contra la base estable de la pelvis sin movimiento. Debería mantener la pierna extendida durante 15 segundos, luego bajarla.

Dígale a su paciente que haga este ejercicio tres veces al día, con tres repeticiones para cada pierna en cada sesión.

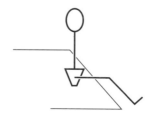

Estiramiento de los flexores laterales de la cadera

OBJETIVO *Estirar el cuadrado lumbar y los abdominales oblicuos.*

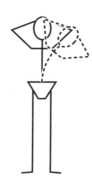

Estos músculos generalmente están tensos después de largos periodos estando sentado o descansando en la cama. Haga que su paciente se recueste sobre la pared, con sus pies separados al ancho de los hombros, y sus manos cogidas detrás de la cabeza. Debería mantener el reducido diámetro de la región abdominal a lo largo de todo el ejercicio. Enséñele a lentamente flexionar su tronco (solamente la espina dorsal) hacia un lado, fijándose mucho en mantener la pelvis nivelada y las rodillas sin flexionar. Hasta que el paciente aprenda la sensación correcta de cómo debe ser el movimiento, usted debería ayudarlo colocando sus manos en la pelvis y haciéndole saber cuándo la inclina. Dígale que intente tirar con el codo superior hacia arriba, tan alto como pueda hacia el techo, en un intento para alargar su espina dorsal y que aguante esta posición durante 30 segundos. Luego debería repetir el ejercicio hacia el otro lado. La altura del codo superior indica la amplitud del movimiento obtenido y la amplitud comparativa de cada lado revelará el grado de simetría de su paciente.
Enseñe a su paciente a hacer este estiramiento tres veces al día de cada lado.

Estiramiento con cuatro puntos de apoyo

OBJETIVO *Estirar el músculo erector de la espina dorsal.*

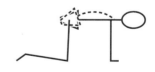

Los músculos erectores de la espina dorsal también se pueden tensar durante el descanso en la cama. Haga que su paciente se coloque en una posición arrodillado con cuatro puntos de apoyos. Ponga mucho énfasis en que, durante todo el ejercicio, debe mover tan sólo la espina dorsal, manteniendo los hombros sobre la vertical de sus manos y su cadera sobre la vertical de la rodillas en todo momento, haga que realice una retroversión pélvica y que continúe flexionando su espina dorsal hasta que su cara mire hacia la ingle. Debería aguantar esta posición durante 30 segundos, luego lentamente relajar la espalda y devolverla a la posición de inicio.
Enseñe a su paciente a hacer este ejercicio tres veces al día, con seis repeticiones por sesión.

den necesitar estiramientos. Generalmente es mejor empezar con estiramientos pasivos estáticos, siguiendo con técnicas de contracción-relajación. Finalmente, los músculos opuestos se acortan a máxima amplitud interna para estirar los antagonistas **activamente**.

RESUMEN

- Los músculos se pueden dividir aproximada, aunque no inequívocamente, entre músculos estabilizadores y movilizadores.

- Los músculos estabilizadores acostumbran a ser músculos profundos, contienen mayoritariamente fibras lentas para controlar sólo una articulación y principalmente para prevenir movimientos mientras estabilizan la articulación. Son principalmente músculos posturales.
- Los músculos movilizadores suelen ser más superficiales, contienen mayoritariamente fibras rápidas, para trabajar sobre dos articulaciones y principalmente para generar movimiento.
- El desuso, largos periodos de descanso en la cama y lesiones pueden provocar desequilibrios en los sistemas musculares –con los músculos agonistas que se acortan y los antagonistas que se estiran–.
- Para entrenar específicamente los músculos, se debe enfocar cuidadosamente a aquellos que se recomienda ejercitar; los ejercicios que son para mejorar la estabilidad de la espalda muy a menudo fracasan, porque se apunta a los músculos equivocados (especialmente en la musculatura profunda estabilizadora).
- Se pueden tratar estos desequilibrios musculares haciendo ejercicios que fortalezcan/acorten los músculos flácidos y que estiren los músculos acortados; este capítulo describe un buen número de estos ejercicios.

CAPÍTULO 6

ENTRENAMIENTO BÁSICO DE LA MUSCULATURA ABDOMINAL

Gran parte del programa de estabilidad de la espalda implica trabajar con la musculatura abdominal. Para los pacientes que especialmente deseen llevar este entrenamiento abdominal un paso más allá (para mejorar la ejecución más que para simplemente mejorar la estabilidad), se debe ofrecer un programa de entrenamiento que sea tanto seguro como efectivo. Primero quiero revisar ejercicios abdominales populares y evaluar sus efectos en músculos y tejidos. Luego le presentaré modificaciones para mejorar la seguridad y efectividad de esta clase de ejercicios.

PRÁCTICAS ACTUALES EN EL ENTRENAMIENTO ABDOMINAL

El entrenamiento abdominal puede ser peligroso, tanto para deportes competitivos como para el deporte recreativo en general. En los deportes, los deportistas muy a menudo se adhieren de manera casi religiosa a métodos de entrenamientos tradicionales pero potencialmente peligrosos. Para la población en general, la moda a menudo dicta qué movimientos tienen el favor del público –aunque muchos de los ejercicios comunes no tienen bases científicas–. Antes de que pueda prescribir los ejercicios más apropiados para sus pacientes, debe entender qué es lo que en verdad consiguen los ejercicios tradicionales. Al llegar aquí comenzaré de manera breve a analizar las dos grandes categorías de los ejercicios abdominales: el abdominal clásico y el levantamiento de piernas.

El abdominal clásico

En el **abdominal**, un individuo viene de estar en decúbito supino a una posición de sentado utilizando la flexión de cadera, generalmente combinada con flexión de tronco.

En un abdominal clásico, el recto mayor registra actividad nada más al levantarse la cabeza (Walters y Partridge 1957) y como consecuencia la caja torácica se deprime anteriormente. En el momento inicial de la flexión se acentúa el trabajo de la porción supraumbilical del recto mayor; la porción infraumbilical se contrae posteriormente, con el oblicuo menor (Kendall et al. 1993). Al contraerse el oblicuo menor, tira de las costillas inferiores, haciendo que éstas se acampanen incrementando el ángulo infraesternal.

La fijación de la pelvis se realiza con los flexores de la cadera, especialmente con el ilíaco a través de su inserción en el borde pélvico. La fuerza generada por los flexores de la cadera se contrarresta con la contracción de las fibras laterales del gran oblicuo y la porción infraumbilical del recto mayor, que suele realizar una retroversión pélvica. La acción del gran oblicuo, si es suficientemente potente, comprime las costillas y reduce otra vez el ángulo infraesternal (Kendall et al. 1993).

Problemas causados por una deficiente condición física

El inicio de la acción del abdominal a veces conduce a un arqueamiento en individuos con bajo tono muscular. Para que los abdominales superficiales (recto mayor y el gran oblicuo) se levanten planos, los abdominales profundos (el abdominal transverso y el oblicuo menor) deben ser capaces de tirar de la vaina del recto mayor para mantener la pared abdominal plana. Mucha gente, sin embargo, ha perdido la capacidad para coordinar la acción de los abdominales profundos y superficiales, cosa que requiere esta acción. Los dos grupos de músculos abdominales están desequilibrados, con reclutamiento deficiente de la fibras de los abdominales profundos y con el predominio de los abdominales y de los superficiales. Cuando sucede esto, la pared abdominal parece una bóveda y el deportista puede que levante el tronco con la espina lumbar extendida o plana más que flexionada (figura 6.1).

> **PUNTO CLAVE**
>
> Los músculos abdominales profundos débiles no pueden mantener el recto mayor plano, conduciendo a arqueamiento de la pared abdominal.

Los sujetos que no tienen una buena condición física también tienden a utilizar los extensores de la cadera para momentáneamente hacer una retroversión pélvica en el comienzo de un abdominal, preestirando los flexores de la cadera. Esto da a los flexores de la cadera una ventaja mecánica antes que se produzca la flexión de la cadera y reduce el trabajo requerido de los

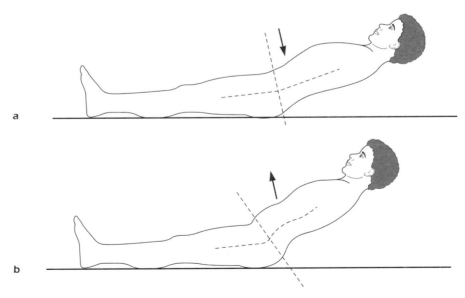

Fig. 6.1. Alineamiento del tronco durante unos ejercicios de abdominales. (a) Una musculatura abdominal profunda aplana la pared abdominal. (b) Unos abdominales profundos débiles dejan que la pared abdominal se arquee, al mismo tiempo que los abdominales superficiales flácidos permiten una anteversión pélvica y un ahuecamiento de la espalda. De Norris 1998.

abdominales y del efecto de condicionamiento físico del ejercicio en los abdominales.

Durante esta fase, los músculos abdominales trabajan excéntricamente (Ricci et al. 1981).

Efectos de la fijación de los pies

Si una persona intenta hacer un abdominal desde una posición supina sin permitir la flexión del tronco, las piernas tienden a levantarse de la superficie en la que se está recostado. Esto sucede debido a que las piernas constituyen más o menos un tercio del peso total de cuerpo, mientras que el tronco contribuye con dos tercios.

El centro de gravedad del tren superior se desplaza hacia la cadera cuando los músculos abdominales flexionan la espina dorsal, reduciendo el brazo de palanca del tronco y permitiendo al sujeto realizar el abdominal sin levantar las piernas (figura 6.2).

Cuando los músculos abdominales son débiles y flácidos, no se produce una máxima flexión espinal, ya que los músculos no son capaces de tirar de la espina lumbar a su máxima amplitud interna –el brazo de palanca del tronco permanece largo, y las piernas se levantan–. El punto en el que esto sucede durante el movimiento depende del peso del sujeto y de la altura.

Si los pies están fijados, sin embargo, los flexores de la cadera pueden tirar potentemente sin hacer que las piernas se levanten. El acto de fijar los pies por si mismo, de hecho, puede ayudar al psoasiliaco (Janda y Schmid 1980). Para hacer fuerza a partir del punto de fijación, uno debe hacer una flexión dorsal activa, que simula el patrón del caminar en el momento de contacto con el talón, aumentando la actividad en los tibiales anteriores, cuádriceps y psoasiliaco (un patrón conocido como **sinergia flexora durante el andar**) (Atkinson 1986).

> **PUNTO CLAVE**
>
> Los músculos flexores de la cadera se contraen con fuerza en los abdominales tradicionales. Fijar los pies provoca que los flexores de la cadera trabajen más duramente, sin un incremento significativo sobre los músculos abdominales.

Elevación extendida de la pierna

La elevación de las dos piernas extendidas (EPE) crea sólo una pequeña actividad en el recto mayor, a pesar de que la parte in-

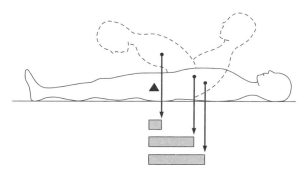

Fig. 6.2. Al flexionarse el tronco, el centro de gravedad del tren superior se desplaza bastante caudalmente. De Norris 1998.

ferior de este músculo contribuye en mayor proporción al trabajo de este ejercicio, más que en el abdominal clásico (Lipetz y Gutin 1970). El recto mayor trabaja isométricamente para fijar la pelvis, debido a la gran tensión que genera el psoasiliaco (Silvermetz 1990). El psoasiliaco se contrae con la máxima fuerza cuando el brazo de palanca de la pierna es mayor (cerca de la horizontal) y se va reduciendo cuando las piernas se van levantando hacia la vertical.

Problemas derivados de una condición física deficiente

En los sujetos con unos abdominales débiles, la pelvis se inclina y la espina lumbar se hiperextiende durante la elevación de la pierna extendida (EPE). Esta hiperextensión forzada, incrementa drásticamente el estrés en las facetas articulares, especialmente en aquellas de la espina lumbar. Es probable que el movimiento esté limitado por el impacto de las apófisis articulares inferiores sobre las láminas de las vértebras inferiores (ver capítulo 2) o, en algunos casos, por el contacto entre las apófisis transversas (Twomey y Taylor 1987). Las acciones rápidas de esta clase pueden dañar las estructuras de las facetas articulares. Una vez la faceta y la lámina se están tocando, una carga mayor provoca una rotación axial de la vértebra superior (Yang y King 1984); luego la vértebra superior pivota, provocando que la apófisis articular inferior se desplace hacia atrás, sobreestirando la cápsula articular.

Efectos de la fijación del brazo

Cuando las piernas se levantan en una elevación de la pierna extendida (EPE), la posición del cuerpo es menos segura, ya que su base de soporte es más pequeña.

Las personas suelen balancearse hacia el lado de la pierna que levantan (cuando se levanta una pierna) o luchan para mantener sus espaldas en el suelo (cuando las dos piernas se levantan). El hecho de fijar los brazos sosteniéndose con un objeto que esté por detrás de la cabeza (por ejemplo, un banco) con los brazos, o empujar con las manos contra el suelo con los brazos en los costados, mejora la seguridad de la posición inicial.

La desventaja de fijar los brazos, sin embargo, es que la gente puede tirar más fuerte de sus flexores de la cadera sin darse cuenta que han perdido su alineamiento. Esto es verdad especialmente cuando se realiza elevación de la pierna extendida (EPE) con ambas piernas. En el comienzo de esta acción el brazo de palanca es máximo, ya que están horizontales. Sin una fijación de brazos, los sujetos con un pobre acondicionamiento físico puede que no sean capaces de levantar las piernas, de ese modo se están autolimitando el estrés potencial en la espina lumbar. Con los brazos fijados, sin embargo, pueden ser capaces de levantar las piernas temblando, empujándose rápidamente con sus brazos y con una contracción rápida de los flexores de la cadera. Una vez las piernas se eleven hacia la vertical, el brazo de palanca se reduce y se puede continuar el movimiento –llevando a la gente a pensar (equivocadamente) que, ya que pueden realizar la acción, deben haberla hecho de manera correcta–. Los temblores (espasmos) son extremadamente peligrosos, debido a la compresión y a las fuerzas de tensión que impone en la espina lumbar.

Para una elevación de la pierna extendida (EPE), permita que sus pacientes fijen los brazos solamente cuando puedan hacer los ejercicios de manera lenta y controlada, y sólo después de que usted haya escogido el ejercicio más apropiado para su condición física. Las acciones de elevación de piernas son inapropiadas para sujetos con una condición física pobre o para aquellos con un historial de dolores de espalda.

MODIFICACIONES DE EJERCICIOS DE ABDOMINALES TRADICIONALES

Sus pacientes encontrarán más fácil aprender modificaciones de ejercicios que ya conocen que aprender nuevos ejercicios. Estas modificaciones también pueden ser más aceptables para entrenadores experimentados que si intenta cambiar completamente su manera de hacer. Recuerde que en cada caso sus pacientes deben empezar con el diámetro de la región abdominal reducido y con sus columnas lumbares en posición neutral. Excepto que sea necesaria alguna otra cosa, haga que su paciente realice 8-10 repeticiones de cada ejercicio una vez al día, tres días por semana. Excepto si se ve otra cosa, el movimiento inicial de cada ejercicio debería durar entre 2-3 segundos; sus pacientes deberían mantener la posición durante 1-3 segundos; luego deberían realizar el movimiento contrario en 2-3 segundos. Hay que tener en cuenta, que éstas son tan sólo unas directrices. Si en cualquier momento sus pacientes no hacen suficiente esfuerzo, tiene que incrementar la carga, haciendo que hagan los ejercicios más lentos o incrementando el número de repeticiones. Si el esfuerzo es demasiado duro hay que reducir la carga del ejercicio.

Cuando sus pacientes comiencen a ejecutar mejor los ejercicios, pueden au-mentar el número de repeticiones, hacer los movimientos más lentamente y/o aumentar el tiempo que deben aguantar. Recuerde recalcar a sus pacientes la importancia de que, cuando se mueven lentamente, deben respirar normalmente (no hay que hacer apneas). El factor limitante no es cuántas veces un individuo puede hacer superficialmente este ejercicio, si no lo bien que puede hacerlo *mientras mantiene un alineamiento de la columna vertebral correcto y una disminución del diámetro de la región abdominal.*

Modificaciones de los abdominales clásicos

Flexionar las rodillas y cadera para alterar la posición inicial del abdominal que afecta tanto a las acciones pasivas y como a las activas de los flexores de la cadera, así como la biomecánica de la columna lumbar. Estar estirado en decúbito supino estira el psoasiliaco, alineándolo con la horizontal (figura 6.3). Al contraerse el músculo en esta posición, la elevación del tronco es una desventaja mecánica y la compresión vertebral se encuentra en su máximo –el ratio de elevación-compresión es aproximadamente de 1:10 (Watson 1983)–. Flexionando las rodillas hace que el psoasiliaco trabaje de manera más vertical, reduciendo el ratio de elevación-compresión vertebral a 2:5, en una posición estirada con las rodillas flexionadas y colocando las piernas sobre un banco reduce el ratio a 1:1.

Si históricamente la flexión ha exacerbado los problemas de espalda de los pacientes (consulte esto con su fisioterapeuta), pueden hacer menos repeticiones –2 ó 3– mientras incrementa el tiempo del ejercicio

(8-12 segundos en cada dirección). Este plan reduce el número de movimientos de flexión pero mantiene la carga en el músculo.

Con una flexión de cadera de 45°, la tensión del psoasiliaco está entre un 70-80% de su máximo; con la cadera y las rodillas flexionadas a 90°, los números se reducen hasta un 40-50% (Johnson y Reid 1991). Hay que ver, sin embargo, que el psoasiliaco desarrolla tensión pasiva debido al retroceso elástico. Debido a que el psoasiliaco no está completamente estirado cuando la cadera está flexionada, no puede limitar pasivamente la retroversión de la pelvis. En cambio, para fijar la pelvis y proporcionar una base estable para que los abdominales tiren cuando la cadera está flexionada, los flexores de la cadera se contraen antes en la acción del abdominal. Esta contracción ha reducido la intensidad (Walters y Partridge 1957), sin embargo, debido a la relación longitud-tensión del músculo.

Con las piernas extendidas en la posición tradicional del abdominal, el psoasiliaco se estira y puede limitar pasivamente la retroversión pélvica. La posición estirada también permite al psoasiliaco ejercer una mayor fuerza durante la flexión de la cadera, lo que significa que, si los músculos abdominales son demasiado débiles para mantener la posición de la pelvis, los flexores más fuertes de la cadera harán que la columna lumbar se hiperextienda y provoque que la pelvis haga una anteversión de esta manera, estirando los abdominales e hiperextendiendo la columna lumbar. Este tipo de acción es por lo tanto inapropiada para la reeducación postural si el objetivo es acortar los músculos abdominales flácidos.

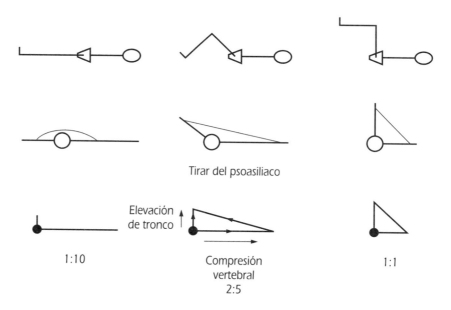

Tirar del psoasiliaco

Elevación de tronco

1:10

Compresión vertebral 2:5

1:1

Fig. 6.3. Flexionando la cadera alarga el brazo del momento del psoasiliaco, permitiendo al músculo completar la acción del abdominal con menos fuerza. Por lo tanto, la compresión vertebral se reduce.
De Norris 1998.

Abdominal con las rodillas flexionadas

OBJETIVO *Fortalecer los abdominales al mismo tiempo que se reduce la acción de los flexores de la cadera.*

Haga que su paciente empiece estirado con las rodillas flexionadas unos 90° y con la cadera flexionada unos 45°. Debería levantar el tronco, levantándose solamente desde la cadera, y al mismo tiempo o ligeramente después debería flexionar la cadera. Sugiérale que se imagine a sí mismo como una bisagra pivotando sobre la articulación de la cadera. La acción debe ser lenta y controlada, sin tensión. Un abdominal puro con las rodillas flexionadas exige mantener la columna dorsal recta, desplazándose sobre la cadera fijada y reduciendo la acción de los flexores de la cadera. Dígale a su paciente que, si nota tensión en sus músculos de la espalda en lugar de sus abdominales, debería parar el ejercicio y hacer el ejercicio de reducción del diámetro de la región abdominal antes de reanudar el ejercicio.

Curl con el tronco

OBJETIVO *Acortar y fortalecer el recto mayor.*

En este ejercicio no hay una flexión de cadera, la espina lumbar debe permanecer en contacto con la superficie que nos sirve de soporte. Haga que su paciente asuma una posición estirada encorvada, con las rodillas flexionadas 90° y con la cadera flexionada unos 45°.

Dígale que «ruede a lo largo de su espina dorsal», haciendo una flexión cervical hasta que la barbilla toque el pecho, seguido de una flexión torácica, hasta que sólo quede la espina lumbar en el suelo. Luego debería realizar la acción a la inversa, primero bajando la espina dorsal desde abajo del todo hasta arriba y finalmente bajar las cervicales hasta que la cabeza baje suavemente hasta el suelo.

Abdominal con las piernas sobre un soporte

OBJETIVO *Fortalecer los abdominales superiores (la porción supraumbilical del recto mayor con las fibras laterales del gran oblicuo) mientras se reduce la tensión de los flexores de la cadera y se reduce el estrés en la columna lumbar.*

El abdominal con la pierna sobre un soporte se hace desde una posición de inicio de flexión de cadera y rodillas de 90°, con los gemelos sobre el banco o sobre una silla. Ya que se acortan los flexo-

continúa

Abdominal con las piernas sobre un soportes, continuación

res de la cadera, de modo que se reduce su capacidad para contribuir al movimiento, la acción de los flexores de la cadera no ensombrece la acción de los abdominales. Enseñe a su paciente a rodar a lo largo de la columna vertebral como si fuera a encorvar el tronco (ejercicio anterior).

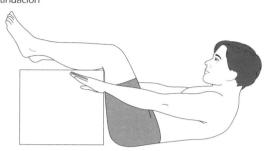

Modificaciones del ejercicio de elevación con la pierna extendida (EPE)

Ya que ninguno de los músculos abdominales en realidad cruza la cadera, estos músculos no son movilizadores principales para hacer la elevación con la pierna extendida (EPE). El elevación con la pierna extendida (EPE) es, no obstante, importante para el ejercicio abdominal porque aumenta la función de la porción infraumbilical del recto mayor y del gran oblicuo de estabilización de la pelvis.

Unas cuantas modificaciones de la elevación de ambas piernas extendidas puede ayudar a reducir el estrés en la columna lumbar.

Desplazamiento de los talones
(ver también la discusión sobre esta acción en el capítulo 8)

OBJETIVO *Cargar estáticamente los músculos abdominales, fijándonos en los abdominales profundos.*

Haga que su paciente se estire con las piernas flexionadas, que luego extienda una pierna mientras se mantiene el talón de la otra en el suelo llevando la pierna a la extensión. Dígale que coloque sus manos en la parte inferior de su abdomen a ambos lados del ombligo, las puntas de los dedos deben estar separadas entre 15 y 18 centímetros. Debería hacer una reducción del diámetro de la región abdominal y mantener los músculos abdominales tensos debajo de sus manos y ejecutar lentamente la acción de la pierna en un tiempo entre 3-5 segundos (ver página 173).

Descenso de piernas

OBJETIVO *Incrementar la carga estática en los músculos abdominales manteniendo la espina dorsal en posición neutral.*

Dígale a su paciente que se estire en decúbito supino con la cadera flexionada unos 90° pero con las rodillas extendidas, de modo que las piernas estiradas están verticales. Dígale que empiece a bajar lentamente sus piernas hasta que la pelvis empiece a inclinarse. Tan pronto como esto suceda, debería levantar las piernas otra vez a la posición inicial de flexión de cadera de 90°. Cada ciclo debería durar en-

continúa

Descenso de piernas, continuación

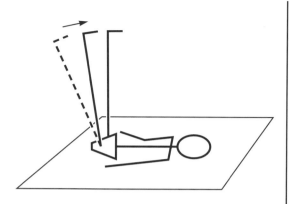

tre 3-5 segundos. La ventaja de este ejercicio sobre el elevación con la pierna extendida (EPE) estándar es un cambio en palancas. Con la acción estándar de elevación con la pierna extendida (EPE) el sujeto empieza con el máximo brazo de palanca en las piernas, forzando a los flexores de la cadera y los abdominales a trabajar de manera máxima desde cada inicio. Con el descenso de piernas, la posición inicial da un brazo de palanca mínimo. Al bajar las piernas, la fuerza de palanca se incrementa, pero el sujeto es capaz de controlar el descenso de las piernas y evitar la posición de máxima fuerza de palanca que puede hacer que la columna se hiperextienda. Si un paciente encuentra difícil de controlar el descenso de piernas, dígale que flexione las rodillas para reducir la fuerza de palanca en cada pierna; o dígale que haga el ejercicio cerca de una pared, así no puede bajar del todo las piernas.

Elevación de la cadera estirado en un banco

OBJETIVO *Fortalecer los músculos abdominales, especialmente la porción baja (infraumbilical) del recto mayor.*

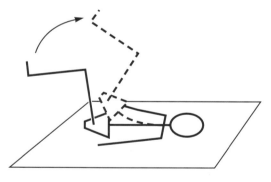

Dígale a su paciente que se estire en decúbito supino y con las rodillas y cadera flexionadas a 90° –una posición que debe mantener a lo largo de todo el movimiento–. El paciente debería colocar los brazos a los lados, con las manos en el suelo. Haga que levante las nalgas del suelo flexionando la columna lumbar, manteniendo las piernas relativamente inactivas. Aunque en este movimiento la columna lumbar se flexiona como en el «curvar el tronco», el movimiento va desde «arriba hacia abajo» desde la S1-L5 seguida por la flexión de cada vértebra superior del segmento lumbar. Curvar el tronco es el movimiento al revés (hacia abajo) (McKenzie 1981).

Elevación de piernas colgado de unas espalderas

OBJETIVO *Fortalecer la porción inferior del recto mayor, incrementando la fuerza de palanca, mientras se proporciona la tracción para la columna lumbar.*

Hacer elevaciones de piernas estando colgado de una barra reduce considerablemente las fuerzas de palanca sobre la espina lumbar y proporciona tracción. Explíquele a su paciente que debe mantener la

continúa

Elevación de piernas colgado de unas espalderas, continuación

posición pélvica neutral a lo largo de todas las versiones de este ejercicio, evitando una anteversión de la pelvis, y (excepto en la última variación) apoyar la espalda sobre la pared. Hay tres formas realizar de este ejercicio:

1. Dígale a su paciente que apoye la espalda contra las espalderas, que coloque los brazos por encima de su cabeza y que se sostenga de una barra que esté por encima de la altura de su cabeza. Luego, evitando temblores, debería lentamente colgarse de la barra y, manteniendo las piernas rectas, que levante los pies del suelo (a). Dígale que note el estiramiento a través de toda su espina dorsal y que contraiga sus músculos abdominales mientas presiona con los lumbares sobre las espalderas y respira normalmente. Enséñele a aguantar esta posición durante 2-3 segundos, y luego que la afloje lentamente.

2. Seguidamente la acción progresa para incluir la flexión de cadera y rodillas. Para este ejercicio, dígale a su paciente que doble las rodillas y que las levante hasta que llegue a los 90º de flexión de cadera (por ejemplo, cuando las rodillas se nivelen con la cadera), mientras se mantiene la espina lumbar en contacto con las espalderas. Asegúrese de que el paciente no realiza un movimiento brusco al levantar las rodillas –el movimiento debería ser lento, tendría que durar entre 3-5 segundos–. Sugiérale que centre la atención en sus músculos abdominales, encogiéndolos al levantar las piernas. Después de mantener la posición flexionada de 90º durante 2-3 segundos, debería bajar lentamente las piernas a la posición inicial.

3. La última parte de la progresión de este ejercicio requiere flexionar la espina lumbar para levantar la espalda de las espalderas. Esta acción, mientras se trabaja duro con los abdominales, también fortalece y posiblemente acorta los flexores de la cadera, una vez que su paciente ha llegado a la posición de flexión de 90º como en el ejercicio anterior, dígale que encorve la espina para levantar lentamente la rabadilla de las espalderas (b). Hay que enfatizar que, al volver a la posición inicial, el sujeto no debería golpear la espalda contra las espalderas.

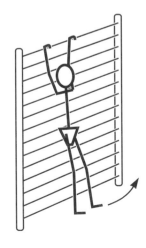

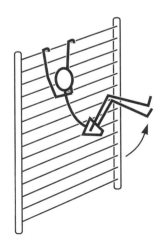

EJERCICIOS CON EL AB ROLLER

El **AB ROLLER** puede ayudar a sus pacientes a reeducar sus músculos para la acción de curvar el tronco (flexión espinal) como una acción distinta del movimiento del abdominal clásico (un movimiento con la espina dorsal recta sobre el fémur fijado). El marco le permite solamente la flexión de tronco, mientras la espina lumbar del sujeto permanece en contacto con el suelo.

El crunch básico

Haga que su paciente se coloque estirado sobre la espalda con las rodillas dobladas y con los pies planos en el suelo, con su cabeza y cuello en el respaldo correspondiente de la máquina. El sujeto tiene que cogerse a los mangos de los lados o de los reposabrazos del aparato, si prefiere estirar los brazos y colocar sus muñecas sobre la barra horizontal que se une delante suyo –lo que le sea más cómodo–. Dígale que flexione el tronco («Crunch básico»), manteniendo la cabeza en la almohadilla y suavemente ayude al movimiento extendiendo los hombros. Debería centrar la atención en contraer hacia adentro la pared abdominal (reducción del diámetro abdominal). Existe la tendencia en este  ejercicio de hacer el movimiento bruscamente, un error que añade un momento considerable a la espina dorsal y puede sobreestirar los tejidos posteriores debido a la fuerza. Asegúrese de que el ejercicio se hace lenta y controladamente, siguiendo el principio mencionado anteriormente que el movimiento debería durar entre 2-3 segundos. Con el tiempo, su paciente ganará suficiente control sobre los codos como para ponerlos sobre las almohadillas de descanso y empujar hacia abajo con ellos (extensión de brazos), cogiéndose sólo ligeramente con las manos abiertas en el marco del aparato.

Crunch invertido

OBJETIVO *Fortalecer intensamente el recto mayor.*

Esta acción se centra en la porción del recto mayor. Enseñe a su paciente a levantar las piernas (una cada vez) hacia una posición vertical y a mantener la posición a lo largo del ejercicio. La acción del ejercicio es levantar verticalmente la pierna como si se intentara tocar el techo con las puntas de los pies, mientras se mantiene el tren superior quieto. Haciendo esto, el paciente levantará el sacro del suelo, un movimiento que combina la retroversión pélvica con la flexión lumbar. El movimiento debe ser lento y controlado sin lanzarse ni rebotar.

Crunch doble

OBJETIVO *Fortalecer la porción superior e inferior del recto mayor.*

El movimiento del crunch doble combina las acciones de curl de tronco y la elevación de piernas, ejercitando tanto la porción superior como la inferior del recto mayor. Ya que las dos áreas trabajan juntas durante este ejercicio, requiere un mayor grado de coordinación que los otros crunches. La posición inicial es la misma que el crunch básico. Enseñe a su paciente a (1) simultáneamente levantar las rodillas hacia el pecho y a hacer una retroversión de la pelvis; y (2) levantar el tren superior (como se hace en el crunch básico para flexionar la espina dorsal). La espina lumbar permanece en el suelo, mientras los hombros y el sacro se levantan de éste. Debería realizar la acción lenta y con precisión, evitando los excesos de impulso sobre la espina dorsal que provocan las acciones rápidas. Asegúrese de que la persona no hace apneas ni hiperventila (respira demasiado rápidamente). Si hiperventila, debería descansar un momento de costado y no intentar ponerse de pie hasta que no haya pasado la sensación de que se le va la cabeza.

Crunch lateral

OBJETIVO *Fortalecer los abdominales oblicuos al mismo tiempo que se trabaja el recto mayor.*

Haga que su paciente empiece en la posición del crunch básico, luego que baje sus rodillas y las coloque a un lado; debería levantar las manos hacia arriba, cruzarlas y colocar sus muñecas sobre la barra horizontal como en la versión del crunch básico –para hacer el curl de tronco, debe mantener la cabeza en la almohadilla–. Como las asimetrías son normales en esta región corporal, su paciente puede notar que un lado es más fuerte o más flexible que el otro; al realizar este ejercicio, con el tiempo (asumiendo que hace el ejercicio de la forma correcta), la asimetría debería desaparecer y los dos lados deberían hacer el ejercicio igual.

RESUMEN

• Los ejercicios abdominales corrientes pueden ser sólo moderadamente efectivos, o hasta peligrosos, para algunas personas con lesiones de espalda.

• Los individuos con una condición física deficiente suelen poner énfasis en los músculos inadecuados para realizar las elevaciones de piernas extendidas y los abdominales; las versiones modificadas de estos ejercicios los fuerza a utilizar los músculos correctos.

- Los individuos con una condición física deficiente, o aquellos con un historial de dolores lumbares, deberían evitar los abdominales con las piernas estiradas.

- Generalmente es más productivo para usted enseñarles a sus pacientes las modificaciones de los ejercicios que ya saben, que intentar enseñarles ejercicios totalmente nuevos.

- Este capítulo enseña ejercicios abdominales específicos que son tanto seguros como muy efectivos para el entrenamiento funcional de abdominales.

CAPÍTULO 7

ACTITUD POSTURAL

Debido a que el alineamiento postural refleja cambios en la longitud de la musculatura, es la manera que utilizará para evaluar los desequilibrios musculares. Antes de que pueda diagnosticar cambios en el alineamiento, sin embargo, necesita una actitud postural óptima estándar. El cuerpo se mueve continuamente alrededor de la posición óptima en un proceso llamado **balanceo corporal**, la estabilidad de la espalda es un componente importante de este mecanismo. En este capítulo, se describen los cuatro tipos principales de actitudes posturales.

ALINEAMIENTO POSTURAL ÓPTIMO

La actitud postural es una disposición de las partes corporales en un estado de equilibrio que protege las estructuras de soporte del cuerpo de las lesiones o de la deformación progresiva –definición dada en 1947 por el *Posture Committee of the American Academy of Orthopaedic Surgeons* (Cailliet 1983)–. Una buena actitud postural es por lo tanto una postura sin esfuerzo, sin fatiga y sin dolor cuando el individuo permanece de pie durante periodos de tiempo razonables (Cailliet 1981). Los músculos funcionan más eficientemente en este alineamiento y las articulaciones están posicionadas más óptimamente (Bullock-Saxton 1988).

La actitud postural óptima combina el mínimo trabajo muscular y mínima carga articular. Es la combinación de estos dos factores lo que es importante, cuando se pierde la actitud postural óptima (por ejemplo en la posición con los hombros caídos), la actividad muscular se reduce claramente, pero hay un incremento significativo en la carga articular.

Es importante minimizar la carga en la articulación durante cortos periodos de tiempo, los cartílagos articulares ganan su nutrición a través de la carga intermitente (Norris 1998), y una repartición uniforme de la fuerza es preferible a un sólo punto de presión. Las presiones de contacto son directamente proporcionales a la fuerza transmitida, pero inversamente proporcionales al área (McConnell 1993). Por tanto, la distribución de la fuerza sobre una gran área optimizando el alineamiento segmental, reduce la compresión en la superficie articular y el riesgo de cambios degenerativos sobre una articulación. El objetivo de cualquier actitud postural debería ser el reducir el gasto de energía total y el estrés en las estructuras de soporte.

TÉRMINOS QUE DEBERÍA CONOCER

Maléolo externo: La parte inferior del peroné que forma la proyección del tobillo.
Trago: Proyección cartilaginosa sobre la abertura externa de la oreja.

PUNTO CLAVE

Una buena actitud postural reduce el gasto total de energía y el estrés en las estructuras de soporte.

Cualquier cambio en el alineamiento de uno de los segmentos corporales causa automáticamente a los segmentos vecinos un desplazamiento en un intento de mantener la estabilidad. Si un segmento corporal se mueve hacia delante, por ejemplo, otro se debe desplazar hacia atrás para mantener la línea de la gravedad del cuerpo (LGC) dentro de la base de soporte (Figura 7.1). Con el tiempo, los cambios en fuerza por unidad de área provocan una desadaptación de tejidos (Norkin y Levangie 1992). Cambios en el número de sarcómeros en serie dentro de los músculos (ver capítulo 5), por ejemplo, son adaptaciones a cambios posturales producidos por el tiempo. El acortamiento de ligamentos conduce a una reducción del alcance de la movilidad, mientras que un alargamiento reduce la estabilidad pasiva de la articulación.

La actitud **postural estática** –cuando el cuerpo está inmóvil– refleja el alineamiento de los segmentos corporales y puede reflejar cambios en la distribución de las cargas a través de las articulaciones y longitud muscular en reposo. Tales actitudes posturales incluyen estar de pie, sentado y estirado. La actitud **postural dinámica** –posición cuando el cuerpo está en movimiento– puede dar información sobre el alineamiento de los segmentos corporales, acciones musculares y destrezas motrices. Las actitudes posturales dinámicas más típicas son caminar, correr, saltar y levantarse. Puede utilizar tanto la descripción de la posición (cinemática) y la de fuerza (cinética) para evaluar la actitud postural.

ESTABILIDAD POSTURAL Y BALANCEO CORPORAL

Cuando se está de pie en posición erecta, el cuerpo humano tiene una pequeña base de soporte por su actitud postural bipédica y comparativamente un centro de gravedad alto (aproximadamente sobre el segundo segmento del sacro).

Los humanos son así relativamente inestables comparados con los cuadrúpedos que tienen una base de sustentación más grande y un centro de gravedad más bajo. Mantener una actitud postural erecta conlleva sorprendentemente muy poca energía, como resultado del movimiento constante producido por el control postural. Este movimiento (**balanceo postural**) depende de la cinestesis o «sentido del movimiento» (Kent 1994), que nos permite detectar la posición de nuestras partes corporales a través de órganos de propiocepción, visión, aparatos vestibulares en la oreja interna y receptores en la piel. El balanceo postural normal consiste en un continuo de pequeños movimien-

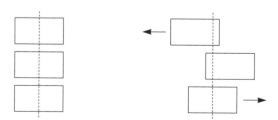

Fig. 7.1. Cuando un segmento del cuerpo se mueve de su alineamiento, un segmento vecino se mueve en dirección opuesta, manteniendo la línea de gravedad dentro de la base de soporte.

tos en el plano sagital. Las oscilaciones del centro de gravedad son el resultado de alternar la actividad muscular –posiblemente un mecanismo de alivio para reducir la fatiga de la extremidad inferior y para ayudar a la sangre a circular (Bullock-Saxton et al. 1991)–.

Un balanceo postural excesivo generalmente revela un equilibrio y una estabilidad deficientes, una situación que se percibe comúnmente en la gente mayor e inactiva. La gente con más peso también puede mostrar un mayor balanceo corporal (Sugano y Takeya 1970), como también se puede mostrar en gente alta (Murria et al. 1975). El entrenamiento generalmente puede reducir el balanceo corporal. En la gente mayor, el entrenamiento de fuerza puede mejorar la estabilidad y limitar el balanceo postural (Hughes et al. 1996); después de una lesión de tobillo, el balanceo postural se incrementa. Entrenando el equilibrio y la coordinación, se puede reducir el balanceo corporal una vez más a niveles normales (Bernier y Perrin 1998). Los niveles de balanceo postural pueden pronosticar riesgos de caídas frecuentes entre residentes de geriátricos (Thapa et al. 1996). Lord y sus colegas (1996) redujeron el riesgo de fracturas en mujeres (edades entre 60-85) utilizando un programa general de ejercicios de aeróbic que el efecto del mismo era mejorar el balanceo postural más que cambiar la densidad ósea.

EVALUACIÓN POSTURAL BÁSICA

Usted puede evaluar la actitud postural estática a través de comparaciones con una línea de referencia estándar (Kendall et al. 1993), que representa la línea de gravedad. Un panel cuadriculado puede ayudar a identificar el centro de gravedad y la exten-

sión vertical de este punto sobre el suelo (línea de gravedad). Encuentre la distancia horizontal del borde de la tabla respecto a la línea de gravedad del sujeto, multiplicando el peso combinado del sujeto y la distancia de la tabla, por la longitud total de la tabla y dividiendo el resultado por el peso del sujeto. Mire Luttgens y Wells (1989, para más detalles de este método.

Como la extensión vertical del centro de gravedad, la línea de gravedad debe pasar entre la base de soporte del cuerpo para mantener la estabilidad. Cuanto más cerca estén los segmentos de la línea de gravedad, hay menos fuerza de torsión alrededor de la articulación. Donde la línea de gravedad pase a través del eje de la articulación, no se genera fuerza de torsión alrededor de la articulación. Si la línea de gravedad pasa a cierta distancia del eje de la articulación, la torsión gravitacional acostumbrará a desplazar el segmento corporal hacia la línea de gravedad donde el segmento no esté compensado por el retroceso elástico de los tejidos suaves y de la acción muscular (Norking y Levangie 1992). Con la línea de gravedad situada delante del eje de la articulación, el segmento proximal del cuerpo unido a la articulación suele desplazarse anteriormente (figura 7.2); un desplazamiento posterior se suele producir si la línea de gravedad está situada detrás del eje de la articulación.

En la postura de pie (vista lateralmente), el sujeto está colocado con una **plomada** representando la línea de gravedad, que pasa justo delante del maléolo externo (el bulto en el exterior del tobillo). En una actitud postural ideal, esta línea debería pasar ligeramente por delante del medio de la rodilla y luego a través del trocánter mayor, por los cuerpos de las vértebras lumbares, por la articulación del hombro, cuerpo de las vértebras cervicales y por el lóbulo de la oreja (figura 7.3). Debido a que la línea de gravedad está por delante de la articulación del tobillo, la gravedad está continuamente tirando de la tibia anteriormente. Esto resultaría en una flexión dorsal suficiente para desequilibrar el cuerpo si no fuera por la acción de resistencia ofrecida por el sóleo (Norkin y Levangie 1992). La línea de gravedad pasa por delante del eje de la articulación (pero por detrás de la rótula), forzando al fémur hacia delante y creando fuerza extensora de torsión resistida por las estructuras posteriores de la rodilla. La tabla 7.1 muestra las fuerzas de torsión gravitacionales creadas por la posición de la línea de gravedad y las estructuras que se oponen a estas fuerzas de torsión.

Cuando se mira desde delante, con los pies separados unos 10 cm, la línea de gravedad debería dividir al cuerpo en dos mitades iguales. Las espinas iliacas anterosuperiores (EIAS) deberían estar aproximadamente en el mismo plano horizontal, y el pubis y las EIAS deberían estar en el mismo plano vertical (Kendall et al. 1993). Este alineamiento define el alineamiento neutro pélvicolumbar, que normalmente está a 5° respecto a la horizon-

tal. Los ejes de las articulaciones de la cadera, rodillas y tobillos deberían estar equidistantes de la línea de gravedad y la línea de gravedad debería atravesar los cuerpos vertebrales (Norkin y Levangie 1992). La torsión gravitacional impuesta en un lado del cuerpo debe igualar a la del otro lado.

Hay marcas anatómicas que sirven de referencia para comparaciones a nivel horizontal de los lados derecho e izquierdo del cuerpo que incluyen pliegues en la rodilla, pliegues en las nalgas, el borde pélvico, el ángulo inferior de la escápula, la apófisis del acromio, las orejas y las protuberancias del occipital externo. También se puede observar el alineamiento de las apófisis espinosas y de los ángulos de las costillas; se pueden ver escoliosis menores cuando se hace una evaluación en la posición de Adán (flexión hacia delante estando de pie). Las distancias desiguales entre brazos y tronco (que se conoce como ojo de cerradura (*keyhole*), varios pliegues de la piel o los bultos musculares desiguales se deberían ver de inmediato si se realiza un examen más minucioso. También debería evaluar el alineamiento del pie y del tobillo. La figura 7.4 proporciona una simple lista para realizar evaluaciones

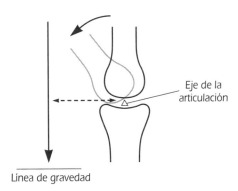

Eje de la articulación

Línea de gravedad

Fig. 7.2. Cuando la línea de gravedad cae fuera de la articulación, el segmento proximal del cuerpo tiende a desplazarse hacia la línea de gravedad.

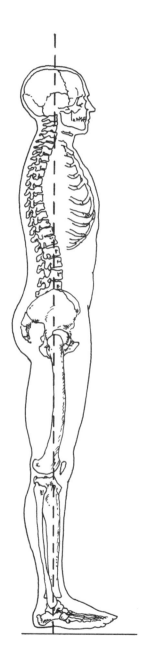

posturales en la clínica. Mire al sujeto desde atrás y evalúe la simetría de cada parte del cuerpo que se muestra en la primera columna de la figura 7.4, comparando la parte derecha e izquierda del cuerpo. Anote sus observaciones en la sección encabezada por NOTAS (por ejemplo, «cabeza inclinada hacia la derecha», «hombro izquierdo más alto que el derecho», o «escápula izquierda más baja»). Estas anotaciones destacarán la región del cuerpo que requerirá de pruebas locales de longitud muscular y de movimiento articular por usted u otro terapeuta.

Otra manera de evaluar la actitud postural estática es utilizar una parrilla postural. Esta parrilla postural también utiliza una plomada como referencia, pero el sujeto está detrás de una pantalla dividida en cuadros de 10 cm, para ayudar a la inspección del alineamiento de las partes corporales.

Para asegurar la fiabilidad de la evaluación con la plomada en cada cliente, se debe hacer en el mismo momento del día para eliminar variaciones durante el día (Tyrrell et al. 1985). Haga que los sujetos estén de pie con sus pies separados unos 10 cm. Tiene que hacerlos caminar en el mismo lugar (10 pasos) y luego que se paren, para ayudar a la relajación general del cuerpo. Enseñe a su cliente a mantener una actitud postural normal en lugar de buscar modificarla o mejorarla.

Puede pulir su análisis postural de todo el cuerpo, midiendo el alineamiento individual de los segmentos del cuerpo. Puede evaluar la inclinación pélvica con un goniómetro, que mide el ángulo de la inclinación respecto a la horizontal. El goniómetro consiste en un transportador montado sobre una base unida a un par de calibradores de huesos antropométrico. El goniómetro lee 0° cuando los brazos del dispositivo están

Fig. 7.3. La línea estándar de referencia para la actitud postural.
Reimpreso, con la autorización, de J. C. Griffin, 1998, Client-centered exercise prescription (Champaign, IL:Human kinetics); 66.

Tabla 7.1. Alineamiento normal en el plano sagital

Articulaciones	Línea de gravedad	Torsión gravitacional	Fuerzas que se oponen	
			Fuerzas opuestas pasivas	Fuerzas opuestas activas
Atlanto-occipital	Anterior Anterior hacia el eje transverso para la flexión y extensión	Flexión	Ligamento de la nuca; membrana tectorial	Músculos posteriores del cuello
Cervicales	Posterior	Extensión	Ligamento longitudinal anterior	
Torácicas	Anterior	Flexión	Ligamento longitudinal posterior; ligamento amarillo; ligamento supraespinoso	Extensores
Lumbares	Posterior	Extensión	Ligamento longitudinal anterior	
Articulación sacroiliaca	Anterior	Movimiento del tipo flexión	Ligamento sacrotuberoso; ligamento sacroespinoso; ligamento sacroiliaco	
Articulación de la cadera	Posterior	Extensión	Ligamento iliofemoral	Psoasiliaco
Articulación de la rodilla	Anterior	Extensión	Cápsula articular posterior	
Articulación del pie	Anterior	Flexión dorsal		Sóleo

Reimpreso, con la autorización, de C.C. Norkin y P.K. Levangie 1992, *La estructura y función de la articulación: un análisis amplio*, 2ª ed (Filadelfia: Davis).

horizontales. Los extremos de los brazos se colocan por encima de la espina iliaca anterosuperior y posterosuperior de un lado del cuerpo. El dial del goniómetro marca el ángulo de la inclinación pélvica en el plano sagital. Este método de evaluar la inclinación pélvica es preciso hasta ±¼° (Toppenberg y Bullock 1986).

	Posición de la parte corporal	Registros
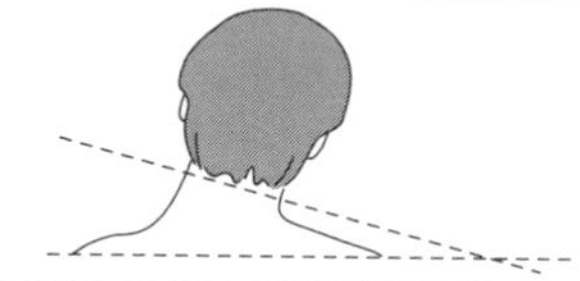	Posición de la cabeza	
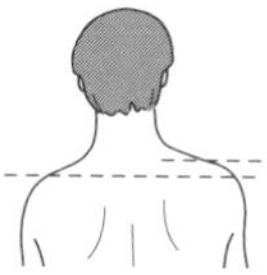	Nivel del hombro	
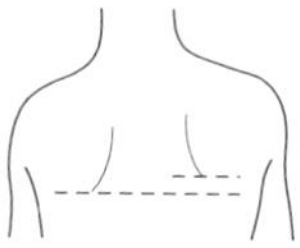	Posición del alineamiento de la escápula	
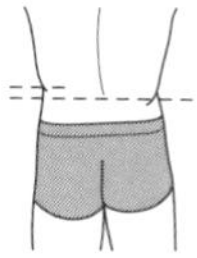	Pliegues de la piel en el alineamiento espinal y de la cintura	
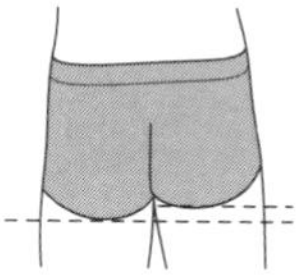	Pliegues al nivel de las nalgas	
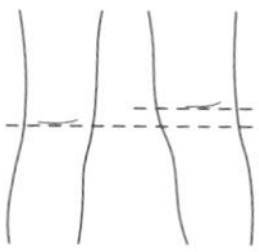	Nivel de los pliegues de la rodilla	
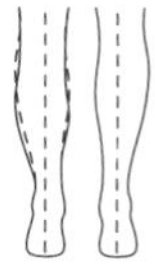	Pliegue de los gemelos y alineamiento del Aquiles	
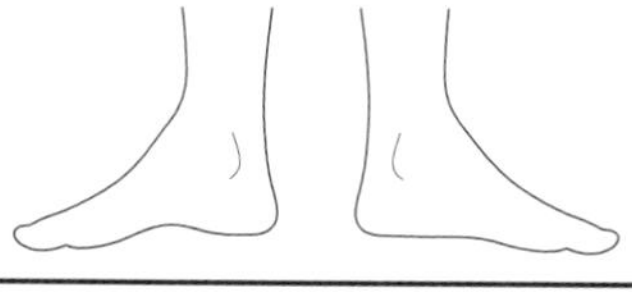	Pie plano o arco plantar alto	

Fig. 7.4. Evaluar la actitud postural de «estar de pie» desde detrás.
De C. Norris, 1998, Diagnosis and managment, 2ª ed. (Oxorf: Butterworth Heinemann). Reimpreso con la autorización de Butterworth Heinemann Publishers, una división de Reed Educational & Professional publishing Ltd.

Los goniómetros son altamente fiables y bastante válidos en comparación con las radiografías laterales (Crowell et al. 1994). La inclinación pélvica y la lordosis lumbar están íntimamente unidas, siendo los cambios en la inclinación pélvica causa de alteraciones significantes en la profundidad de la lordosis (Day et al. 1994). Bullock-Saxton (1993) demostraron que se repiten las mediciones del goniómetro en mujeres normales y con síntomas: las sujetos fueron medidas tres veces en un día en intervalos de 3 minutos entre tests y haciéndose en tres días diferentes y descansando cuatro entre cada día de test.

Puede utilizar una regla flexible para medir la profundidad de la lordosis. Localice la apófisis espinosa de la segunda vértebra sacra (S2), que está entre las espinas iliacas posterosuperiores. Palpe cada apófisis espinosa desde la S2, contando hacia atrás hasta la primera vértebra lumbar (L1) (figura 7.5). Registre al longitud (radio) de la curvatura dibujada de la lordosis de L1 hasta la S2 y la profundidad de la lordosis (H) de la línea que une las L1-S2 hasta la

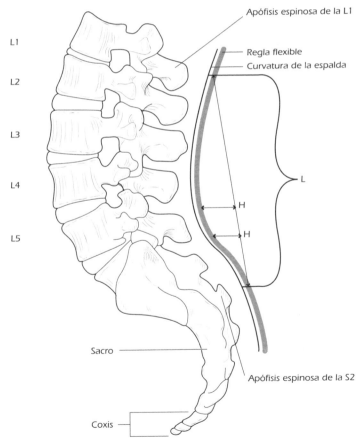

Fig. 7.5. La S2 está situada entre las espinas iliacas posterosuperiores. Palpe cada apófisis espinosa de la S2 hasta la L1. Utilice una regla flexible para evaluar la profundidad de la lordosis.

parte más profunda de la curvatura lordótica, como se muestra en la figura 7.5. Calcule el índice lordótico (Θ) utilizando la fórmula arcotangente,

$$\Theta = \text{arcotang} (2H/L).$$

Arcotangente es una razón trigonométrica que se puede calcular en la mayoría de calculadoras científicas o con una hoja de cálculos del ordenador. El método de la regla flexible para la evaluación de la lordosis es fiable, como se ha verificado por radiografías laterales (Hart y Rose 1986; Lovell et al. 1989). La lordosis medida de esta manera muestra unos valores medios (media) de 50,9° en individuos normales y 40,4° en sujetos que tenían los abdominales inferiores débiles, confirmado como incapacidad de mantener el alineamiento en tareas de descenso de piernas estirados en decúbito supino (Levine et al. 1997).

Mire la posición de la cabeza respecto al tronco con un estadiómetro (*stadiometer*), un aparato utilizado para medir el desplazamiento horizontal de los segmentos corporales en relación a los otros. El estadiómetro consiste en dos o más brazos que se desplazan montados en un marco vertical. Los brazos se pueden levantar o bajar hasta el nivel de los segmentos del cuerpo que se quieren medir y luego ajustarlos hacia delante o atrás (horizontalmente). Una escala sobre el brazo horizontal muestra la distancia de cada segmento corporal del brazo vertical. Registre el ángulo cráneovertebral (CV) midiendo el grado de movimiento anterior de la cabeza, que hace que se hiperextienda la región suboccipital (Watson 1994). El ángulo CV se forma por una línea horizontal que pasa por la apófisis espinosa de la C7 y el trago (la prominencia en el interior del costado de la oreja)

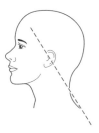

Fig. 7.6. Utilizar un estadiómetro para medir el ángulo cráneovertebral (CV).

> **PUNTO CLAVE**
>
> Mediciones de la postura realizadas con escasa tecnología pueden ser válidas, fiables y reproducibles.

(figura 7.6.) La media de ángulo de CV en sujetos asintomáticos es de 50° (entre 48,6-52,0°); la gente que padece dolores cervicales tienen ángulos reducidos (44,3°) (Watson 1994), indicando una actitud postural con la cabeza inclinada hacia delante, como ha descrito McKenzie (1990).

PRINCIPIOS DE LA CORRECCIÓN POSTURAL

Corregir la actitud postural requiere de una combinación de varios factores, que abarca el enfoque al desequilibrio muscular descrito en el capítulo 5. Los músculos acortados deben estirarse y tonificarse los músculos laxos. Las técnicas estáticas y de FNP pueden estirar los músculos, mientras que las técnicas de aguantar en la amplitud interna pueden acortar músculos laxos y crear una buena musculatura postural. Debe utilizar los principios del entrenamiento de destreza motriz (Norris 1998).

Haga uso de estas tres etapas del entrenamiento de destreza motriz para ayudar a sus pacientes a retomar el control segmental (tabla 7.2). En la etapa cognitiva, su paciente debe aprender objetivamente los requisitos de una destreza. En términos de reeducación postural, esto a menudo incluye el posicionamiento pasivo óptimo de la postura. Usted coloque a sus pacientes pasivamente en la posición óptima de alineamiento corporal corrigiendo la inclinación pélvica, por ejemplo, y enséñeles a aguantar esta posición. Este posicionamiento pasivo se debe repetir varias veces hasta que sus pacientes hayan progresado a una segunda etapa de entrenamiento de destrezas (motoras). Durante la segunda etapa, el factor clave es que los individuos puedan identificar sus propios errores. En este momento de la postura, significa que ellos conscientemente pueden ponerse en la postura óptima. Una vez hayan adquirido esta capacidad, están listos para realizar un programa de ejercicios en casa diseñado para fortalecer la resistencia de los músculos posturales. Solamente después de miles de repeticiones de un movimiento una persona podrá pasar a la tercera etapa del entrenamiento motriz (automático). Ahora, el paciente es capaz de mantener un alineamiento postural óptimo sin control consciente porque la acción ha pasado a ser ya automática.

El proceso de aprendizaje de conducción de un coche ilustra las tres etapas del aprendizaje motor. Cuando primero empezamos a conducir, las acciones son difíciles y nos debemos concentrar en demasiadas actividades diferentes. Las acciones se hacen más fáciles con la repetición, cuando empezamos a integrar las acciones independientes en un todo. Finalmente, el conducir se vuelve en gran parte automático. Igualmente, los componentes separados del control postural deben ser corregidos individualmente y puestos juntos para formar un solo movimiento más complejo. Dividiendo el movimiento total en un número de piezas secuenciales, puede ayudar a su paciente a aprender la acción más fácilmente.

Corregir una postura para que ésta se convierta en automática es muy difícil. Si una mala postura se mantiene con tejidos acortados, el estirar puede alargar los tejidos, por tanto esta postura puede cambiar permanentemente –asumiendo que los tejidos no se acorten otra vez debido al mal alineamiento corporal–. Si una mala postura es el resultado de una debilidad provocada por una lesión (atrofia o inhibición del dolor), un fortalecimiento de la musculatura postural puede optimizar la postura con éxito.

En muchos casos en los que hay una mala estabilidad, los ejercicios progresivos y propioceptivos pueden aumentar la estabilidad eficazmente y producir cambios posturales positivos. Cuando la postura no ha sido óptima durante muchos años, sin embargo, una corrección total probablemente no sea posible. Desde luego se pueden hacer mejoras y éstas pueden ser clínicamente significativas (especialmente para aliviar el dolor), pero serán limitadas.

Como un ejemplo de reeducación postural, considere cómo podría tratar una postura lordótica común. Esta postura combina la falta de estabilidad lumbar activa, flacidez del recto mayor y acortamiento de los isquiotibiales y de los flexores de la cadera; además, las fibras del glúteo mayor se reclutan deficientemente. La reeducación empieza con el entrenamiento de estabilización para la espalda, centrándose en el uso de los abdominales profundos. Una vez su paciente ha mejorado su estabilidad básica, debería estirar los isquiotibiales. Luego podría combinar dos actividades separadas, utilizando un estiramiento de isquiotibiales en posición sentada mientras mantiene un alineamiento espinal. La siguiente cosa a mejorar es el reclutamiento de las fibras de los glúteos, estirar los flexores de la cadera y tonificar el recto mayor. Debería empezar una reeducación postural global utilizando los movimientos de caminar, de estar de pie y de sentarse. Finalmente, debería empezar el entrenamiento propioceptivo como se describe en la página 201.

Especialmente en las primeras etapas del aprendizaje, podría utilizar el vendaje funcional (taping) para dar a su paciente un feedback. El vendaje funcional (taping) consigue dos cosas: primero, el **taping estructural** o soporte para un segmento corporal que se mueve demasiado; segundo un **taping funcional** puede proporcionar un feedback táctil. En el último caso, la piel tirará recordándole a su paciente que su postura se ha desplazado del alineamiento óptimo (colocar un pretape para proteger la piel) (Norris 1994b).

TIPOS DE POSTURAS Y CÓMO CORREGIRLAS

Hay cuatro tipos de posturas anómalas (figura 7.7). En la postura lordótica, la característica principal es la excesiva anteversión de la pelvis (a). El desplazamiento anterior de la pelvis caracteriza la hiperextensión de columna (b), mientras que la espalda plana tiene una ligera retroversión pélvica y pérdida de la lordosis lumbar (c). En la postura cifótica la curva torácica es excesiva (d).

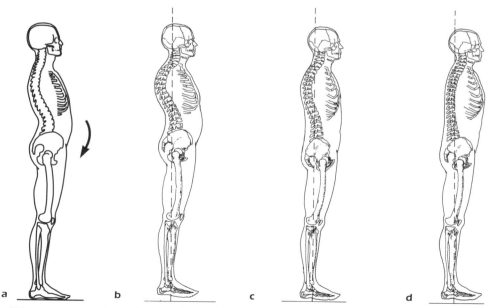

Fig. 7.7. Tipos de posturas anormales: (a) lordótica; (b) desviación de espalda; (c) hiperextensión de columna; (d) cifótica.

La postura lordótica

En la postura clásica lordótica o «ahuecamiento de espalda», el trocánter mayor permanece en la línea de gravedad, pero la pelvis se inclina anteriormente, desplazando la espina iliaca anterosuperior (EIAS) hacia adelante y atrás en relación con el hueso púbico. Los músculos abdominales y los glúteos generalmente están flácidos y tienen un tono muscular deficiente. Con el tiempo, los flexores de la cadera se acortan, y la inclinación pélvica se limita por la tirantez y por la sobreactividad de unos isquiotibiales tirantes (Jull y Janda 1987). Se puede ver en una postura lordótica extrema en obesidades crónicas, donde la columna lumbar permanece en extensión con las facetas articulares lumbares en choque constante; el retroceso elástico de los isquiotibiales permite a la pelvis colgarse. Janda y Schmitd (1980) llaman a esta postura el **síndrome de la pelvis cruzada** (pelvic crossed sindrome): hay fuertes presiones de contacto en las facetas articulares, con las apófisis articulares inferiores afectando a la lámina de abajo. El aumento de carga en las carillas articulares en los giros reduce la fuerza de compresión en los discos lumbares (Adams et al. 1994).

La postura lordótica es frecuente entre los bailarines y entre las gimnastas jóvenes, para los cuales es un requisito del deporte. Se nota esta postura en mujeres después de dar a luz, especialmente en nacimientos múltiples. En el caso de dar a luz, sin embargo, el alargamiento del recto mayor a través de la adaptación de los sarcómeros en serie se acompaña de una diastasis, que puede o no solucionarse espontáneamente.

La corrección de la postura lordótica requiere un acortamiento de los músculos abdominales y una elongación de los flexores de la cadera. El recto mayor se debe acortar combinando una retroversión pélvica con una flexión espinal, pero sólo después de desarrollar los músculos abdominales profundos para prevenir el arqueamiento, donde los músculos abdominales se contraen y se hace bulto hacia afuera en lugar de aplanarse. Esto es diferente de la diastasis que ocurre durante el embarazo. Sin el arqueamiento no hay cambios estructurales a largo plazo en el músculo, ni tampoco se separa la línea alba (la línea tendinosa entre los rectos mayores).

Curl de tronco modificado

OBJETIVO *Acortar y fortalecer el músculo recto mayor.*

La acción del curl de tronco modificado puede ayudar a corregir la postura lordótica. Cuando hay una deficiencia de movimiento en la máxima amplitud interna (*full-inner range motion*) es debido al alargamiento muscular, su paciente puede realizar el curl de tronco modificado en etapas progresivas. En la etapa 1, se estira en posición de decúbito supino con las rodillas flexionadas e inclina la pelvis posteriormente. Luego dígale que haga un curl hacia arriba tan alto como pueda, combinando la flexión espinal con la retroversión pélvica para acortar totalmente el músculo del recto mayor. En la etapa 2, su paciente necesita ayuda o de usted o de él mismo. Puede suavemente empujar a la persona hacia una

continúa

Curl de tronco modificado, continuación

posición ligeramente más alta, o el paciente se puede ayudar a sí mismo tirando de sus muslos. La elevación adicional no debería ser de más de 2,5-5 cm y se deber hacer lentamente y con cuidado para evitar sacudidas en la columna vertebral. Haga que su paciente aguante la posición más elevada con una contracción isométrica para la etapa 4 (la etapa 3 es para aquellos que no pueden hacer la etapa 4), incrementando gradualmente el tiempo de aguante de 1-2 segundos a 4-5 y por último hasta 10 segundos, todas las veces respirando normalmente. Los individuos incapaces de aguantar la posición más alta deberían hacer un descenso excéntrico, que representa la etapa 3: después se les levanta a la posición más alta y se les suelta; deberían realizar el descenso al suelo lo más lentamente posible. Inicialmente pueden bajar en menos de 1 segundo. Con la realización del ejercicio, deberían de ser capaces de bajar más lentamente, haciéndolo en 1-2 segundos y luego entre 4-5 y por último en 10 segundos. Cuando hayan conseguido este nivel de fuerza, pueden avanzar a mantener la posición más alta como se describe en la etapa 4.

¿Cómo sabrá si los músculos abdominales están alargados y necesitan un acortamiento por este método de aguantar en la máxima amplitud interna? En el capítulo 5, vimos que la curva de tensión elongación se desplaza hacia la derecha para los músculos alargados (ver figura 5.8, página 110), indicando que no son capaces de aguantar una articulación en su máxima amplitud interna (por ejemplo, acercar completamente la articulación). Cuando su paciente haga el curl de tronco, estará intentando una flexión espinal completa. Si en un intento de flexionar completamente la columna vertebral, se caen de la posición de amplitud interna mientras se está realizando la elevación adicional (con su ayuda o tirando de sus muslos), puede concluir que el músculo está alargado y necesita este tipo de preparación para acortarlo. Normalmente, la flexión en máxima amplitud de la columna vertebral no se recomienda para el cuidado general de la espalda. Los individuos con una postura lordótica, sin embargo, han estado manteniendo la columna lumbar en extensión. La flexión completa es por tanto el tratamiento que se debe escoger para estos individuos y es utilizado ampliamente por los fisioterapeutas (McKenzie 1891).

El ejercicio amplitud interna del glúteo mayor

OBJETIVO *Acortar y fortalecer el músculo recto mayor.*

Los músculos del glúteo mayor deben ser tensados y acortados trabajándolos en amplitud interna (página 111). Haga que su paciente se estire en decúbito prono y flexione una rodilla a 90°. Luego debería extender la cadera, intentando poner énfasis en la acción de los glúteos. Si el paciente no es capaz de levantar la pierna a máxima amplitud interna, levántela por él. Luego debería intentar mantener esta posición (isométrica) o controlar la pierna mientras baja (excéntrica). El paciente finalmente debería lograr la capacidad de mantener la amplitud interna máxima, aguantando durante periodos primero de 3-5 segundos hasta los 30-60 segundos.

Hágalo de manera gradual, un enfoque progresivo para aquellos que no son capaces de levantar la pierna, recordando siempre adaptar el programa al nivel individual de progreso de su paciente. Empiece con reeducación muscular, animando a su paciente simplemente a contraer los glúteos estirados en

continúa

El ejercicio amplitud interna del glúteo mayor, continuación

decúbito prono. Si el individuo es completamente incapaz de hacer contracciones estáticas pueden ser de ayuda en esta etapa el uso como feedback de registros electromiográficos y la estimulación muscular manual. El hecho de hacer vendajes funcionales o tocar los glúteos con los dedos añade señales multisensoriales, haciendo la tarea más fácil incrementando la cantidad de información que acompaña el movimiento. Haciendo contracciones fuertes, su paciente puede aumentar el tiempo de aguante hasta que pueda contraer y aguantar la contracción muscular durante 10 segundos. Una vez el paciente pueda hacer esto, el siguiente paso es levantar el fémur a una extensión de unos 10-15° y colocar la rodilla en un soporte o en un cojín para mantener esta posición extendida de la cadera. Luego debe contraer y mantener el músculo como antes, pero en esta nueva posición de inicio. Finalmente, el paciente desarrollará suficiente fuerza para retirar el cojín y para mantener la posición de extensión por sí sola.

Si su paciente es incapaz de mantener esta posición sin soporte alguno, haga que realice el descenso excéntricamente. Después de que le haya llevado su cadera a una extensión de 15°, dígale que aguante esta posición mientras usted suelta la pierna. Anímelo a que utilice la misma intensidad de contracción muscular que en los dos primeros ejercicios. Si no es capaz de aguantar la pierna en extensión (por ejemplo, sin tocar la camilla), debería intentar bajarla de manera controlada más que dejarla caer. Haga que gradualmente incremente el tiempo que tarda en bajar la pierna hasta al menos 10 segundos.

La siguiente etapa es que su paciente contraiga fuertemente los glúteos y simultáneamente intente levantar la pierna de la camilla hacia una extensión, sugiérale que doble la rodilla para reducir la contribución de los isquiotibiales a la extensión. Empiece con 2-5 repeticiones, levantando la pierna tan alta como sea posible, sin dejar que la pelvis se incline. Intente colocar su mano justo por encima del talón de su paciente en la pierna que se levanta y luego anímelo a que levante la pierna hasta que el talón toque la mano.

La progresión final es primero levantar la pierna a su extensión máxima y aguantar esta posición de amplitud interna durante 10 segundos y luego hacer 10 repeticiones de este ejercicio.

Si los pacientes tienen un tono muscular deficiente en los glúteos y un control deficiente de la extensión de la cadera en la posición prona, haga que empiecen una progresión de los ejercicios con el objetivo de hacer 10 repeticiones, durando cada contracción 10 segundos, en cada sesión de ejercicios. Durante la primera semana, deberían hacer los ejercicios solamente en días alternos para reducir la probabilidad de que aparezcan dolores musculares. Deberían hacer 2 sets de 10 repeticiones, uno durante la mañana y otro por la tarde, en los dos primeros días de ejercicios, luego 3 sets (mañana, tarde y noche) en los dos días siguientes de ejercicios. Enseñe a sus pacientes a trabajar gradualmente en el incremento de repeticiones y el tiempo de aguante, empezando con tres repeticiones aguantando tanto como pueda, luego alternando entre añadir alguna repetición e incrementar el tiempo de aguante. Una vez puedan aguantar una contracción completa en la posición de extensión prono, deberían hacer los ejercicios de 10 repeticiones dos veces por día durante los dos días siguientes, seguidos de 10 repeticiones tres veces por día durante dos días. Deberían seguir la secuencia de dos sets por día durante dos días, luego 3 sets por día durante dos días, seguido de un día de descanso, entre cada progresión hasta que puedan hacer de manera consistente 10 repeticiones en cada sesión, aguantando cada repetición durante 10 segundos.

continúa

El ejercicio amplitud interna del glúteo mayor, continuación

Aunque con esta clase de ejercicio de amplitud interna puede acortar los abdominales del recto mayor y glúteo mayor previamente alargados, la inclinación pélvica excesiva se corregirá sólo si los flexores de la cadera que están tensos se estiran para dejar liberar la presión que ejerce sobre la pelvis el músculo iliaco. La tirantez de los flexores de la cadera (si es debido al incremento del tono muscular más que al acortamiento adaptativo de los tejidos conectores) inhibe la actividad de los flexores de la cadera a través de un proceso llamado **pseudoparesia** (Janda 1986). Cuando sucede esto, el individuo debe reducir el tono muscular en los flexores de la cadera antes de ponerse a fortalecerlos. El test de Thomas (página 116) puede mostrar si los flexores de la cadera están tirantes y si el recto mayor o el psoasiliaco es el músculo que está más tenso. También puede prescribir el test de Thomas para ver el estiramiento inicial de los flexores de la cadera, utilizando posteriormente la semiflexión para combinar la estabilidad lumbar con el estiramiento de dichos flexores.

Mediolunge o semiflexión (sin silla –ver página 122–)

OBJETIVO *Estirar los flexores de la cadera mientras se mantiene la estabilidad de la espalda.*

Enseñe a sus pacientes a ponerse en la posición de semiarrodillado para tensar sus músculos abdominales (realizando una acción de reducción del diámetro de la región abdominal) para estabilizar la pelvis. Desde esta posición, deberían empujar la pelvis hacia adelante para forzar la cadera a una extensión. A condición de que no se le permita a la pelvis inclinarse anteriormente, los flexores de la cadera se estirarán. Prescriba dos veces al día estos ejercicios durante cuatro días, 10 repeticiones por sesión, aguantando la posición de 20 a 30 segundos durante cada repetición. Enseñe a sus pacientes a descansar durante un día, y luego repetir el ciclo de cuatro días hasta que hayan ganado la amplitud de movimiento deseado, o hasta que no se mejore en amplitud. El mantenimiento a largo plazo debería ser 10 repeticiones, tres veces por semana. Si el paciente no tuviera un buen equilibrio, le puede ser útil el hecho de utilizar una silla para sostenerse (página 122) al hacer este ejercicio.

Aplanar de espalda

OBJETIVO *Estirar los flexores de la cadera y fortalecer/crear resistencia en los músculos abdominales, al mismo tiempo que se reeduca el control postural.*

Una vez el individuo ha corregido el desequilibrio muscular de la postura lordótica, debería practicar la adopción de la postura óptima. Un ejercicio de aplanamiento de espalda puede ayudar. Haga que su paciente se ponga de pie contra una pared con la espalda plana y con sus pies separados de la misma unos 15 cm. Luego debería contraer los músculos abdominales y los glúteos para que se incline posteriormente la pelvis, mientras las piernas se mantienen completamente extendidas. La retroversión pélvica estirará los flexores de la cadera. Puede gradualmente incrementar el tiempo de aguante, comenzando con 3-5 segundos y llegando hasta los 30-60 segundos, hay que respirar normalmente a lo largo del ejercicio. Prescriba ejercicios dos veces al día de 10 repeticiones, y que en cada repetición

continúa

155

Aplanar de espalda, continuación

aguante 5 segundos, y un día de descanso después de cada cuatro días de ejercicios.

El fortalecimiento de los músculos abdominales no es suficiente para corregir la postura lordótica. A menos que una persona modifique la rigidez de los flexores de la cadera y corrija el alargamiento anómalo de los músculos abdominales, los cambios en la fuerza abdominal tendrán efectos muy pequeños en la inclinación pélvica o en la lordosis lumbar. Walter et al. (1987) y Levine et al. (1997) examinaron los efectos del fortalecimiento abdominal solo y no encontraron cambios en las variables posturales.

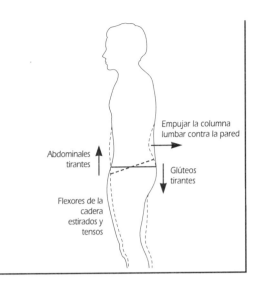

Empujar la columna lumbar contra la pared

Abdominales tirantes

Glúteos tirantes

Flexores de la cadera estirados y tensos

Hiperextensión de columna

En la postura de hiperextensión de la columna o «con los hombros caídos», la pelvis se mantiene al nivel, pero la articulación de la cadera es empujada hacia delante, el trocánter mayor cae por debajo de la línea de gravedad. Mientras que en una postura normal el esternón es la primera estructura que encontramos, ahora la pelvis se ha desplazado

Fig. 7.8. *Longitud cambiante de los abdominales oblicuos en la postura de hiperextensión.*

y se ha convertido el segmento anterior del cuerpo más adelantado, con la línea de gravedad yendo desde el tobillo hacia la mitad del pie y dedos (Ver figura 7.7b, página 151). La cadera está extendida de manera efectiva, alargando sus flexores, y el cuerpo se «cuelga» de los ligamentos y de las estructuras anteriores de la cadera. La lordosis ahora cambia de forma de una curva regular a una curva más profunda y corta con un pliegue prominente normalmente al nivel de la L3. La cifosis es ahora más larga y se puede extender hacia la columna lumbar. La región lumbar inferior es más plana que lo normal y la pelvis puede estar mínimamente inclinada posteriormente. Una persona con esta postura muy a menudo será capaz de señalar el lugar exacto del dolor, que normalmente ocurre después de un largo rato estando de pie. La hiperextensión de columna es común en la gente y en los desportistas jóvenes (18-28 años) (Norris y Berry 1998).

El recto mayor permanece relativamente inalterado en la postura de hiperextensión de la columna, ya que el hueso púbico y las costillas inferiores, en general, mantienen sus relaciones anatómicas. Sin embargo, debido a la dirección de las fibras de los abdominales oblicuos, el oblicuo mayor se alarga y el oblicuo menor se mantiene igual o se acorta (figura 7.8); en el último caso, son las fibras superiores las que están afectadas (Kendall et al. 1993).

La postura de hiperextensión de columna se puede combinar con la dominancia de una sola pierna cuando se está de pie («colgarse de la cadera»), especialmente en adolescentes. En este caso, la debilidad en el glúteo medio permite a la pelvis inclinarse lateralmente, una situación parcialmente compensada por el incremento en tono en el tensor de la fascia lata. Se percibe un acortamiento en la banda iliotibial (BIT), con un surco prominente que aparece en el lateral del muslo, ya que la banda de la fascia

lata tira de la piel. Puede evaluar la tirantez en la BIT utilizando el test de Ober (ver página 117), que también puede utilizar para estirar un músculo tirante. Evalúe la capacidad del glúteo medio para mantener la estabilidad pélvica en la posición de estar de pie con una pierna, utilizando el test de la señal de Trendelenburg (ver página 82). La página 114 muestra la posición que se debe adoptar para realizar el test de aguantar en la amplitud interna de este músculo estirado de lado. La corrección de la hiperextensión de columna se basa en dos puntos esenciales del tipo postural: la pelvis es la estructura más anterior en lugar del esternón, y esta postura provoca pérdida de altura. Para corregir la postura, debe ayudar a su paciente a cambiar el alineamiento relativo de la pelvis y del pecho.

Corrección de la postura de hiperextensión de columna

OBJETIVO *Reeducación del posicionamiento de los segmentos corporales.*

Haga que su paciente se ponga de pie con su pelvis contra una mesa. Desde esta posición el paciente empuja con su pecho hacia delante, desplazándose como un solo segmento y evitando cualquier flexión espinal. Al mismo tiempo, el paciente realiza una reducción del diámetro de la región abdominal para reeducar el alineamiento plano del abdomen. Si ha observado el dominio de una pierna en la postura de hiperextensión de columna, ayude a su paciente a corregir la postura estirando el grupo muscular de los aductores del lado que está tirante, y aumentando la resistencia de los abductores (glúteo medio) en el lado laxo. La simetría entre las dos piernas es esencial. Utilice el test de Ober (página 117) en las dos piernas para determinar la longitud de los abductores de la cadera. Determine su longitud estirando pasivamente la pierna extendida de su paciente hacia una posición de abducción, siendo lo deseable un total de 90° de abducción de cadera (45° en cada pierna). Puede utilizar los siguientes dos ejercicios para evaluar la amplitud de la abducción de la cadera y para desarrollar su amplitud. El primero

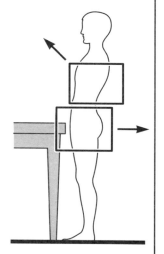

evalúa la tirantez en los aductores cortos que se insertan por encima de la rodilla (aductor mayor, aductor medio, aductor menor) porque la rodilla se puede flexionar. El segundo se centra en el aductor largo que se inserta por debajo de la rodilla (**gracilis**) manteniendo la rodilla recta a lo largo del estiramiento.

Estiramiento sentado bilateral de los aductores de la cadera

OBJETIVO *Estirar los aductores de la cadera, excluyendo el aductor mayor.*

Haga que su paciente se siente en el suelo sobre una toalla doblada (unos 5 cm de altura), y con su espalda apoyada en la pared. Debería juntar la planta de los pies, cogérselos y empujar hacia abajo con los codos sobre las rodillas, aguantando el estiramiento durante 5-10 segundos mientras mantiene el alineamiento de la espalda. Una amplitud de movimiento deseable es que las rodillas bajen a unos 7-10 cm del suelo. Prescríbale 10 repeticiones diarias.

Sentado con las piernas muy abiertas

OBJETIVO *Estirar todos los músculos aductores.*

Haga que su paciente se siente en el suelo en postura correcta con sus brazos detrás de él, con las manos en el suelo para evitar que se caiga muy hacia atrás, con las piernas estiradas. El cuerpo debe estar tan vertical como le sea posible. Dígale que abra las piernas tanto como pueda, permitiendo que la pelvis se incline posteriormente. Esta retroversión aliviará el estiramiento ligeramente, permitiendo al sujeto colocarse en una posición cómoda. Luego, puede incrementar el estiramiento manteniendo la posición de los pies y con las manos empujar al suelo para alargar el tronco (puede utilizar la consigna de «crezca» o «intente tocar el techo con su cabeza»). Al hacer esto, el sujeto intenta inclinar la pelvis anteriormente lo que provocará que desplace el hueso púbico (la inserción superior de los músculos aductores) hacia atrás y por tanto incrementará el estiramiento. Una amplitud de movimiento deseable es de 90° de abducción de cadera entre las dos piernas. El paciente debería mantener el estiramiento durante 5-10 segundos. Prescriba 10 repeticiones por día. Debido a que la postura de hiperextensión de columna es común en los jóvenes, pero no está asociada con una apreciable tirantez muscular o debilidad, es difícil de corregir. El énfasis está en la reeducación, siendo una parte importante del proceso la conciencia postural. Puede incrementar la conciencia con el uso de la propiocepción durante el alargamiento espinal del ejercicio de abajo.

Estiramiento espinal

OBJETIVO *Mejorar la conciencia de la posición del cuerpo.*

Su paciente necesita un compañero para este ejercicio. El paciente se coloca en su postura normal de descanso de pie, su compañero coloca una mano 2-5 cm por encima de la coronilla de la cabe-

continúa

Estiramiento espinal, continuación

za de su paciente. Enseñe a su paciente a estirar su columna vertebral (debe decirle que «crezca»), intentando tocar la mano de su compañero con la parte de encima de la cabeza. No debe mirar hacia arriba (extensión cervical) en un intento para alargar su cuello, y no debe ponerse de puntas sobre los pies.

Una vez que ya domine esta acción, debería intentar la misma acción de alargamiento sin la ayuda de un compañero. La acción es otra vez «crecer». Colocar sobre la cabeza un libro ligero o un cojín grande ayuda para obtener un feedback sensorial y puede ayudarle a centrarse en mover la cabeza hacia arriba. Inicialmente, que practique la acción de alargamiento a la velocidad que le sea cómoda, con el cojín en la cabeza. Finalmente debería alentecer la acción, intentando mantener la posición estirada durante 5-10 segundos, mientras se respira normalmente (algunas personas realizan respiraciones profundas para mantener la posición –no debe permitir esto, ya que puede conducir a un mareo–). La posición alargada debería ser relativamente relajada y no rígida –comparaciones con un muñeco de peluche más que con un palo recto puede ilustrar la diferencia entre estabilidad (la columna vertebral estirada y alineada) y rigidez (la columna vertebral fijada)–. Cuando su paciente sea capaz de realizar el movimiento y aguantar la posición correcta del cuerpo, el paciente puede avanzar a caminar mientras aguanta la posición alargada, y luego a actividades simples como sentarse en una silla/ponerse de pie para incrementar la variedad de los movimientos.

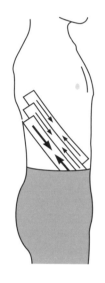

Para proporcionar feedback sensorial cuando la postura de hiperextensión de columna está estirando el músculo de manera incorrecta, intente poner un esparadrapo que no sea elástico sobre la piel por encima del gran oblicuo, cogiendo cualquier parte de la piel floja. Pegue el esparadrapo sobre la parte lateral inferior del abdomen, hacia la parte anterior del borde de la pelvis. Ponga el esparadrapo tenso desde este punto hasta la parte posterior lateral de las costillas inferiores. Aunque el tape no sea suficientemente fuerte para prevenir que la pelvis se desplace hacia delante en relación con la caja torácica, le recordará a su paciente cuando esto suceda, fomentando que corrija la postura. Cuantas más veces haga la corrección, más probable será que el alineamiento postural óptimo se vuelva automático.

Tanto un fisioterapeuta como un entrenador deportivo deberían poner el esparadrapo, y se debería hacer inmediatamente después el ejercicio previo del alargamiento de la columna vertebral, para fomentar el mantener un correcto alineamiento.

Otra manera de reforzar el alineamiento automático es hacer correcciones sobre las actividades diarias. Anime a su paciente a hacer los ejercicios de realineamiento de pelvis-pecho regularmente a lo largo del día. Los trabajadores de oficinas, por ejemplo, pueden hacer el ejercicio cuando el teléfono suena, y los estudiantes pueden hacerlo cada vez que suena la sirena de final de clase.

Si el psoasiliaco está alargado por la posición de la cadera extendida (el test de Thomas mostrará esto –ver capítulo 5– su aguante en amplitud interna (*inner-range holding*) se debe volver a desarrollar.

Sentado, acortamiento del flexor de la cadera

OBJETIVO *Acortar los músculos psoasiliaco y recto mayor y generar resistencia en ellos.*

Mientras su paciente está sentado, debería flexionarle la cadera pasivamente al máximo grado posible sin que note dolor, o aproximadamente a 110°, o hasta el punto donde la pelvis empiece a rotar posteriormente. Enseñe a su paciente a mantener esta posición durante 10 segundos, mientras mantiene una lordosis neutral. La incapacidad de mantener a la máxima amplitud interna 10 repeticiones (10 segundos cada una) es un signo de alargamiento postural. Si el psoasiliaco está alargado, la pierna se puede caer y/o la pelvis puede desplazarse a una retroversión pélvica, llevando al psoasiliaco a una posición alargada. Su paciente puede volver a desarrollar el aguante en amplitud interna del psoasiliaco utilizando ejercicios de flexión de la cadera primero excéntricos y luego isométricos al mismo tiempo que mantiene una lordosis neutral.

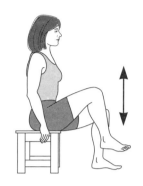

En la posición del ejercicio precedente, su paciente debería intentar levantar su pierna a una extensión completa. Luego usted debería intentar levantar la pierna más allá (incrementando la flexión de la cadera), sin alterar la posición de la columna vertebral o de la pelvis. Recuerde que un músculo alargado no puede contraerse con fuerza y llevar la extremidad a su posición de máxima flexión (amplitud interna). Si los flexores de la cadera de su paciente están alargados, se podrá hacer el movimiento pasivo más allá, porque el paciente no habrá sido capaz de llevar su propia pierna una máxima amplitud interna. Haga que intente mantener esta posición de amplitud interna (pasiva) nueva. Si el paciente es capaz de hacerlo, enséñele a alargar el tiempo de aguante de 1-2 segundos, a unos 10 segundos al hacer el ejercicio diariamente durante dos semanas –su objetivo es hacer 10 repeticiones aguantando 10 segundos–.

Si su paciente no es capaz de aguantar la posición pasiva de amplitud interna, debería utilizar el descenso controlado (excéntrico). De la posición pasiva de amplitud interna, el paciente debe intentar bajar la pierna lentamente después de que usted la suelte de su posición completamente flexionada. Debería continuar el descenso controlado hasta que pueda ralentizar el descenso suficientemente para aguantar la pierna fijamente. Luego debería progresar a sostener la pierna en ángulos articulares reducidos. Por ejemplo, digamos que la posición activa de amplitud interna (con su paciente utilizando sus propios músculos) es de una flexión de cadera de 90°, y la posición pasiva de amplitud interna (cuando usted le levanta la pierna un poco más) es de 120°. El objetivo para aguantar la flexión activa es de unos 110°. Levántele la pierna a unos 120° de flexión y suéltela. El paciente tiene que controlar el descenso otra vez a la posición inicial de 90°. Una vez pueda hacer esto de manera consistente, levántele la pierna a 90-100° y el paciente deberá intentar aguantarla. Una vez pueda aguantar esta posición, repita el ejercicio, empezando otra vez con la flexión pasiva de 110-120°.

Debería hacer cada descenso o aguantar sólo cinco veces y descansar, ya que el músculo se fatiga rápidamente con este ejercicio y se perderá el alineamiento. Prescríbale 3 sets por semana de 5 repeticiones dos veces al día durante cuatro días (un miembro de la familia puede ayudar a hacer la flexión pasiva), seguido de un día de descanso, luego otro ciclo de cinco días y seguir así. El objetivo es conseguir la capacidad de flexionar activamente la pierna a unos 110° y aguantarla durante 10 segundos durante cada set de ejercicios.

Espalda plana

Con la postura de la espalda plana, el principal problema es la falta de movilidad en la columna lumbar y un aplanamiento de la lordosis (flexión lumbar). Esta postura refleja la disfunción extensiva descrita por McKenzie (1981) y es común en lumbalgias crónicas después de largos periodos de inactividad. La pelvis puede estar inclinada posteriormente en comparación con la línea de referencia, y los tejidos lumbares a menudo se han hecho más gruesos e inmóviles. La postura de espalda plana también se ve en los sujetos que hacen un gran número de ejercicios abdominales (flexión lumbar repetida). En estos casos la columna lumbar puede ser móvil –pero el recto mayor es fuerte y tenso–, y es de lejos el miembro dominante del grupo muscular abdominal.

La espalda plana se corrige recuperando la movilidad apropiada en la columna lumbar a través de ejercicios pasivos y activos.

Extensión pasiva de la espalda en decúbito prono

OBJETIVO *Mejorar el alcance pasivo de extensión de la columna lumbar.*

Estirado en decúbito prono, los ejercicios de extensión primero movilizan los lumbares superiores, proporcionalmente con menos movimiento caudal (McKenzie 1981). Enseñe a su paciente a estirarse en decúbito prono en la camilla (o en el suelo), con sus manos a la altura de los hombros en posición de hacer una flexión (a). Debe extender los brazos mientras mantiene la pelvis en la camilla, de ese modo fuerza la extensión de la columna vertebral (b). Inicialmente, al-

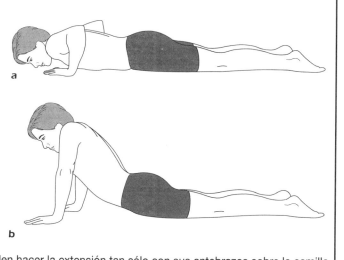

gunas personas a lo mejor pueden hacer la extensión tan sólo con sus antebrazos sobre la camilla, para pasar gradualmente a una extensión completa de los brazos. Para enfatizar el movimiento de la columna vertebral más que el de la pelvis, intente fijar la pelvis a la camilla con un cinturón.

Si a su paciente le produce cualquier dolor en la región lumbar durante este ejercicio, derívelo a un fisioterapeuta. Muy a menudo, en lugar de que toda la columna lumbar esté rígida para extenderse, una o dos vértebras suelen estar más rígidas que las otras. Estas unidades rígidas requieren de una técnica de terapia manual específica de «movilización articular», tanto antes como durante el programa de ejercicios. Cuando un área específica rígida se ha empezado a mover (el fisioterapeuta evaluará esto), puede desplazar el cinturón hacia arriba o abajo dentro de la región lumbar, para formar un fulcro cerca de donde se

continúa

Mejorar el alcance pasivo de extensión de la columna lumbar, continuación

produce el movimiento. De esta manera, la acción de extensión se centra más exactamente en un solo segmento de la articulación lumbar.

Procure que sus pacientes hagan el ejercicio de extensión pasiva a menudo, pero sólo durante un corto periodo de tiempo en cada sesión, para permitir al movimiento desarrollarse sin provocar demasiado dolor como reacción a este movimiento. Sugiera 10 repeticiones cada dos horas a lo largo de un día, con un día completo de descanso cada cuatro días. El ejercicio debería continuar hasta que el individuo haya conseguido el alcance de movimiento deseado.

Reeducación de la inclinación pélvica, sentado

OBJETIVO *Recuperar el alcance y la calidad del movimiento en la columna lumbar.*

Si la columna lumbar ha reducido su extensión, la acción de inclinación pélvica puede resultar efectiva para corregirla. Enseñe a su paciente a sentarse en un banco bajo con sus pies en el suelo. Manteniendo sus hombros fijos, debería intentar inclinar la pelvis hacia delante y abajo. Dígale que se imagine su pelvis como un cuenco lleno de agua, que inclinándolo pueda verter el agua hacia el suelo entre sus pies. Debe intentar subir la parte de atrás del cuenco al mismo tiempo que empuja la parte de delante hacia abajo, siempre manteniendo los hombros quietos y el esternón hacia arriba. Cuando el movimiento es especialmente deficiente, ayude con asistencia pasiva. Ate un cinturón alrededor de la cintura de su paciente y fijando el esternón, empuje la columna lumbar hacia la extensión al mismo tiempo que el paciente intenta inclinar la pelvis (ver página 84, «inclinación pélvica asistida estando sentado»). Ver el capítulo cuatro para más detalles en la inclinación pélvica.

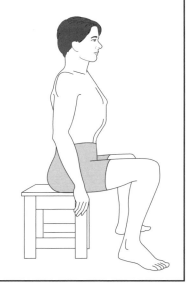

Espalda cifótica

En la postura cifótica, las articulaciones de los hombros se desplazan hacia delante respecto a la línea de la postura, incrementando la cifosis torácica. En un alineamiento del tren superior óptimo (tabla 7.3), la escápula debería estar aproximadamente a unos tres dedos de la columna vertebral, y los bordes medios de la escápula deberían estar verticales. Evalúe el posicionamiento óptimo del hombro viendo la relación entre la cabeza del húmero y el acromion. En un posicionamiento óptimo, no más de un tercio de la cabeza del húmero debería estar adelantado al punto del acromion. El húmero debería aguantarse junto con la fosa del decúbito (pliegue del codo) a unos 45° respecto al plano sagital en posición anatómica. Un ángulo más pequeño indica una rotación medial excesiva, indicando rigidez en los rotadores mediales (especialmente en el pec-

Tabla 7.3. Alineación correcta de la cuadratura del hombro

Desde detrás	Desde el costado
• Borde medial de la escápula vertical. • El borde medial de la escápula no puede estar a más de tres dedos de longitud de la apófisis espinosa. • La T3/T4 están al nivel de la escápula, un ángulo inferior en T7. • La escápula debe estar plana contra la pared torácica.	• La línea del canal de la oreja al centro de la articulación es perpendicular respecto al suelo. • La cabeza del húmero no puede sobresalir más de un tercio respecto al acromio. • El húmero se sostiene junto con el pliegue del codo a 45° respecto el plano sagital.

toral mayor) y alargamiento de los rotadores laterales. Visualizar cómo debería ser visto esto desde encima podría ser de ayuda. Cuando el brazo se mantiene en rotación medial, el pliegue del codo está orientado hacia adentro y adelante; cuando la rotación lateral es mayor de lo normal, el pliegue mira hacia fuera.

La desviación de la postura ideal a menudo es descrita como postura de «hombro redondeado», un término global que cubre un gran número de escenarios posibles. La rigidez en las estructuras anteriores lleva el hombro hacia delante, fuera de la línea postural. El peso del brazo se desplaza más lejos del centro de gravedad del tren superior, incrementando notablemente las fuerzas de palanca trasmitidas al tórax. Finalmente, la cifosis aumenta. La rigidez en el pectoral menor empuja a la apófisis coracoides, inclinando la escápula hacia delante (figura 7.9a). La rigidez en el pectoral mayor provoca una rotación interior en la articulación glenohumeral y un desplazamiento anterior de la cabeza del húmero (figura 7.9b). El alargamiento del trapecio inferior y del serrato mayor pueden provocar una abducción excesiva (figura 7.9c) y una rotación hacia abajo (figu-

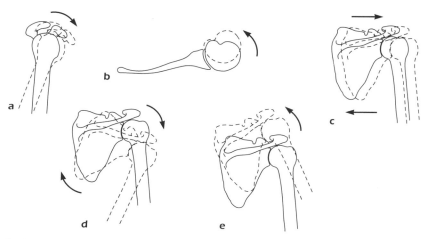

Fig. 7.9. Cambios posturales en el hombro.

ra 7.9d) de la escápula. Una elevación excesiva (figura 7.9e) y una rotación hacia arriba pueden ser el resultado de la rigidez de la fibras superiores del trapecio.

La corrección de la postura cifótica depende de la flexibilidad de la columna torácica. Donde la cifosis parece fijada y el movimiento torácico está muy reducido, como primer paso se necesita una movilización de la articulación torácica. Una vez se ha adquirido un poco de movilidad pasivamente por terapia manual, puede utilizar la terapia de ejercicios para mantener el nuevo movimiento ganado. El ejercicio de elevación esternal (página 166) es el ejercicio que debe escoger. Si el sujeto es joven y su columna torácica es móvil, tan sólo es necesaria una recolocación escapular.

Movilización de las articulaciones torácicas

OBJETIVO *Incrementar la movilidad de las articulaciones torácicas, utilizando terapia manual, como preparación para la terapia con ejercicios.*

Con su paciente estirado en decúbito prono, debe realizar estos ejercicios con un fisioterapeuta para llevar a cabo presiones anteroposteriores sobre las vértebras (PAPV) o grandes presiones para aislar la columna torácica. Con su paciente sentado, puede combinar las movilizaciones con presiones. Haga que se siente de cara a la camilla, con los brazos cruzados y que los ponga sobre la mesa. Empuje la

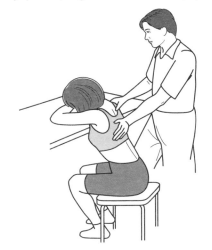

columna torácica para llevarla a la extensión, dígale a su paciente que intente seguir la acción. Si la movilidad torácica es bastante limitada, al principio simplemente que empuje la columna de manera pasiva para que se extienda. Al ir ganando movilidad, dígale que siga la acción con su propio movimiento activo mientras gradualmente usted reduce la presión que hace. El primer paso en este proceso activo es que el sujeto sea capaz de «sentir» el movimiento. Mucha gente con actitud postural cifótica tienen una capacidad deficiente para controlar la calidad del movimiento en la columna torácica, y este tipo de ejercicios guiados pueden ayudar a mejorar su control. Si su paciente sigue sin ser capaz de hacer una extensión torácica activa aun después de ganar extensión pasiva, sugiérale que utilice una técnica de visualización: anímelo a que se imagine a sí mismo haciendo la acción. O usted u otra persona debería hacer la acción correctamente. Puede utilizar también el vídeo para hacer ver la acción a su paciente desde detrás, mientras un espejo proporciona una vista desde delante. Luego dígale que intente repetir la extensión torácica activa. Puede que necesite hacer un ciclo de visualizaciones, extensión pasiva, y unos intentos de extensión activa antes de que pueda finalmente sentir lo que se siente en una extensión activa. Una vez que esto sucede, puede avanzar a hacer los ejercicios diarios. El sujeto debería hacer 10-15 repeticiones del ejercicio diariamente. En las primeras etapas la movilidad es bastante pobre, puede que le duela después de hacer el ejercicio, si sucede esto no haga un número mayor de repeticiones.

Recolocación de la escápula

OBJETIVO *Mejorar el control de la retracción y depresión escapular.*

Si la columna torácica está móvil, puede corregir la postura cifótica recolocando la escápula –acortando los retractores de la escápula y aumentando los estabilizadores de la escápula (especialmente el trapecio inferior y el serrato mayor)–. El objetivo aquí es mejorar el control de movimiento en lugar de limitarse a aumentar la fuerza. Mejorando ésta, la resistencia muscular y la calidad de movimiento (coordinación y timing), estos ejercicios son diferentes de los programas de pesas tradicionales, que principalmente intentan ganar fuerza y tamaño muscular.

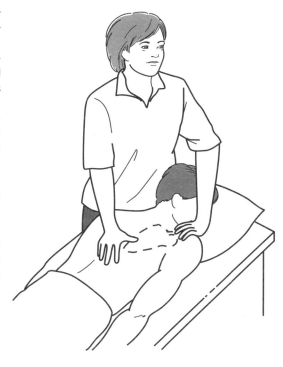

Con su paciente estirado en decúbito prono, coloque pasivamente la escápula en el alineamiento óptimo –los bordes mediales verticales, separados tres dedos de la columna–. La escápula debe estar firmemente fijada al tórax (con las acciones del serrato mayor y con el trapecio inferior) más bien que separada de la caja torácica. Frecuentemente esto involucra el deprimir y aducir la escápula, pero la cantidad de movimiento pasivo que la escápula necesita depende en el alineamiento postural del sujeto. Se requiere de más movimiento en los sujetos que tienen una gran abducción de la escápula (borde medial de la escápula a 13-15 cm de la columna), que en los sujetos con una mínima abducción (borde medial 8-10 cm de la columna) (Mottram 1997; Norris 1998). Inicialmente, anime a su paciente a mantener la nueva posición durante 1-2 segundos. Muy a menudo la tendencia es que el sujeto aguante los hombros fuertemente hacia atrás. Dígale que no haga esta acción, ya que requiere de una actividad muscular maximal. Dígale a su paciente que se «deje ir» hasta que la escápula empiece a desplazarse de la posición corregida, y luego mantenga los músculos ligeramente contraídos. Incremente progresivamente el tiempo en que se mantiene esta posición con un mínimo esfuerzo muscular, de 1-2 a 3-4 segundos y finalmente a 10 segundos. El objetivo es poder hacer 10 repeticiones, aguantando cada repetición durante 10 segundos, con el mínimo esfuerzo de la musculatura escapular que se requiera para mantener una buen alineamiento escapular.

Las estructuras anteriores rígidas se deben estirar para permitir a los hombros retraerse completamente. Compruebe la rigidez en el pectoral mayor y el pectoral menor, y si es necesario prescriba ejercicios de estiramientos detallados en las siguientes secciones.

Estiramiento con el marco de una puerta

OBJETIVO *Estirar los músculos pectorales.*

Enseñe a su paciente a inclinarse hacia delante sobre el marco de la puerta, con sus brazos horizontales, y los antebrazos verticales contra el marco. Luego debe empujar con sus brazos hacia una extensión inclinándose sobre la abertura de la puerta, hay que aguantar la posición durante 20 segundos. Haga que su paciente haga este ejercicio 3 veces al día, con 2 repeticiones cada vez.

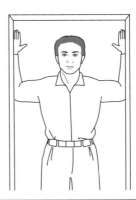

Estiramiento pasivo con un peso

OBJETIVO *Estirar el pectoral menor.*

Un pectoral menor rígido puede empujar a la escápula hacia abajo y adelante. Haga que su paciente se estire en posición supina. Coloque un peso de 1,5 –2,5 kg sobre la parte anterior del hombro. Debe relajarse y dejar que el peso empuje el hombro hacia su posición durante 30 segundos. El peso ayudará a llevar al hombro a una retropulsión, estirando pasivamente las estructuras anteriores. Para utilizar una técnica de contracción-relajación, el paciente debe hacer una antepulsión durante 2 segundos, intentando levantar el peso, y luego relajarse durante 5-10 segundos, dejando que el peso lleve al hombro más hacia atrás. Un estiramiento estático también se puede hacer con el paciente simplemente estando estirado relajado, dejando que el peso empuje el hombro hacia abajo.

Ejercicio de elevación esternal

OBJETIVO *Combinar la extensión torácica y la recolocación escapular.*

Estando sentado, su paciente debe levantar el esternón haciendo una extensión torácica (algo más que simplemente hacer una respiración profunda) (a). Al mismo tiempo, debe tirar de su escápula hacia abajo y llevarla a un alineamiento óptimo. Puede preferir hacer la acción contra una pared, aquí el

continúa

Ejercicio de elevación esternal, continuación

movimiento debería ser hacer «rodar» la columna torácica por la pared al mismo tiempo que se mantiene la columna lumbar estable y se evita cualquier incremento en la profundidad de la lordosis lumbar (b).

Si la estabilidad de la columna lumbar del paciente es mala y no es capaz de evitar la hiperflexión, modifique la posición de inicio haciendo que se siente en un banco, con los pies en una silla para poner el fémur en posición horizontal. Esta posición inclina posteriormente la pelvis y aplana o invierte la lordosis lumbar.

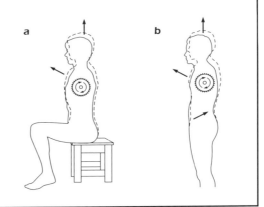

RESUMEN

- La postura es una disposición de las partes corporales en un estado de equilibrio que protege las estructuras de soporte del cuerpo frente a las lesiones o a la deformidad progresiva.
- El balanceo postural consiste en unos pequeños movimientos continuos en el plano sagital –una oscilación del centro de gravedad que puede reducir la fatiga del tren inferior y ayudar a la sangre a circular–.
- El balanceo postural excesivo revela un equilibrio y una estabilidad deficientes.
- Puede evaluar la postura de los pacientes utilizando una plomada o una cuadrícula de postura.
- Hay cuatro tipos básicos de posturas anómalas que se caracterizan:
  1. La postura lordótica por una excesiva anteversión pélvica.
  2. La hiperextensión de columna por su desplazamiento anterior de la pelvis.
  3. Una espalda plana por una ligera inclinación pélvica posterior y una pérdida de la lordosis lumbar.
  4. La cifosis por una curva torácica excesiva.
- Este capítulo describe cómo evaluar los diferentes tipos posturales anómalos y presenta ejercicios que pueden ayudar a corregirlos.

TERCERA PARTE

DESARROLLAR LA ESTABILIDAD DE LA ESPALDA

Si conduce a un paciente a través de las evaluaciones y los ejercicios de los capítulos previos, él o ella debería tener básicamente una espalda estable, sin dolor. No obstante algunos pacientes necesitan más, a saber, aquellos con demandas especiales en el puesto de trabajo o en actividades deportivas que requieren de una fuerza, de una velocidad y de una precisión de movimientos extraordinaria.

El capítulo 8 («Entrenamiento avanzado para conseguir una mejor estabilidad de la espalda») nos muestra ejercicios que se sumarán al entrenamiento ya adquirido, realizando solamente movimientos corporales, utilizando tablones de equilibrio, utilizando pelotas de estabilidad o el entrenamiento propioceptivo para mejorar la precisión del control muscular. El capítulo 9 («Más ejercicios avanzados para conseguir una mejor estabilidad de la espalda: entrenamientos de pesas y pliométricos») es para aquellos pacientes que necesitan el entrenamiento más riguroso posible para sus espaldas, debido a las demandas extremas de su deporte o de la actividad profesional. Hay que tener en cuenta que los enfoques utilizados en los capítulos 8 y 9 son específicamente para las personas que han tenido problemas de lumbalgias y/o que necesitan prevenir esta clase de problemas en el futuro. Estudie los capítulos teniendo en cuenta esto –la información de estos capítulos no vuelve a exponer lo que se haya podido leer previamente sobre el entrenamiento de pesas, etc.–. Debido a que estos capítulos enfocan el entrenamiento avanzado desde el punto de vista de incrementar la estabilidad de la espalda del paciente, y no lo hacen simplemente con la idea de desarrollar unos bonitos músculos o aumentar la fuerza en general, serán de una ayuda inestimable para los pacientes que tengan una preocupación mayor por su espalda.

CAPÍTULO 8

ENTRENAMIENTO AVANZADO PARA CONSEGUIR UNA MEJOR ESTABILIDAD DE LA ESPALDA

Después de que sus pacientes hayan realizado los ejercicios y procedimientos de los capítulos anteriores para conseguir una estabilidad básica de la espalda, estarán preparados (si quieren) para desarrollar más esta estabilidad. Ya deberían haber aprendido a controlar la inclinación pélvica; a asumir automáticamente la posición neutral; a mantener el ahuecamiento abdominal (al 30-40% del esfuerzo máximo); y a contraer el multífido cuando quieran –o, en términos cuantitativos–, a realizar 10 repeticiones de los ejercicios básicos del capítulo 4 con intensidades variables, aguantando cada repetición durante 10 segundos. Con su ayuda, deberían haber empezado a corregir los desequilibrios musculares utilizando los enfoques del capítulo 5. Deberían haber desarrollado su fuerza abdominal utilizando los ejercicios del capitulo 6. Deberían ser capaces de mantener la actitud postural correcta como se describe en el capítulo 7. La mayoría de la gente –relativamente sedentaria y quienes no trabajan la estabilidad de su espalda en el lugar de trabajo o en su tiempo libre- puede que tengan poca motivación para seguir con entrenamiento adicional. Otras personas sin embargo querrán avanzar, especialmente si están involucradas en actividades deportivas o si se enfrentan a demandas físicas en su trabajo. En este capítulo, abarco ejercicios para desarrollar una mayor estabilidad de la espalda. El capítulo 9 va aún más allá, pero sus pacientes deben dominar el material de este capítulo antes de pasar a realizar los ejercicios agotadores del capítulo siguiente.

La primera clase de ejercicios en este capítulo simplemente añade capas de complejidad a los movimientos que sus pacientes ya conocen de los capítulos anteriores. Pero también hay una serie de ejercicios que utilizan una pelota (o fitball), que fue introducida brevemente en el capítulo 4 (mucha gente cree que estos ejercicios son más «user friendly» para las sesiones que se hacen en casa). Finalmente abarco un pequeño núcleo de ejercicios propioceptivos de un nivel superior a lo que sus pacientes han visto hasta el momento, y proporciono una clase de transición entre algunos de los últimos ejercicios en la primera sección y los ejercicios pliométricos en el capítulo 9.

Muy importante: Para cada uno de los ejercicios de este capítulo, sus pacientes deberían contraer suavemente los abdominales profundos para realizar el ahuecamiento abdominal y mantener esta contracción a lo largo de todo el ejercicio. Ahora, además, deberían ser capaces de contraer voluntariamente los músculos del multífido, especialmente si empiezan el programa siendo enfermos crónicos de lumbalgia. Los pacientes deberían empezar todos los ejercicios en la posición neutral.

MOVIMIENTOS SUPERPUESTOS DE LAS EXTREMIDADES Y TABLAS DE EQUILIBRIO

Cada uno de los ejercicios siguientes involucra movimientos de las extremidades que están superpuestos, en una espalda básicamente estable que han generado los ejercicios del capítulo 4 (por ejemplo, en estos ejercicios un individuo tensa los músculos que proporcionan de estabilidad a la espalda y luego mueve las extremidades sobre la base estable). Mientras sus pacientes centran su atención en los movimientos de las extremidades, serán más capaces de controlar los músculos que inconscientemente dotan de estabilidad a la espalda. Esta clase de respuesta automática pasa solamente después de largas repeticiones de los ejercicios. Le será sorprendentemente fácil observar hasta qué punto sus pacientes son capaces de ejercer un control automático. Si realizan un ejercicio con una carga sobre una extremidad como el ejercicio de elevación de una pierna estando de pie o el desplazamiento del talón en posición encorvada, por ejemplo y se produce cualquier movimiento en la pelvis, esto mostrará una falta de estabilidad en la espalda. En este caso, debe dar marcha atrás un par de pasos y hacer que su paciente practique las acciones de ahuecamiento abdominal para mejorar la capacidad de estabilización de la columna vertebral. Una vez hayan desarrollado la resistencia de estos músculos y puedan hacer 10 veces la contracción abdominal durante 10 segundos cada una, debe intentar una vez más añadir movimientos de extremidades a los ejercicios básicos. Si ya pueden controlar con éxito los movimientos de las extremidades al mismo tiempo que evitar cualquier movimiento pélvico no deseado (manteniendo la columna lumbar en posición neutral a lo largo de toda la acción), sabrá que están adquiriendo un control automático de los músculos estabilizadores –ya no tendrán que centrar su atención en estos músculos y podrán concentrarse en la colocación precisa de las extremidades–.

Para cada uno de los ejercicios siguientes, su paciente debe progresar en una sola sesión solamente hasta el punto en el que no pueda mantener la posición neutral, corregir la inclinación pélvica, o mantener el ahuecamiento abdominal. Haga que realice el ejercicio diariamente durante cuatro días, descanse un día, luego vuelva a repetir el patrón, incrementando gradualmente la progresión o el número de repeticiones hasta que finalmente pueda hacer el ejercicio haciendo 10 repeticiones, manteniendo (cuando sea apropiado) durante 10 segundos cada vez. Obviamente, todos los ejercicios de un lado se deben hacer en ambos lados, derecho e izquierdo, uno siendo espejo del otro. Cada ejercicio se debe hacer de manera lenta, controlada, manteniendo la posición neutral de la columna vertebral a lo largo de todo el ejercicio. Debido a la fuerza de palanca de los miembros cuando los brazos/piernas están flexionados y esforzándose, sus pacientes necesariamente tendrán que variar la cantidad de trabajo abdominal que estén realizando para mantener la posición neutral. Es esta variación la que marca la diferencia (en términos de habilidades) entre los ejercicios de aguantar, como el ahuecamiento abdominal, y estos ejercicios más avanzados que incluyen movimientos de extremidades sobre la base estable del tronco.

Determinar la posición de inicio

La posición de inicio de un individuo depende de sus características físicas y de sus capacidades. Debe estar siempre abierto, además, a cambiar la posición de inicio si ve que su primera elección no ha sido la mejor –que será el caso si su paciente no consigue realizar bien el ejercicio–. Algunos ejercicios son más fáciles que otros debido a que involucran menos trabajo muscular. Por ejemplo, en el movimiento del desplazamiento de talones, el suelo aguanta parcialmente el peso de la pierna, mientras que en la elevación de la pierna, el sujeto levanta todo el peso de ésta. El primer ejercicio por lo tanto es más fácil en términos de trabajo muscular puro. Algunos ejercicios pueden ser más cómodos para ciertos sujetos. Ya que las posiciones estiradas tienen más superficie de soporte que las posiciones arrodilladas, por ejemplo, mucha gente se siente más segura estando estirado.

El programa generalmente sigue una progresión de desarrollo neural (por ejemplo, la secuencia que los niños siguen cuando aprenden a sentarse, ponerse de pie y caminar). En el caso presente, vamos desde un soporte del suelo, a aparatos de soporte, a finalmente incrementar los ejercicios sin soporte.

Ejercicios en posición encorvada

La posición encorvada, que fue utilizada para realizar el ahuecamiento abdominal y la inclinación pélvica, es una buena posición de inicio para los movimientos superpuestos de extremidades. Cuando un sujeto estira una pierna o la baja al suelo, la sobrecarga impuesta en el tronco se vuelve progresivamente mayor –el individuo debe por lo tanto variar la intensidad de la estabilización muscular para mantener la posición neutral–. Esta variación en la intensidad de la contracción muscular incrementa el control de la persona más que la capacidad de la fuerza o de la resistencia.

Deslizamiento de talón – el movimiento básico

OBJETIVO *Poner la mínima, pero de manera progresiva, carga de la extremidad sobre el tronco.*

Enseñe a su paciente a extender lentamente una pierna, con el talón apoyado en el suelo. Este movimiento es más fácil si el talón está sobre una superficie resbaladiza (una tela en un suelo resbaladizo, o un pedazo de papel brillante si se está sobre una alfombra). En el momento en que la pelvis se incline anteriormente y la lordosis aumente, el movimiento debe parar y la pierna debe retroceder otra vez hacia la flexión.

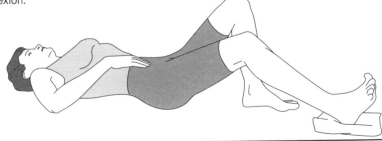

Descenso de pierna

OBJETIVO *Cargar la extremidad como una progresión del deslizamiento del talón.*

Enseñe a su paciente a flexionar la cadera 90° para que sus muslos estén verticales respecto al suelo, mientras mantiene las piernas relajadas. Luego debería lentamente extender un lado de la cadera hasta que un pie toque el suelo. Haga que extienda gradualmente más la rodilla en repeticiones posteriores, para que así el pie toque el suelo más allá de las nalgas, aumentando la fuerza de palanca de la extremidad y de esta manera aumentando de manera progresiva la resistencia. El ejercicio se hace diariamente durante cuatro días y luego se descansa un día. Debe continuar esta secuencia hasta que pueda hacer el ejercicio con la pierna casi recta. Una vez pueda hacer el ejercicio con la pierna casi recta, debería avanzar a la elevación de una pierna.

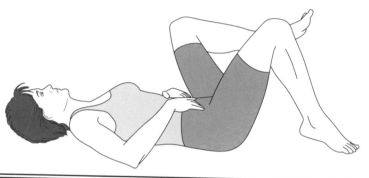

Elevaciones de pierna flexionada

OBJETIVO *Progresión del descenso de pierna.*

Empezando en posición encorvada estirado, su paciente tiene que levantar una pierna, aún con la rodilla flexionada, mientras la otra descansa sobre el suelo. El paciente debe levantar la rodilla tan alto como pueda sin moverse de la posición neutral, luego debe bajarla. Después repite la acción con la otra pierna. Una progresión de esta acción es empezar a levantar una pierna antes del preciso instante en que la otra pierna vaya a tocar el suelo, así que momentáneamente las dos estarán sin tocar el suelo al mismo tiempo. Finalmente, debería levantar y bajar ambas piernas juntas, inicialmente con la mínima fuerza de palanca producida por la extremidad (por ejemplo, con las rodillas bien flexionadas) y finalmente incrementando el brazo de palanca (las piernas cada vez más estiradas). La máxima fuerza de palanca variará en cada individuo. Para los sujetos con mejor forma física, una flexión apropiada sería entre 90-120°. En ningún momento debería inclinarse anteriormente la pelvis, y en ningún caso debe permitirse que los músculos abdominales se arqueen (que se abulten hacia fuera en lugar de mantenerse planos o en ligera concavidad). No recomiendo que la progresión vaya hasta la elevación de ambas piernas extendidas –las fuerzas de compresión y tensión impuestas por el músculo del psoas sobre la columna lumbar lo hace inapropiado para el uso en la rehabilitación después de una lumbalgia–.

PUNTO CLAVE

La posición neutral de la columna lumbar se debe mantener a lo largo de todos los ejercicios, si la pelvis se inclina y se pierde la posición neutral, se debe parar el ejercicio, y el paciente debe volver a etapas anteriores del ejercicio en los que la inclinación pélvica se controle con precisión. Asegúrese de que su paciente mantiene el abdomen ahuecado a lo largo de los ejercicios.

Tensar los glúteos estirado en posición prona

OBJETIVO *Contraer los estabilizadores del tronco conjuntamente con los glúteos.*

Enseñe a su paciente a estirarse en posición prona, luego que haga una flexión dorsal con un pie, con los dedos flexionados hacia la rodilla. Posteriormente debería flexionar ligeramente la rodilla (sobre unos 10º) y la cadera (también unos 10º). Finalmente debe contraer los glúteos para levantar el fémur hacia la extensión a una posición horizontal (con el pie aún en el suelo), estirando la rodilla.

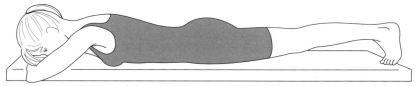

Elevación de una pierna flexionada estirado en posición prona

OBJETIVO *Mover activamente una pierna sin ningún soporte sobre un tronco estable.*

Estirado en posición prona, su paciente debe flexionar una pierna a un ángulo de 90º al nivel de la rodilla. Enseñe a su paciente a preparar sus músculos abdominales y contraer los glúteos para levantar la pierna del suelo. Para prevenir una anteversión pélvica pasiva, la extensión máxima de la cadera debería ser de sólo 15º. En esta posición se ponen los músculos isquiotibiales en desventaja mecánica, reduciendo la tensión que pueden crear y por lo tanto poniendo más estrés en los glúteos. Para aumentar el aislamiento de los glúteos de los isquiotibiales, haga que su paciente flexione lentamente la rodilla mientras mantiene la extensión de la cadera –esto provoca que los glúteos se contraigan isométricamente como estabilizadores de la cadera, mientras los isquiotibiales actúan isotónicamente como flexores principales–.

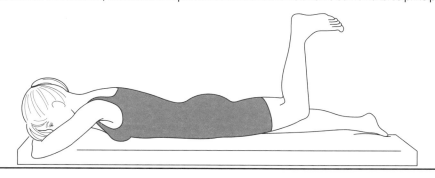

Puente desde una posición encorvada

OBJETIVO *Utilizar la fuerza de las piernas para levantar el tronco mientras se mantiene una posición lumbar neutral.*

En una posición estirada encorvada, su paciente debería tensar los glúteos y luego levantar la pelvis del suelo, intentando formar una línea recta desde los hombros hasta la cadera y las rodillas.
Este ejercicio acostumbra a inducir desplazamientos en el plano sagital (anteversión-retroversión, y/o flexión-extensión lumbar). El hecho de levantar una pierna (mire el siguiente ejercicio) impone un estrés giratorio adicional, tendiendo a causar movimientos en el plano transversal.

Puente con la elevación de una pierna

OBJETIVO *Una progresión del puente desde una posición estirada encorvada.*

Enseñe a su paciente a ponerse en posición del puente, empezando desde una posición encorvada estirada. Luego debe levantar una pierna, evitando la tendencia de la pelvis a caer hacia el lado sin soporte. El hecho de colocar una varilla a lo largo de la espina iliaca superior de la pelvis da un feedback útil para mantener la pelvis a nivel.

Ejercicios en posición de arrodillado con cuatro puntos de apoyo

La posición de arrodillado con cuatro puntos de apoyo es inicialmente estable, ya que cuatro puntos simétricos (ambas manos y ambos pies) aguantan el peso. Al levantar una pierna o algún brazo se reduce el soporte a tres puntos, el cuerpo es menos estable y los músculos estabilizadores deben trabajar más duro para mantener el alineamiento del tronco y evitar que el cuerpo se incline.

Balanceo corporal en posición de cuatro puntos de apoyo

OBJETIVO *Aprender a mantener la posición neutral cuando se mueven las extremidades.*

Enseñe a su paciente, que empieza en la posición estándar de arrodillado con cuatro puntos de apoyo, a balancearse hacia delante y atrás, moviendo solamente los hombros y la cadera. Al pasar el pun-

continúa

Balanceo corporal en posición de cuatro puntos de apoyo, continuación

to crítico de 90° de flexión de cadera, asegúrese de que la columna lumbar permanezca en su posición neutral. Tan pronto como empiece a perder la posición lumbar neutral, debe invertir el movimiento y volverse a poner en la posición de cuatro puntos de apoyo. El objetivo es trabajar gradualmente el desplazamiento hacia delante y hacia atrás (incrementado la flexión de la cadera), al mismo tiempo que se mantiene neutral la columna vertebral.

Movimiento pélvico en cuatro puntos de apoyo

OBJETIVO *Aprender a descargar las extremidades antes de levantarlas.*

Después de colocarse en la posición de arrodillado con cuatro puntos de apoyo, su paciente debe pasar el peso a un lado para liberar del peso una pierna. Luego debe levantar ligeramente la pierna del suelo hacia el lado, dejando sólo una rodilla en contacto con el suelo. Asegúrese de que levanta la pierna una máximo de 2,5-5 cm. Algunas personas encuentran difícil la delicada ejecución de este movimiento y suelen levantar la pierna entre 15-20 cm, pero esto impone una rotación no deseada sobre la columna vertebral y

esto debe ser desaconsejado. El hecho de colocar un varilla de madera a lo largo de la parte superior de la pelvis (al mismo nivel que las espinas iliacas posterosuperiores) puede ser de ayuda. Haciendo el movimiento delicadamente, la varilla no se moverá. No obstante, si la pierna se levanta demasiado, la rotación pélvica hará que la varilla se caiga.

Flexión/Extensión de la pierna en cuatro puntos de apoyo

OBJETIVO *Controlar la estabilidad de la espalda con la presencia de movimiento de las extremidades.*

El paciente debe empezar en la misma posición que en el ejercicio anterior, poniendo todo el peso sobre una pierna. Enséñele a flexionar/extender la pierna que no tiene el peso y también a aducir/abducir, al mismo tiempo que se mantiene la posición neutral de la columna lumbar y la pierna con el peso paralela al suelo. Debe realizar sólo pequeños movimientos, la rodilla se debe mover hacia

continúa

Flexión/Extensión de la pierna en cuatro puntos de apoyo, continuación

adelante/atrás y de lado a lado sólo de 5 a 8 cm. Desplazamientos mayores requerirán de mayores cambios en la inclinación pélvica y serán más difíciles de controlar. Los movimientos deben ser lentos para evitar un momento excesivo en las extremidades –no más de 1 ó 2 movimientos completos por segundo–.

Elevación de la pierna en cuatro puntos de apoyo

OBJETIVO *Mantener la estabilidad con un aumento en la complejidad de movimientos de la pierna.*

De la posición básica de arrodillado con cuatro puntos de apoyo, su paciente debe extender una pierna completamente, manteniendo el pie en el suelo (a). El paso siguiente es levantar la pierna hasta que esté paralela al suelo (b). Finalmente, enseñe a su paciente a flexionar alternativamente la pierna levantada al nivel de la rodilla, manteniendo el muslo levantado paralelo al suelo. El pie debe permanecer en una posición media (neutral), sin estar estirado (flexión plantar) ni flexionado (flexión dorsal) –mantener la espinilla o los gemelos tensos puede provocar calambres musculares–.

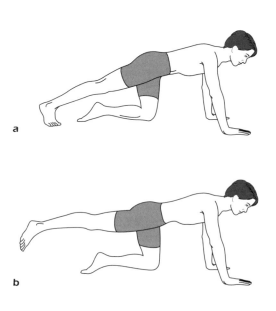

Varios fallos en el alineamiento son comunes en este movimiento final. Primero, mientras su paciente se centra en el movimiento de la extremidad, puede olvidar que debe mantener la contracción de los músculos estabilizadores del tronco –llevando a la pared abdominal a abultarse debido a que se pierde la acción de reducción del diámetro de la región abdominal (ahuecamiento abdominal–). Al pasar esto, la pelvis puede inclinarse anteriormente, tirando de la columna lumbar hacia una extensión excesiva (ahuecamiento lumbar). Finalmente, si los glúteos no tienen una buena resistencia, el paciente puede empezar a depender de los isquiotibiales para mantener la posición de extensión de la cadera: al empezar los isquiotibiales a flexionar la rodilla, el paciente pierde la posición de extensión de la cadera y la pierna cae por debajo de la horizontal. En cada caso, debe parar el ejercicio y volver a otros ejercicios previos.

Elevación de brazo y pierna arrodillado con cuatro puntos de apoyo

OBJETIVO *Incrementar la complejidad de los movimientos de las extremidades mientras se mantiene la estabilidad de la espalda.*

Haga que su paciente empiece con la elevación de rodilla del ejercicio anterior. Pero ahora, una vez la pierna haya alcanzado la horizontal, debe levantar también diagonalmente el brazo opuesto. Hay que estar atento a que su hombro no se caiga o se hunda hacia este costado; la escápula no debería moverse mientras se flexiona el codo para descargar el brazo. Una vez la mano de su paciente se ha levantado del suelo, debe levantar el brazo hacia delante intentando alcanzar la horizontal.

Ejercicios en posición de estirados de lado

Hemos visto en el capítulo 7 que, en el plano frontal, al glúteo medio le puede faltar algo de resistencia y la capacidad de aguantar en amplitud interna, provocando que el tensor de la fascia lata/banda iliotibial (TFL/BIT) y que los aductores de la cadera se pongan tensos. En la posición de estirado de lado, estamos intentando trabajar el glúteo medio y estirar los aductores, al mismo tiempo que mantenemos la estabilidad de la pelvis y de la columna lumbar en el plano frontal. La estabilidad se consigue con la contracción de los abdominales laterales y del cuadrado lumbar actuando juntos. Si se tiene una función abdominal deficiente, el cuadrado lumbar puede volverse demasiado activo y rígido. Cada uno de los siguientes ejercicios sobrecarga el cuadrado lumbar y los abdominales oblicuos en la parte superior del cuerpo. Los movimientos deben hacerse de los dos lados para proporcionar una sobrecarga simétrica.

Elevación de pierna estirado de lado

OBJETIVO *Mantener la estabilidad del tronco en el plano frontal (flexión de lado) durante el movimiento de extremidades.*

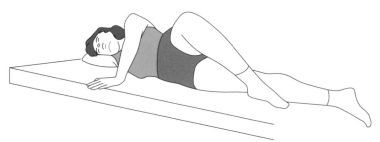

Haga que su paciente empiece el ejercicio estirado de lado y con la pelvis alineada, así la línea que une las dos espinas iliacas anterosuperiores es vertical. El paciente debe mantener este alineamiento a lo largo de todo el ejercicio. No permita ningún movimiento lateral de la pelvis. Enseñe a su paciente a colocar el pie de su pierna que está encima en el suelo delante de la espinilla de su pierna inferior. Luego el paciente debería levantar la rodilla de encima abduciendo y rotando exteriormente su

continúa

Elevación de pierna estirado de lado, continuación

cadera, sin mover el pie de su sitio en el suelo. Palpe las fibras posteriores del glúteo medio por encima y por detrás del trocánter mayor para asegurarse de que se están contrayendo. Vaya dando feedback a su paciente hasta que sea capaz de decir cuándo se contraen estas fibras al levantar la rodilla. Una vez sea capaz de sentir la contracción apropiada, haga que intente levantarla hasta su máxima amplitud interna, pero haga que pare inmediatamente si la pelvis empieza a desplazarse del alineamiento.

Rotación de la pierna estirado de lado

OBJETIVO *Mantener la estabilidad del tronco y aislar el control pélvico de la rotación de la cadera.*

El segundo ejercicio combina la capacidad de la abducción y la estabilidad del tronco, mientras se aísla el movimiento de la cadera del de la pelvis. Desde la posición estabilizada estirado de lado, su paciente debe aguantar su pierna superior es-

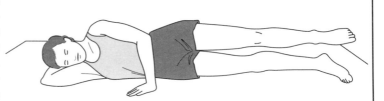

tirada y abducirla hacia la horizontal, dígale que luego rote exteriormente toda la pierna desde la cadera, girando el pie hacia el techo y luego debe volver a la posición que el pie señale hacia delante. Haga que su paciente realice 3-5 rotaciones antes de bajar la pierna, a menos que pierda el alineamiento de la pelvis –en este caso debe bajar la pierna inmediatamente–.

Abducción de la pierna estirado de lado

OBJETIVO *Controlar la abducción de la cadera sobre un tronco estable.*

Este tercer ejercicio representa una verdadera abducción sobre una base estable. Haga que su paciente se coloque en la posición estable estirado de lado, luego que levante la pierna de encima

hacia una abducción evitando la flexión y la rotación externa. Anímele a que «alargue la pierna» para evitar el movimiento lateral pélvico, y luego que abduya la pierna tan alto como pueda sin que ex-

continúa

Abducción de la pierna estirado de lado, continuación

perimente ninguna incomodidad, a un máximo de 45° respecto a la horizontal. Todo el movimiento debe realizarse en la cadera –dígale que evite el movimiento pélvicolumbar–. Puede que tenga que ir haciéndolo gradualmente hasta conseguir alcanzar los 45°.

Alargamiento de la columna vertebral estirado de lado

OBJETIVO *Controlar el cuadrado lumbar y las fibras laterales de los abdominales oblicuos.*

Estar estirado de lado es también una posición útil de inicio para hacer fuertes co-contracciones de los músculos abdominales con una mínima fuerza compresiva y de tensión sobre la columna lumbar (McGill 1997). Haga que su paciente se estire de costado, sus muslos alineados con el 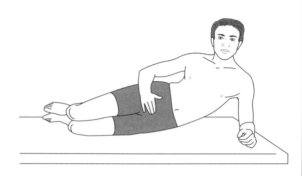 cuerpo pero con las rodillas flexionadas 90°, con su tren superior sosteniéndose sobre su codo izquierdo para flexionar la columna vertebral de lado. Luego debería estirar la columna vertebral en contra de la fuerza de gravedad, dejando que el cuerpo se aguante sobre el antebrazo del brazo de debajo y la cadera.

Elevación de cadera estirado de lado

OBJETIVO *Una progresión del alargamiento de la columna vertebral desde una posición de estirado de lado.*

Haga que su paciente se ponga en la posición de alargamiento de la columna vertebral estirado de lado. Luego dígale que levante la cadera, dejando que el cuerpo sostenga en el antebrazo del brazo de abajo y sobre las rodillas.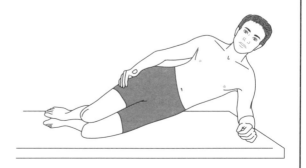

Elevación del cuerpo desde la posición de estirado de lado

OBJETIVO *Progresión final para desarrollar el control del cuadrado lumbar y las fibras laterales de los abdominales oblicuos.*

Otra vez, haga que su paciente se ponga en la posición de alargamiento de la columna vertebral estirado de lado. Enséñele a estirar sus rodillas y a cruzar la pierna de encima delante de la pierna de debajo.

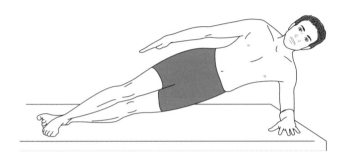

Luego el paciente debería levantar el cuerpo a una posición de soporte total lateral, dejando que el cuerpo se aguante sobre el antebrazo del brazo de debajo y sobre los pies. Anímele a que «alargue su cuerpo» y a que «agrande la amplitud de sus hombros» para evitar «caer» en aducción escapular –el objetivo es formar una línea recta desde los pies, a lo largo de la pelvis, hasta los hombros–.

Ejercicios en posición de pie vertical

La posición de pie vertical es claramente importante para las actividades de la vida diaria. El objetivo de los siguientes ejercicios es añadir movimientos torácicos y de otras extremidades a una columna lumbar estable y añadir todos los movimientos espinales a una cadera estable. Puede supervisar los cambios en la profundidad de la lordosis haciendo que su paciente se recueste sobre una pared –con los pies separados de la pared unos 10-15 cm, con sus nalgas y escápulas sobre la pared– mientras usted coloca la vejiga de la unidad de *biofeedback* de presión entre su columna lumbar y la pared.

Elevación esternal de pie vertical

OBJETIVO *Ayudar a corregir la excesiva cifosis torácica extendiendo la columna torácica aisladamente.*

La idea de esta primera secuencia de ejercicios es enseñar a su paciente a mover la columna torácica independientemente de la columna lumbar estable y sin movimiento. Enseñe a su paciente a estar de pie vertical encarado hacia una mesa, con sus muslos contra el borde para evitar que la pelvis realice un movimiento anterior hacia una posición de hiperextensión de columna. Haga que levante el esternón hacia arriba y adelante, mientras baja la escápula. Sugiérale que coloque una mano delante del esternón para ver la acción de elevación esternal. El movimiento anterior hacia arriba y posterior hacia abajo funciona como dos guías que tiran de una rueda con su eje en el pecho. La acción es aplanar la curvatura torácica más que expandir el pecho o extender la columna lumbar. Si

continúa

Elevación esternal de pie vertical, continuación

su paciente encuentra difícil aislar el movimiento torácico de movimiento lumbar, haga que intente la misma acción estando sentado. Debe poner los pies sobre un banquito bajo para poner las rodillas por encima del nivel de la cadera, de ese modo flexiona la columna lumbar e invierte la lordosis lumbar. Esta acción reduce la extensión de que disponemos en la columna lumbar y se centra en la acción del área torácica. Después de que el paciente domine la acción en una posición sentada, haga que intente hacerlo de pie vertical (ver el «ejercicio de elevación esternal», página 166).

Desplazamiento de la pelvis con descarga

OBJETIVO *Desarrollar el aislamiento de los movimientos de la pierna sobre una base estable –un precursor de la elevación de pierna estando pie vertical en el plano frontal–.*

Inicialmente su paciente debe ponerse de pie vertical apoyado en una pared, para que le sirva de soporte (ayudarse de una espaldera también está bien). Al ir desarrollando la habilidad para hacer este movimiento, el paciente debería hacer el movimiento de pie sin ayuda alguna. Enséñele a «alargar la columna vertebral» («crecer»); a desplazar la pelvis hacia la izquierda mientras se mantiene el alineamiento (a); luego a descargar la pierna derecha flexionando ligeramente la rodilla y levantando el talón, mientras se deja el dedo gordo en el suelo (b).

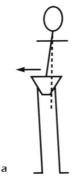

a

Desplazamiento
pélvico para
descargar la pierna

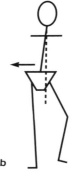

b

Elevación de la
pierna

Desplazamiento pélvico con elevación de pierna

OBJETIVO *Enseñar a su paciente el control pélvico y la estabilidad estando de pie vertical sobre una sola pierna.*

Su paciente empieza estando de pie vertical con la espalda separada unos 5-10 cm de la pared. Si su paciente pierde la abducción pura a lo largo del ejercicio (por ejemplo, si hace cualquier flexión o extensión), el paciente lo sabrá inmediatamente porque la pierna se acercará o alejará de la pared. Enséñele a desplazar la pelvis hacia la derecha, descargando la pierna derecha (a). Luego, manteniendo el alineamiento, debería hacer una abducción de la pierna izquierda entre unos 10-20° (b).

continúa

Desplazamiento pélvico con elevación de pierna, continuación

Asegúrese de que el paciente no inclina lateralmente la pelvis o la columna vertebral (c). Debe incrementar gradualmente la amplitud de la abducción a un máximo de 45°. Reduzca la amplitud o pare el ejercicio tan pronto como el alineamiento se pierda.

 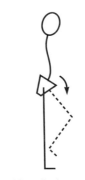

a — Hundimiento lateral pélvico

b — Hundimiento anterior pélvico

Abducción de cadera estando vertical de pie

OBJETIVO *Aprender a mantener la estabilidad en el plano frontal mientras se realiza una abducción de la cadera.*

Su paciente empieza estando de pie vertical con la espalda separada unos 5-10 cm de la pared. Si su paciente pierde la abducción pura a lo largo del ejercicio (por ejemplo, si hace cualquier flexión o extensión), lo sabrá inmediatamente porque la pierna se acercará o alejará de la pared. Enséñele a su paciente a desplazar la pelvis hacia la derecha, descargando la pierna derecha (a). Luego, manteniendo el alineamiento, debería hacer una abducción de la pierna izquierda entre unos 10-20° (b). Asegúrese de que el paciente no inclina lateralmente la pelvis o la columna vertebral (c). Debe incrementar gradualmente la amplitud de la abducción a un máximo de 45°. Reduzca la amplitud o pare el ejercicio tan pronto como el alineamiento se pierda.

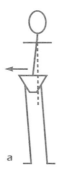 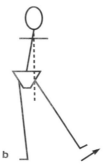 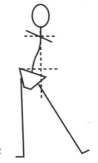

a   b   c

Acción de bisagra de la cadera estando vertical de pie

OBJETIVO *Aprender a mover la columna vertebral y la pelvis como un bloque a partir de la cadera.*

Haga que su paciente esté de pie vertical separado unos 10 cm de una mesa. Puede colocar las manos sobre la mesa sólo como ayuda para el movimiento, no para descargar peso. Enséñele a flexionarse desde la cadera, manteniendo su columna vertebral recta, hasta que la columna vertebral esté en un ángulo de 30-45° respecto a la vertical. A menudo es más fácil si el paciente centra la atención en el sacro e imagina que se mueve casi desde la vertical a casi la horizontal –dígale que «aleje su coxis»–. Una vez ya domine este movimiento, debería realizarlo sin una mesa que le sirva de ayuda. Dos clases de feedback pueden ser de ayuda. Primero, el paciente

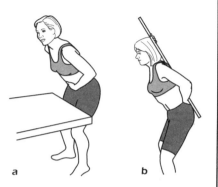

a   b

puede supervisarse la inclinación pélvica colocando la palma de una mano por encima del abdomen inferior (infraumbilical) y el dorso de la otra mano encima del sacro (a). La acción es inclinar la pelvis mientras se mantiene la relación de la columna lumbar con la pelvis –la palma de la mano de la espalda debería acabar mirando hacia el techo–. El segundo método de feedback utiliza un palo largo y recto. Al colocar una mano sobre el sacro y la otra entre los omoplatos, debe coger una varilla con las dos manos. Debe mantener la columna vertebral sobre la varilla mientras se realiza la acción de bisagra (b). Redondear la espalda (un error típico) aumenta la presión de las apófisis espinosas sobre la varilla; ahuecar la columna vertebral aumenta el espacio entre la columna vertebral y la varilla.

Ejercicios en posición sentado

Las posiciones incorrectas sentadas a menudo provocan dolor lumbar, especialmente aquellos de origen postural. Pero mientras se está sentado en casa o en el trabajo, uno puede practicar convenientemente los siguientes ejercicios a lo largo del día. El primer ejercicio utiliza el proceso de flexibilidad relativa para sobrecargar el sistema estabilizador.

La posición sentada utilizada en estos ejercicios debe reflejar el alineamiento óptimo de los segmentos corporales. La cadera debe estar a unos 70° de flexión; las rodillas deberían estar debajo de la cadera y con una separación ligeramente más an-

cha que la de los hombros (juntar las rodillas inclina posteriormente la pelvis a través de la tensión de los tejidos blandos). Alrededor del 70% del peso corporal debería descansar sobre las tuberosidades isquiales y el 30% sobre el pubis. La línea de gravedad del tren superior debería pasar por el centro de la articulación de la cadera hacia la articulación de los hombros y el canal de la oreja, con la columna vertebral distribuida uniformemente a lo largo de la línea de gravedad. Si lo desea, puede supervisar la profundidad de la lordosis lumbar con una unidad de biofeedback de presión, colocando la vejiga entre la columna lumbar y el respaldo de la silla. (Dese cuenta de que la posición sentada utilizada en este caso no es la que la mayoría de gente utiliza en la actividades diarias; pueden tener la espalda contra el respaldo de la silla para utilizar la vejiga de presión sentándose ligeramente a caballo sobre la silla con sus pierna, lo que, como recuerda, hace que estén algo separadas, con las rodillas más bajas que la cadera).

Estiramiento sentado del isquiotibial

OBJETIVO *Aguantar la posición pélvica en contra del tirar del isquiotibial.*

Para el primer ejercicio, enseñe a su paciente a extender una pierna para estirar el isquiotibial, mientras se mantiene el alineamiento pélvicolumbar. Tan pronto como la pelvis se incline posteriormente (para llevar la tuberosidad isquial hacia delante y para estirar el isquiotibial), pare el ejercicio porque el alineamiento se ha perdido. Haga una progresión del ejercicio de manera que el paciente extienda gradualmente la pierna un poco más lejos (mientras se mantiene el alineamiento), hasta que la rodilla se pueda bloquear completamente con la cadera a unos 70° de flexión (ver «El estiramiento del trípode», página 124).

Elevación esternal sentado

OBJETIVO *Realizar una extensión torácica activa y aislarla de una extensión lumbar.*

Enseñe a su paciente a levantar el esternón mientras baja la escápula, como en la elevación esternal vista en la página 182. El movimiento debe ser una extensión de la columna torácica más que el de una inspiración profunda. Para ayudar en el proceso de aprendizaje, coloque la palma de su mano en el esternón del paciente para «subirla», mientras coloca el dedo gordo y las puntas de los dedos de su mano opuesta en los ángulos inferiores de la escápula y la «baja». Si el control de la respiración resulta ser problemático, anime a su paciente a hacer una espiración cuando empieza la elevación esternal. Mucha gente extiende la columna lumbar de manera errónea en lugar de la columna torácica. Si sucede esto con su paciente, haga que practique el ejercicio con los pies encima de un banco, para tener las rodillas por encima del nivel de la cadera –esta posición invierte la lordosis lumbar y desplaza la fuerza de extensión hacia arriba de la columna vertebral hacia la región torácica–. Una vez el paciente domine el movimiento en esta posición, intente la posición estándar otra vez (ver el «Ejercicio de elevación esternal», [a], página 166).

Elevación de rodilla sentado

OBJETIVO *Mantener la posición pélvica en contra del tirar de los flexores de la cadera.*

En este tercer ejercicio, sobrecargamos los músculos estabilizadores utilizando la contracción del psoasiliaco para desplazar la columna lumbar. Enseñe a sus pacientes a levantar una rodilla, en va-

continúa

Elevación de rodilla sentado, continuación

rias etapas, hasta unos 8 cm por encima de la horizontal, mientras mantiene el alineamiento pélvicolumbar. Asegúrese de que evita la retroversión pélvica. Inicialmente, debería descargar gradualmente la extremidad levantando solamente el talón. Si es capaz de mantener un buen alineamiento, haga que continúe levantando toda la pierna.

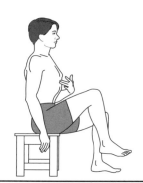

Elevación de la rodilla y del brazo sentado

OBJETIVO *Aumentar la complejidad para desafiar la coordinación.*

Haga que su paciente flexione un brazo 90°. Que aguante un pequeño peso (3-5 kg) en la mano aumenta la sobrecarga; debe aguantar el peso moviéndolo más que sosteniéndolo quieto. Combinar el movimiento alternativamente de pierna y brazo es una progresión útil, el brazo derecho se levanta al mismo tiempo que la rodilla izquierda para proporcionar un estrés en diagonal sobre el cuerpo; esto mismo se hace con el brazo izquierdo y con la rodilla derecha.

Ejercicios repetidos de inclinación pélvica utilizando tablas de equilibrio

Mover la pelvis debajo de un tronco inmóvil es un método de enseñanza excelente para mejorar el control de la posición neutral, para reducir la velocidad de reacción muscular y para mejorar la estabilidad general. Utilizar una «tabla que se mece» (se mueve como un balancín), y progresar a una «tabla de balanceo» (*wobble board*) (montada sobre una semiesfera) –se mueve en cualquier dirección, es una manera eficaz (y divertida) para hacer estos ejercicios–.

Inclinación pélvica simple, para progresar a la utilización de la tabla de equilibrio

OBJETIVO *Progresión pélvica simple.*

Al principio, haga que su paciente se siente en posición óptima (ver página 185) en un banco de madera o en un taburete con los pies en el suelo. Enséñele a inclinar la pelvis anterior y luego posteriormente, mientras mantiene la posición de los hombros y de la columna torácica. El objetivo es aislar la pelvis y la parte inferior de la columna lumbar de la columna torácica, y los hombros de la parte superior de la columna lumbar. Progrese en el ejercicio haciendo que su paciente realice la acción sobre una «tabla mecedora» (como un balancín, se mueve sólo en un plano –se muestra en el ejercicio de la sección siguiente–), y luego en una «tabla de balanceo» (montada sobre una semiesfera, que se mueve en cualquier dirección –ver página siguiente–, «Mantenimiento de la posición neutral»).

Balanceo pélvico sobre una tabla mecedora

OBJETIVO *Progresión de la inclinación pélvica simple.*

Inicialmente coloque la tabla en el plano frontal, para facilitar la anteversión y retroversión de la pelvis. Cambiando la orientación de la tabla al plano sagital facilitará el descenso. En cada caso, el movimiento pélvico lumbar debe ser aislado de cualquier movimiento del tren superior. Para empezar a trabajar en la velocidad de reacción muscular, ponga presión en los hombros para desequilibrar a su paciente, mientras intenta quedarse erecto sobre la tabla mecedora. Alterne la orientación de la tabla entre los planos frontal y sagital. Sabrá cuándo parar en cualquier sesión cuándo vea que su paciente no es capaz de mantener la posición neutral o mante-

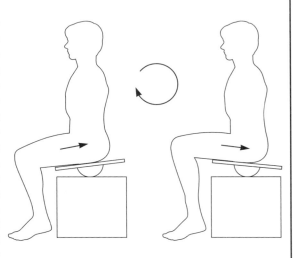

ner el ahuecamiento abdominal. Vaya desarrollando esta habilidad hasta que pueda hacerlo sobre la tabla mecedora dos minutos en ambos planos antes de pasar a la tabla de balanceo.

Balanceo pélvico sobre una tabla de balanceo

OBJETIVO *La estabilidad en cualquier plano (sagital, frontal y transverso) sentado.*

Inicialmente, haga que su paciente se siente simplemente en la tabla de balanceo y que intente mantener la posición óptima sentado. Haga que avance realizando acciones en el plano sagital (flexión/extensión, flexión lateral). Una vez ya domine estas acciones, enséñele a «inclinar la tabla en el sentido de las agujas del reloj» (por ejemplo, inclinarla a la 1 y luego vuelta otra vez a la posición neutral, a la 2 y vuelta a la posición neutral, a la 3 y vuelta a la posición neutral, etc.). Dígale que haga lentamente movimientos deliberados, tardando unos 2-5 segundos para llegar a cada posición del reloj, manteniendo esta posición durante 2 segundos, tardando unos 2-5 segundos para volver a la posición neutral, aguantando la posición neutral 2 segundos y luego empezar la fase siguiente.

Mantenimiento de la posición neutral

OBJETIVO *Desarrollar la velocidad de reacción de estabilidad sentado.*

Finalmente, debería intentar desequilibrar a su paciente mientras mantiene la posición neutral encima de una tabla de balanceo. Inicialmente comience a aplicar la presión, avanzando gradualmente a acciones rápidas en varias direcciones. Haga que su paciente cierre los ojos para facilitar la acción

continúa

Mantenimiento de la posición neutral, continuación

anticipadora muscular y la velocidad de contracción muscular. La progresión aquí es de tiempo. Inicialmente, intente prolongar el movimiento durante 30 segundos, luego durante 60 segundos, parando cada vez que se pierda el alineamiento o que el paciente pierda el equilibrio.

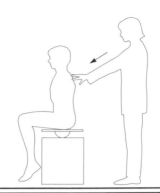

Acción de bisagra sentado

OBJETIVO *Mover la columna y la pelvis como un solo bloque sobre la cadera.*

El ejercicio final es la acción de bisagra (comparar con «La acción de bisagra en posición vertical de pie» página 185). Como en todos en estos ejercicios sentados, asegúrese de que sus pacientes estén sentados en la posición óptima, con las rodillas a horcajadas para facilitar la inclinación pélvica (ver la descripción «Ejercicios en la posición de sentados», página 185). Haga que su paciente incline todo el tren superior hacia delante como un solo bloque, moviendo la pelvis y la columna vertebral sobre el fémur fijado. Debería iniciar la acción inclinándose con todo el cuerpo hacia delante para cambiar la distribución del peso. En una posición óptima sentado, 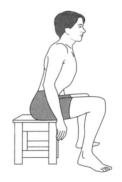 aproximadamente un 30% del peso corporal lo soportan los huesos púbicos y el 70% las tuberosidades isquiales, las rodillas están alineadas por debajo de la cadera y los fémures están en un ángulo por debajo de la horizontal. Al iniciar el movimiento de inclinación hacia delante su paciente, desplaza el peso de las tuberosidades isquiales hacia el hueso púbico, finalizando con el 70-80% del peso en el hueso púbico. Para inclinarse hacia atrás, debe invertir la transferencia del peso. Para facilitar la acción, sugiera que el paciente realice la acción sentado en una tabla mecedora. En cada caso la pelvis y la columna vertebral se deberían mover como un solo bloque, evitando cualquier cambio en la lordosis.

EJERCICIOS DE ESTABILIDAD CON FITBALLS

Además o incluso en lugar de los ejercicios de la sección previa, sus pacientes pueden conseguir niveles de estabilidad superiores con ejercicios con pelotas de fitball (también llamadas **gim ball**). Estos ejercicios requieren de movimientos complejos y le ayudarán a aumentar la estabilidad que ya ha adquirido a través de los ejercicios previos de este libro. También pueden fortalecer los músculos estabilizadores de otra manera que a lo mejor no los ha ejercitado.

Al principio sus pacientes deberían utilizar la pelota bajo su supervisión, pero más adelante la pueden utilizar en casa –es un instrumento para trabajar la estabilidad de la espalda barato y eficaz–. Varios autores han descrito ejercicios generales sobre la fitball y estas publicaciones proporcionan un buen material para hacer ejercicios (Hyman y Liebenson 1996; Lester y Posner-Mayer 1993; Norris 1995a).

Una pelota de fitball de 65 cm facilita la posición óptima sentado para la mayoría de la gente. Sus pacientes deberían ser capaces de sentarse en la pelota con los fémures horizontales y sus caderas y rodillas aproximadamente flexionadas unos 90°. Los pies deberían estar separados la amplitud de los hombros y planos en el suelo para permitir una libre inclinación pélvica y para dotar de una amplia base de soporte. La pelota debería estar inflada para que se note firme pero que ceda ligeramente cuando una persona se siente. Utilice una presión mayor para clientes con mayor peso. Desinflar la pelota ligeramente aumentará la base de soporte.

Puede reducir la tendencia de la pelota a rodar poniéndola en un «aro» –un anillo de plástico en el suelo–. Cuando necesite incrementar la confianza de sus pacientes o darles una mejor base de soporte, coloque la pelota entre dos sillas: en la posición que el respaldo de la silla mira hacia la pelota, para que así sus paciente puedan tocar ligeramente las sillas con los brazos estirados al nivel de los hombros; o, para más soporte, coloque la parte del asiento hacia la pelota, así los pacientes pueden colocar la palma de la mano encima del asiento.

Como en todos los ejercicios, su paciente debe calentar y estirar antes de empezar a hacer estas actividades. Durante todos los ejercicios deberían mantener la posición neutral de la columna vertebral y mantener el abdomen ahuecado. Deberían hacer los ejercicios a ambos lados, así el cuerpo trabaja simétricamente.

La progresión de los ejercicios de estabilidad con la pelota es similar a las progresiones de los ejercicios anteriores: se empieza con 8-10 repeticiones, por ejemplo, luego se aumenta a 12-15. Vea que la fitball introduce el equilibrio como variable adicional. Incluso si sus pacientes no están cansados, si pierde el alineamiento o el equilibrio y se vuelven inestables (y por lo tanto pueden caerse de la pelota), deben parar, descansar y empezar de nuevo haciendo un número inferior de repeticiones. Si los ejercicios con la fitball son los únicos que su paciente está haciendo, tendría que hacer todos los ejercicios siguientes en cada sesión. Sugiero que por lo menos haga unas tres sesiones a la semana y no más de cinco, durante al menos 10-16 semanas. Al principio los pacientes deberían contar hasta 4 ó 5 para llegar a la postura y mantenerla; aguantar la posición designada contando hasta 5; luego contar hasta 4 ó 5 para volver a la posición inicial. Puede avanzar añadiendo repeticiones y/o añadiendo tiempo de aguante en la posición. Determine los límites de cualquier ejercicio observando el punto en el que su paciente empieza a perder el alineamiento de la columna vertebral o el ahuecamiento abdominal, o que empieza a perder el equilibrio –luego dígale que se debe mantener en el tiempo o en el número de repeticiones por lo menos una semana antes de intentar añadir tiempo de aguante o número de repeticiones–. Deberían estar siempre dentro de su máxima capacidad, que vendrá determinada por su facultad de mantener el alineamiento y el ahuecamiento abdominal.

Elevación de rodilla sentado

OBJETIVO *Mantener la estabilidad con la presencia de movimiento de la cadera sobre una base de soporte reducida.*

Mientras está sentado en posición erecta en una pelota de fitball, su paciente debería levantar una rodilla que pasa de una flexión de cadera de 90° a una flexión de 120°. Debe realizar la acción lentamente y de manera voluntaria, manteniendo la posición del cuerpo a lo largo de todo el movimiento y evitando la tentación de «caer hacia delante» en dirección a la pierna levantada.

Deslizamiento abdominal

OBJETIVO *Controlar la acción del recto mayor mientras se mueve.*

Enseñe a su paciente a inclinar la pelvis hacia atrás desde una posición sentada sobre la pelota, luego a rodar hacia atrás hasta que la columna vertebral descanse sobre la pelota. La acción es de rodar por la columna vertebral –la tuberosidades isquiales empiezan sobre la pelota, pero el peso se traslada al coxis y al sacro y a la columna lumbar eventualmente–. La posición que se debe sostener al final es con el tronco flexionado ligeramente y con los músculos abdominales contraídos en una posición de semisentado.

Movimientos de brazos y piernas en posición de semisentado

OBJETIVO *Mantener la estabilidad mientras se mueven brazos y piernas en una posición inestable.*

Haga que su paciente realice la acción de deslizamiento abdominal como se acaba de describir, pero manteniendo la posición con el tronco a unos 45° respecto a la horizontal. Luego debería levantar un brazo mientras baja el otro. Una vez pueda hacer esto de manera controlada, sin que el tronco pierda el alineamiento, haga que descanse sus brazos y que luego levante una pierna mientras baja la otra. Debería intentar mantener el muslo de la pierna levantada paralela al suelo (por ejemplo, solamente la

continúa

Movimientos de brazos y piernas en posición de semisentado, continuación

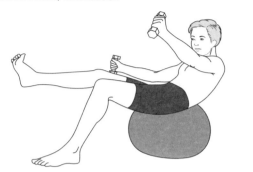

pierna inferior debería moverse). Finalmente, debería hacer los movimientos de piernas y brazo conjuntamente –el brazo derecho y la pierna izquierda se levantan juntos y viceversa–. Para hacer el ejercicio más desafiante, sugiera que el paciente aguante unas pequeñas pesas en las manos al hacer los movimientos.

Curl de tronco estirado sobre una pelota

OBJETIVO *Fortalecer la porción superior del recto mayor.*

Enseñe a su paciente a empezar con la columna toracolumbar recostada en la pelota, con los brazos en los lados. El paciente debería moverse de esta ligera posición de flexión a una extensión de

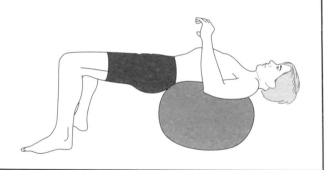

la columna vertebral, relajándose encima de la pelota. Luego debería hacer el movimiento de curl mientras hace el ahuecamiento abdominal y empuja su columna lumbar hacia la superficie de la pelota. Una vez pueda hacer el ejercicio básico bien, aumente la dificultad haciendo que aguante los brazos al lado o incluso por encima de su cabeza.

Curl de tronco estirado con elevación de pierna

OBJETIVO *Fortalecer los abdominales superiores e inferiores.*

Desde la posición del «curl de tronco estirado sobre una pelota», su paciente debería levantar una pierna mientras mantiene la posición estable, intentando mantener el muslo paralelo al otro muslo. El movimiento es más fácil si la pelota descansa sobre los hombros

continúa

Curl de tronco estirado con elevación de pierna, continuación

con la cintura en el borde de la pelota más que en el centro. Estirarse sobre la pelota, de hecho es una manera excelente para extender toda la columna vertebral como parte de la corrección postural de una actitud postural de espalda plana.

Superman básico

OBJETIVO   *Fortalecer los extensores de la cadera y de la columna vertebral.*

Haga que su paciente se estire en decúbito prono con el abdomen en la pelota, y con los pies a horcajadas y planos contra la pared. Debería contraer sus músculos abdominales para formar una superficie estable que haga fuerza contra la pelota y retraer la cabeza (meta la barbilla sin mirar hacia abajo). Debería retraer y bajar los hombros para así poder tirar de sus manos hacia abajo y atrás, luego extender la columna torácica para levantar el pecho de la pelota. Haga que aguante la posición de amplitud interna durante 5-10 segundos.

Superman con brazos

OBJETIVO   *Fortalecer los extensores de la columna vertebral; ayudar a los retractores de los hombros a contribuir más al movimiento.*

Desde el movimiento básico de superman, enseñe a su paciente a extender primero un brazo y luego el otro por encima de la cabeza, para aumentar la carga en el tronco y en los hombros. Aguantar una pelota ligera o un globo entre las manos puede ayudar a ver la sensación de alargar el cuerpo. Observe cuidadosamente para asegurarse de que su paciente no pierde el alineamiento e hiperextiende la columna vertebral. Debería poder trazar una línea recta a lo largo de los talones, rodillas, cadera, hombros y manos.

El puente

OBJETIVO   *Fortalecer simultáneamente los extensores de la cadera y de la columna vertebral.*

Haga que su paciente se estire con los hombros y la espalda en la pelota y con los pies planos en el suelo, con las rodillas separadas. En primer lugar, coloque un pequeño banco debajo de las nalgas y enséñele a levantar y bajar el cuerpo del banco utilizando la fuerza de los extensores de la cadera. Una vez sea capaz de aguantar esta posición levantada, saque el banco. Enseñe a su paciente

continúa

El puente, continuación

a aguantar la posición, asegurándose de que la columna vertebral está en su posición óptima; debería desarrollar gradualmente el tiempo de aguante hasta 30 segundos.

El puente con inclinación pélvica

OBJETIVO *Fortalecer los extensores de la espalda y de la cadera mientras se mejora el control de la inclinación pélvica.*

Mientras su paciente aguanta la posición del puente, haga que realice una inclinación pélvica. Puede intensificar el movimiento del puente combinando la anteversión con el descenso de las nalgas hacia el suelo, y una retroversión con una elevación de vuelta a la posición inicial de puente. El ejercicio ayuda a enseñar las sutilezas del control muscular involucrado en ajustes menores en la inclinación pélvica. Es especialmente de ayuda para los pacientes que pueden solamente realizar la inclinación como un movimiento de «todo-o-nada» utilizando la fuerza máxima para hacer la inclinación completa.

El puente con elevación de pierna

OBJETIVO *Aumentar la carga –especialmente en los abdominales inferiores- durante la acción del puente.*

Haga que su paciente realice el ejercicio del puente, pero una vez esté en la posición alta, debe levantar una rodilla para levantar el pie del suelo. Asegúrese de que mantiene el alineamiento de la columna, evitando la tentación de que la pelvis caiga hacia el lado de la pierna levantada. Si encuentra difícil mantener la pelvis nivelada, coloque una varilla encima de la pelvis justo por debajo del nivel de las espinas iliacas anterosuperiores. Si la pelvis se inclina demasiado, la varilla se caerá.

El puente con elevación de la pierna y extensión

OBJETIVO *Fortalecer los abdominales inferiores al mismo tiempo que se aumenta el control sobre la pierna.*

Haga que su paciente realice el ejercicio del puente y que levante la rodilla para que así levante el pie del suelo, evitando la tendencia a dejar que la pelvis se incline hacia la derecha. En la posición alta, debería estirar gradualmente la pierna derecha hasta que la tenga completamente en línea con la columna. Después de mantener esta posición durante 2-3 segundos,

lentamente debe flexionar la pierna y bajarla hasta que el pie esté de vuelta en el suelo.

El puente con presión del terapeuta

OBJETIVO *Fortalecer los músculos estabilizadores de la cadera y del tronco desafiando la estabilidad de la espalda con cargas variables desde múltiples direcciones.*

Mientras su paciente realiza el ejercicio del puente, usted debería arrodillarse a su lado. Debe empujar contra la pelvis desde encima/abajo y de lado/lado. Los empujes rápidos harán que disminuya el tiempo de reacción, y entrenarán estos músculos para que se contraigan más rápidamente sin pérdida de intensidad.

El puente invertido

OBJETIVO *Fortalecer los músculos de la espalda y de la cadera mientras se aumenta el control del movimiento de la pierna.*

Los pies y gemelos de su paciente deben descansar sobre la pelota, con el tronco en el suelo. Enseñe a su paciente a abducir los brazos unos 30° para equilibrarse. Luego debería levantar la cadera para formar una línea recta desde los hombros hasta la cadera y los pies.

El puente invertido y rodar

OBJETIVO *Fortalecer los músculos de tronco y de la cadera, mientras se aumenta el control del movimiento de la pierna.*

Una vez su paciente esté en la posición alta invierta el movimiento del puente, debería rodar la pelota hacia sí mismo flexionando las rodillas y la cadera; luego volver a la posición inicial extendiendo las piernas otra vez.

El puente de talón

OBJETIVO *Aumentar la carga en la posición del puente.*

Enseñe a su paciente a ponerse en la posición alta del puente invertido, con esta diferencia: encima de la pelota solamente deben estar los talones. Enséñele a que empuje cada talón alternativamente contra la pelota

–esto supone empujar hacia abajo con toda la pierna para activar a los isquiotibiales y los glúteos, en lugar de simplemente flexionar la rodilla para trabajar sólo los isquiotibiales–.

El puente con un solo talón

OBJETIVO *Proporcionar una carga maximal en la posición del puente.*

El tronco del paciente debe estar en el suelo y solamente los talones deben estar encima de la pelota. Haga que levante una pierna y que la aguante en el aire. Luego haga que realice el puente con un solo talón, empujando la pelota y levantando sus nalgas del suelo. Debería aguantar la posición durante 5-10 segundos, luego debe bajar el cuerpo bajo control a la posición inicial.

El puente con elevación de la pierna, rodar con la pelota

OBJETIVO *Proporcionar una carga máxima en la posición del puente, mientras se incrementa el control de movimiento de la pierna.*

Enseñe a su paciente a empezar con el ejercicio previo, hasta el punto de levantar la pierna. En este punto, debe rodar la pelota hacia sí mismo flexionando la rodilla y la cadera; luego debe volver a la posición de inicio extendiendo la pierna otra vez.

Caída prona

OBJETIVO *Proporcionar la co-contracción de la cadera y los músculos del tronco.*

Haga que el paciente coloque la pelota debajo de sus muslos, con las piernas juntas y con sus manos en el suelo. Debería alargar su cuerpo para conseguir que la columna esté en posición neutral y retraer la cabeza para mantener el alineamiento cervical. Debe empezar con la pelota cerca de su pelvis y luego caminar con las manos hacia delante, para que la pelota se mueva hacia las rodillas. Alejando el centro de gravedad del cuerpo del centro de gravedad de la pelota, aumenta el efecto de la fuerza de palanca.

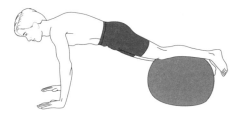

Caída prona con elevación de brazo

OBJETIVO *Aumenta la carga de la caída prona.*

Haga que su paciente empiece en el movimiento de caída prona. Luego debe levantar una mano unos 2 cm del suelo sin dejar que el hombro caiga. Después debe levantar el brazo primero hacia el lado y finalmente hacia adelante, señalando con la mano y alargando todo el cuerpo.

Caída prona con elevación de pierna

OBJETIVO *Incrementar la carga (especialmente sobre los glúteos) en caída prona, mientras se entrena la co-contracción de los abdominales-glúteos.*

Haga que su paciente empiece con el movimiento de caída prona, luego debe elevar la pierna a una extensión de 15°, manteniendo la rodilla bloqueada. Enséñele a realizar la acción de elevación de pierna alternadamente; para entrenar la velocidad tanto como la fuerza, haga que gradualmente aumente la velocidad con que levanta la pierna. Finalmente debería hacerlo tan rápido como pueda sin perder el alineamiento correcto.

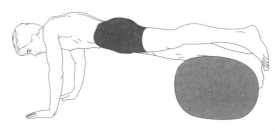

Sentarse contra la pared

OBJETIVO *Preparar el cuerpo para levantamientos, al mismo tiempo que se fortalecen las piernas para dotarlo de más fuerza para levantarse.*

Su paciente debe hacer el siguiente ejercicio con la pelota entre la espalda y una pared. Esto tiene dos ventajas respecto a recostarse simplemente contra la pared. Primero, el movimiento vertical es más fácil, porque el rodar de la pelota disipa la fricción entre la espalda del individuo y la pared. Segundo, estos ejercicios requieren de mayor control ya que el sujeto está recostado en un objeto móvil en lugar de una pared fija. El mayor grado de control, desarrolla mayor estabilidad automática (por ejemplo, el individuo no necesita centrarse tanto en los músculos estabilizadores para mantenerlos estables).
Mientras su paciente está con la espalda contra la pared, los pies separados unos 75 cm. de la pared, coloque la pelota entre la pared y la región lumbar de la espalda. Enséñele a bajar el cuerpo a una posición sentada mientras baja rodando con la pelota contra la pared. Una vez consiga la flexión de cadera y rodillas de 90° (a), debería aguantar la posición durante 5-10 segundos y luego volver a subir rodando con la pelota a la posición de inicio. Puede avanzar realizando el ejercicio sentándose sobre la pared con una sola pierna.

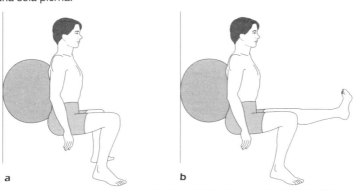

a   b

Esquat libre

OBJETIVO *Enseñar el control corporal en un movimiento vertical.*

Colocar la fitball dentro de un aro para evitar que ruede. Haga que su paciente se ponga de pie delante de la pelota, con los pies a horcajadas. Luego debe descender lentamente haciendo un esquat, manteniendo la espalda alineada, hasta que se siente en la pelota, luego volver a levantarse lentamente.

Elevación de brazo arrodillado con cuatro puntos de apoyo

OBJETIVO *Aumentar la estabilidad general durante los movimientos de brazos.*

Hay que desinflar un poco la pelota para las acciones arrodilladas, de modo que se pueda poner debajo del abdomen del paciente que estará arrodillado con cuatro puntos de apoyo. Una vez su paciente esté arrodillado sobre la pelota, enséñele a levantar primero un brazo (a) y luego ambos hasta la horizontal. Dígale que «alargue todo el cuerpo» y mantenga la posición extendida durante 5-10 segundos. El siguiente paso es que el paciente extienda la columna y que levante los brazos por detrás de sí mismo hasta la horizontal (b).

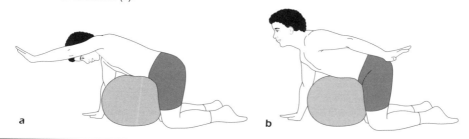

Elevación doble de piernas

OBJETIVO *Aumentar la fuerza de la cadera y de los extensores de la columna, mientras se fomenta la estabilidad del tronco.*

El paciente empieza como en el ejercicio previo, pero con la pelota en la parte inferior del cuerpo hacia la cadera. Dígale que primero levante una pierna hacia la horizontal, manteniendo el alineamiento corporal a lo largo de toda la acción. El paciente puede avanzar hacia una elevación de ambas piernas. Si las piernas de su paciente son pesadas, puede que levante los brazos del suelo durante el ejercicio. Para prevenir esto, debería sujetarse a un objeto como un banco. Debe aguantar la posición extendida durante 5-10 segundos.

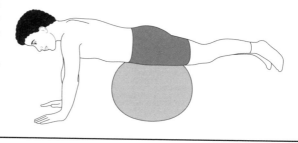

ENTRENAMIENTO DE LA PROPIOCEPCIÓN

El objetivo de la mayor parte de la preparación física que se indica en este libro es que los pacientes (1) aprendan a mover/posicionar sus músculos de manera que la espalda sea estable, y (2) mantener esta posición estable. El segundo objetivo es virtualmente inalcanzable, a menos que sus pacientes aprendan a hacer con su cuerpo lo que es necesario inconscientemente. Los movimientos, las posturas y el equilibrio deben ser automáticos.

La teoría de la propiocepción

Porque creo importante que conozca el mecanismo subyacente detrás de las actividades que prescribe a sus pacientes, los siguientes párrafos le proporcionan una aproximación a la la propiocepción.

Sentir el movimiento

La conciencia cinestésica, o «sentir el movimiento», incluye la detección del desplazamiento y del cambio de velocidad de la articulación (por ejemplo, aceleración). Normalmente se evalúa midiendo el *umbral de detección del movimiento pasivo* (UDMP): los sujetos simplemente dicen cuándo sienten que el movimiento ha empezado. Uno no puede corregir el desequilibrio hasta que uno mismo es consciente de que hay un desequilibrio. La conciencia puede ser consciente o inconsciente, no obstante, la acción correctiva de la misma forma puede ser intencional o automática. El sentido del entrenamiento propioceptivo es ayudar a los sujetos a aprender ambos, a detectar y corregir los desequilibrios sin hacerlo de manera consciente. Las actividades de recolocación de articulaciones conscientes, especialmente al final de la amplitud articular, aumentarán el desarrollo del control automático y la conciencia cognitiva (Lephart y Fu 1995).

Regulación de la rigidez muscular

La estabilidad dinámica articular (por ejemplo, la capacidad del cuerpo a hacer constantemente «microcorrecciones» inconscientes para mantener una articulación estable) sucede por vía de los reflejos a nivel de la columna. Y los reflejos por definición no son movimientos conscientes o intencionados. Una ilustración común es la respuesta del cuerpo cuando el dedo toca una sartén caliente. El estímulo nervioso entrante (**aferente**, por ejemplo, yendo «hacia» el sistema nervioso central) no llega al cerebro, llega solamente hasta la médula espinal antes de que sea procesado y retornado apropiadamente (**eferente**, por ejemplo, «va desde» el sistema nervioso central) la señal hacia los músculos: «¡quita la mano!». De hecho, acaba moviendo la mano sin pensarlo porque el cerebro no ha tenido que ver con la reacción –ha sucedido todo en un «circuito cerrado» de señales entre la mano y la médula espinal–.

La situación ideal concerniente a la estabilidad es que tenga este «circuito cerrado» eferente de señales constantemente activado para que se dirijan los músculos estabilizadores: los nervios receptores detectan un pequeño aumento de la inestabilidad, entonces envían el mensaje a la médula espinal, e instantáneamente unas señales eferentes se envían al músculo multífido para contraerse, para aumentar ligeramente la tensión en los músculos oblicuo menor, etc. Todo sucede docenas de veces por segundo sin que ni siquiera lo pensemos.

Éste es el objetivo de los ejercicios de propiocepción. Es posible «entrenar» el sistema nervioso para ser más sensible a los mensajes entrantes que dicen «la estabilidad se está debilitando» y para proporcionar más señales automáticas salientes, que le digan a ciertos músculos que cambien de determinada manera. Si este sistema de sintonización parece inimaginable, intente un experimento de estabilidad: abra un grifo hasta la mitad, coloque un vaso debajo de él y mantenga el vaso perfectamente nivelado. Verá que puede mantenerlo bastante quieto. Ahora tenga en cuenta la complejidad de las señales nerviosas involucradas en esta tarea que acaba de hacer. Miles de veces por segundo, señales aferentes salían de la mano con el mensaje «el vaso se ha vuelto más pesado». Y miles de veces por segundo, señales eferentes volvían del sistema nervioso central diciendo «muy bien, contrae éstos-y-éstos músculos un poquito más». Pero todo pasa tan rápido, los microajustes son tan suaves, que la mano es capaz de mantener el vaso estable. Esto es un sistema de circuito cerrado. El cerebro no está involucrado de manera significativa. Las señales van a la médula espinal, son procesadas y luego retornan mensajes inmediatamente de vuelta a la mano.

Los ejercicios de propiocepción conllevan alteraciones súbitas en el posicionamiento de las articulaciones, para poder entrenar los reflejos del cuerpo. El capítulo 7 nos ha proporcionado ejercicios para ayudar a los pacientes a aprender simplemente a reproducir el posicionamiento pasivo de los segmentos corporales. El entrenamiento de esta sección es parecido a aquellas actividades, pero de manera muy rápida. Para seguir exhaustivamente el progreso del sujeto, puede teóricamente medir el inicio de la contracción muscular en relación al desplazamiento articular, sin embargo, seguramente necesitaría derivar a su paciente a un departamento de fisioterapia o a un laboratorio especialista de biomecánica para hacer mediciones precisas. Pero, con experiencia, podrá evaluar el comienzo de la contracción muscular de alguna manera palpando el músculo durante un test de movimiento pasivo. Este tipo de examen, aunque no sea exacto, puede ser útil para la reeducación muscular. La intención es simplemente que note si los músculos son capaces de limitar el desplazamiento articular y estabilizar la articulación de manera efectiva.

Beneficios del entrenamiento

Utilizando el umbral de detección del movimiento pasivo y la reproducción del posicionamiento pasivo, Barrack et al. (1983) vieron un descenso de la cinestesia con una aumento de la edad (por ejemplo, el sistema de circuito cerrado de la estabilidad funciona peor). Las lesiones hacen reducir el imput propioceptivo, debido a una inactividad prolongada y al daño de las terminaciones nerviosas propioceptivas dentro de los tejidos lesionados. Un buen número de autores han hecho hincapié en la importancia del entrenamiento propioceptivo en la rehabilitación después de una lesión de rodilla (Barrack et al. 1983; Beard et al. 1994), de tobillo (Freeman et al 1965; Konradsen y Ravn 1990; Lentell et al. 1990), y de hombro (Lephart et al. 1994; Smith y Brunolli 1990). La importancia funcional del entrenamiento propioceptivo también ha sido apuntada durante la rehabilitación de la columna (Irion 1992; Lewit 1991; Norris 1995a), aunque se utiliza en la rehabilitación de la columna es menos común que en otras áreas del cuerpo.

PUNTO CLAVE

La propiocepción y los reflejos estabilizadores pueden ser mejorados utilizando un entrenamiento que implique la realización de actividades complejas involucrando múltiples articulaciones.

La propiocepción y los reflejos que la acompañan pueden ser mejorados con el entrenamiento. Barrack et al. (1983) encontraron una mejor cinestesia en bailarines y Lephart y Fu (1995) demostraron lo mismo en gimnastas universitarios. Ambos tipos de deportistas practican ejercicios libres utilizando el peso de su cuerpo como resistencia y haciendo actividades complejas que implican múltiples articulaciones. Este tipo de entrenamiento parece ser apropiado para la rehabilitación propioceptiva.

La base del entrenamiento propioceptivo para la espalda es el mantenimiento de la estabilidad *contra fuerzas aplicadas rápidamente para desplazar la columna*. En la mayoría de los casos, puede enseñar a su paciente a practicar una o más de los siguientes ejercicios durante al menos cinco minutos al día, cuatro o cinco veces al día durante la semana. El factor limitante es si sus pacientes pueden o no mantener la columna estable (debería parar antes de perder esta estabilidad). Deben hacer la mayoría de los ejercicios avanzados de que sean capaces, tan rápidamente como sean capaces de realizarlos –recuerde, la idea es entrenar los reflejos para que actúen con tal velocidad que el mantener la estabilidad de la columna sea una operación sin problema como es la de sostener el vaso quieto al llenarse de agua bajo el grifo–.

Desplazamiento rápido sentado

OBJETIVO *Desarrollar la velocidad de reacción muscular para la estabilidad de la espalda.*

Haga que su paciente se siente en un taburete con la columna alineada de manera óptima. Un compañero que ayude al paciente se pondrá de pie detrás él y le empujará los hombros en varias direcciones para flexionar, extender y flexionar lateralmente la columna. Inicialmente la presión debería ser uniforme, pero debería ir variando gradualmente tanto en dirección como en intensidad. La intención es que el paciente sea capaz de estabilizar la columna rápidamente antes de que la columna se desplace de la posición neutral. Enséñele a relajar los músculos del tronco entre repeticiones (que deberían durar por lo menos un minuto cada una), más que a mantenerlos rígidos a lo largo de todo el ejercicio. Si dispone de él, puede que quiera utilizar una unidad de registros electromiográficos superficiales para supervisar el cambio de tono muscular. Al ir siendo más competentes las acciones del paciente, los movimientos deberían hacerse más rápidos –pero siempre debe mantener un buen alineamiento–.

Velocidad de reacción muscular utilizando una plataforma móvil

OBJETIVO *Un mejor desarrollo de la velocidad de reacción muscular para la estabilidad de la espalda.*

Enseñe a su paciente a arrodillarse con dos puntos de apoyo en una plataforma de equilibrio y alinear la columna lumbar en posición neutral. Luego un compañero debe empujarlo para desequili-

continúa

Velocidad de reacción muscular utilizando una plataforma móvil, continuación

brarlo y para que la plataforma se mueva. La intención es mantener la estabilidad lumbar al inclinarse la plataforma, mientras mantiene los bordes de la plataforma sin que toque el suelo. Empiece con una tabla mecedora (que sólo permite el movimiento en un plano), progresando más adelante a una tabla de equilibrio con una semiesfera (tabla de balanceo), permitiendo el movimiento en los tres planos. Puede que también quiera utilizar otras plataformas móviles como el Fitter Ski Trainer (Fitter International Inc, Calgary, Alberta, Canadá), el Slide Trainer (Forza Fitness Equipment, Londres, Inglaterra) o un minitramp (disponible en la mayoría de tiendas de deporte). Otra vez, aumente la velocidad de los movimientos cuando su paciente vaya mejorando.

Actividades de lanzar-coger en una superficie móvil

OBJETIVO *Desarrollar la rápida reacción de la estabilidad de la espalda.*

Las actividades de lanzar-coger usando una pelota de baloncesto o una pelota medicinal aumentarán el desafío al sistema estabilizador. La intención es alinear la columna lumbar de manera óptima mientras se equilibra en la superficie móvil. Al coger la pelota, el paciente, debe mantener el alineamiento de la columna a pesar de la plataforma de movimiento. Enséñele a aumentar la velocidad de los ejercicios cuando vaya mejorando.

RESUMEN

- Una vez los individuos hayan conseguido la estabilidad básica gracias a los ejercicios de los capítulos previos, pueden empezar a desarrollar una mejor estabilidad y a entrenar la espalda para hacer deporte o para los esfuerzos del trabajo diario utilizando los ejercicios avanzados de este capítulo.
- Los ejercicios avanzados de estabilidad, con movimientos de las extremidades sobre un tronco estable, incrementan de manera importante la capacidad de un individuo de mantener la estabilidad automáticamente, de manera inconsciente.
- Los ejercicios con fitballs también ayudan a desarrollar la estabilidad automática y ayudarán a desarrollar músculos que los ejercicios previos, más básicos, que a lo mejor no han trabajado.
- Los ejercicios propioceptivos pueden ser muy útiles para el entrenamiento de los reflejos de los pacientes para mantener automáticamente (inconscientemente) la columna estable.

CAPÍTULO 9

MÁS EJERCICIOS AVANZADOS PARA CONSEGUIR UNA MEJOR ESTABILIDAD DE LA ESPALDA

ENTRENAMIENTO DE PESAS Y PLIOMÉTRICO

Si el objetivo es simplemente conseguir desarrollar una estabilidad adecuada para la espalda, no es necesario un equipo especial. Las personas con lesiones deportivas o con lesiones de trabajo, sin embargo, necesitan fortalecer las extremidades además de estabilizar la espalda para completar su rehabilitación, especialmente si van a volver a realizar las tareas de levantamientos en el trabajo o en las actividades deportivas que practica, en las que el cuerpo trabaja contra resistencias.

El entrenamiento de pesas tiene varias ventajas importantes para aquellos con problemas de lumbalgias. Primero, puede incrementar la fuerza de las extremidades que algunas personas necesitan. Segundo, puede mejorar la fuerza/estabilidad de los músculos del tronco hasta el nivel que se necesite en algunos deportes, especialmente en los deportes de contacto, donde la fuerza abdominal puede tener una función protectora de los órganos internos. Finalmente el entrenamiento de pesas puede ayudar a prevenir lesiones de espalda.

Cuando utilizamos el entrenamiento de pesas para la estabilidad de espalda, estamos fortaleciendo los músculos sobre una base ya estable. El entrenamiento de pesas es apropiado sólo para los individuos que ya han reeducado y desarrollado resistencia en los músculos estabilizadores. El entrenamien-to de pesas lleva el proceso más allá, añadiendo mayor resistencia para fortalecer los músculos y para desafiar el mismo sistema de estabilidad. Los músculos que trabajaremos son los del tronco, los músculos de las extremidades que se insertan al tronco, y los músculos de las extremidades que proporcionan fuerza para los levantamientos.

Los ejercicios pliométricos pueden también mejorar la fuerza y la estabilidad, con el beneficio añadido del entrenamiento para mejorar el tiempo de reacción muscular. Los pacientes pueden utilizar los pliométricos en lugar del entrenamiento de pesas si quieren, aunque sugiero una combinación de ambos si no tienen tiempo. Necesitan una buena estabilidad antes de empezar cualquier clase de entrenamiento, pero ya que la velocidad de los movimientos en los ejercicios pliométricos es mucho mayor que el entrenamiento básico de pesas, los pacientes necesitarán una mejor estabilidad para empezar los pliométricos que para empezar las pesas con máquinas.

PUNTO CLAVE

El entrenamiento de pesas o los ejercicios pliométricos para adquirir una mayor estabilidad son apropiados solamente para aquellos que ya han desarrollado una buena estabilidad de espalda, realizando los ejercicios descritos anteriormente en este libro.

ENTRENAMIENTO DE PESAS

Ponga énfasis en decirles a sus pacientes que el entrenamiento de pesas que les está dando es parte del programa de estabilidad de espalda, y por lo tanto las actividades pueden ser de alguna manera diferentes de aquellas que puedan ver que otra gente realiza en la sala de pesas. Asegúrese de que entienden que deben seguir las instrucciones, resistiendo la tentación de imitar los ejercicios que hace la otra gente.

Antes de empezar

Antes de introducir cualquiera de los ejercicios de entrenamiento de pesas, dé a sus pacientes las siguientes instrucciones: (1) Deben mantener siempre la columna alineada correctamente y la columna lumbar en posición neutral. (2) Deben realizar el ahuecamiento abdominal para tensar los músculos estabilizadores y proporcionar una base estable sobre la cual las extremidades se puedan mover. (3) Deberían espirar cuando levantan la pesa, más que aguantar la respiración, y deben tener cuidado de que las respiraciones profundas no conduzcan a la hiperventilación y al mareo asociado a esta hiperventilación.

El entrenamiento de pesas involucra tres tipos de trabajo muscular. El peso se levanta a través de una acción muscular **concéntrica**, se aguanta con una acción **isométrica** y se baja bajo control en una acción **excéntrica**. Sus pacientes deberían utilizar las tres fases. Recuérdeles que la práctica común de levantar y bajar pesas rápidamente minimiza las acciones isométricas, que son ambas vitales para el trabajo de estabilidad. La proporción de levantar en una cuenta de 3,

aguantar una cuenta de 2, y bajarlo en una cuenta de 4 pondrá énfasis en cada tipo de trabajo muscular.

Sus pacientes deberían sentirse más bien cómodos con estos ejercicios que excesivamente preocupados. El ritmo de respiración aumentará, pero deberían ser capaces de hablar normalmente en todo momento –si están luchando para respirar, la intensidad del ejercicio es demasiado alta para la rehabilitación y debería parar el ejercicio–. Los individuos pueden sudar ligeramente y pueden experimentar un leve enrojecimiento/oscurecimiento de la piel; pero una coloración excesivamente roja y un abultamiento de las venas de la cara y del cuellos son indicadores de que la intensidad del ejercicio es demasiado alta y se debería parar el ejercicio. Intente que un terapeuta o un entrenador supervise a sus pacientes durante las etapas iniciales del entrenamiento de pesas, hasta que las dos partes estén seguras de que la técnica de los ejercicios es correcta.

Inspección de seguridad

Todo equipo de ejercicios tiene riesgos que deben ser minimizados (ver más abajo «Lista de inspección de seguridad para el entrenamiento de pesas»). Los riesgos se pueden clasificar en dos categorías: aquellas asociadas a los desplazamientos de la maquinaria y aquellas asociadas con la acción misma del levantamiento. Aquí tiene las reglas que debería explicar a sus pacientes, y las explicaciones que les debería dar de porqué las reglas son importantes:

- **Controlar las pesas**. Mover las pesas conlleva un momento considerable. A menos que las pesas se tengan siempre bajo control a lo largo de toda la amplitud del movimiento, hay un riesgo considerable para las articulaciones y los tejidos corporales. Cuando una extremidad alcanza el límite de la amplitud de movimiento, los ligamentos y los músculos de alrededor se tensan y limitan más el movimiento. Los movimientos que son demasiado rápidos conllevan una pérdida de control –la articulación para al final de la amplitud del movimiento, pero la inercia del peso fuerza la articulación más allá, tirando de los tejidos tensos que sirven de soporte, provocando **traumas graves** o lesiones por sobreutilización–. Con una lesión traumática, los tejidos se rompen y pierden la función (los deportistas a veces notan cómo la parte del cuerpo se «desgarra» o «cede»). El resultado es una inflamación y sangrar. Las lesiones por **sobreutilización** son más insidiosas. Los tejidos sufren mi-crotraumas, ya que son estirados continuamente más allá de lo que su amplitud normal les permite. El resultado es una inflamación de poca importancia que en algunos casos puede llevar a la formación de cicatrices, y en otros puede desgarrar el tendón del hueso. Cuando pasa esto, la membrana del hueso (el periostio) se puede levantar y el área se puede calcificar, dando una apariencia nublada en una radiografía. En cualquier caso, el mensaje es claro: cuando se utilizan aparatos de entrenamiento de pesas, sus pacientes han de procurar que siempre utilicen las pesas de manera controlada.

PUNTO CLAVE

Cuando utilice un equipo de entrenamiento de pesas, su paciente debe moverlas de manera lenta y controlada. Luego dígales «asegúrese que controle el peso; no deje que el peso le controle a usted».

Lista de seguridad para el entrenamiento de pesas

- Siempre calentar antes de entrenar.
- Comprobar la máquina antes de utilizarla.
- Preparar la máquina para que esté adecuada a su altura y peso.
- Recogerse el pelo largo y tener cuidado con la ropa holgada.
- Quitarse las joyas.
- Llevar puesto calzado adecuado –¡sandalias no!–.
- Utilizar la técnica correcta del ejercicio y mantener el peso bajo control.
- Fijarse en su alineamiento corporal, mantener la columna estable, neutral.
- Mantener el ahuecamiento abdominal durante los ejercicios.
- Tener en cuenta el cuidado de la espalda, levantar las pesas correctamente.
- Entrene siempre dentro de sus limitaciones.
- Nunca se debe entrenar cuando se tiene una lesión –ver un fisioterapeuta–.

Adaptado, con la autorización de C. M. Norris, 1995, **Weight training: Principles and practice** (Londres: A & C Black).

• **Llevar puesta la ropa apropiada**. Aunque la mayoría de las máquinas tienen protecciones, los dedos y especialmente el pelo y ropa se suelen enganchar en la máquina con resultados desagradables. Enseñe a sus pacientes a recogerse el pelo cuando hagan pesas y que la ropa holgada esté alejada de las máquinas. Deberían sacarse los relojes, anillos grandes y las alhajas que cuelguen. Se deberían utilizar unas buenas zapatillas deportivas para proteger los pies –el gimnasio no es sitio para calzado de playa o para sandalias–. Los pies se pueden golpear contra la pesas y éstas se pueden caer en los pies. Además de proporcionar un buen alineamiento a las extremidades inferiores, las zapatillas deportivas ofrecen una primera línea de defensa contra las lesiones de pie.

• **Ajuste el equipo**. La mayoría de las buenas máquinas de pesas permiten a los usuarios ajustar la unidad al tamaño y forma de los cuerpos. Asegúrese de que la máquina está lista antes de utilizarla y de que el usuario sepa exactamente cómo funciona la máquina antes de empezar el ejercicio.

• **Conozca sus límites**. Recuerde a sus pacientes que no deben entrenar en el extremo de sus límites. Un viejo dicho dice «nunca sacrifiques la técnica por el peso». Levantar un peso que es demasiado pesado puede perjudicar a la técnica y al alineamiento y aumentar el riesgo de lesión.

• **Escuche a su cuerpo**. Los pacientes no deben entrenar con una lesión a menos que estén siguiendo un programa de rehabilitación estructurado. La clave está en escuchar al cuerpo, especialmente al dolor. Nunca permita que un individuo realice un ejercicio en el que le vaya aumentando el dolor. Si le duele un movimiento y continúa haciéndolo lentamente, el dolor puede disminuir –en tal caso la persona padece rigidez muscular que está suelta–. Si el dolor aumenta, el movimiento debería parar. Cuidado: recuerde que algunas acciones rápidas, repetidas, pueden «reducir» el dolor simplemente debido a que el ejercicio duele más que la lesión. Avise a sus pacientes de esta posibilidad y recuérdeles que tienen que parar inmediatamente estos movimientos si tienen solamente la ligera sospecha de que hay algún efecto enmascarador.

> **PUNTO CLAVE**
>
> Nunca realice ejercicios con dolor.

Ejercicios con máquina

Los ejercicios con máquinas tienen una gran ventaja y es que normalmente permiten movimientos sólo en un plano y, por lo tanto, son fáciles de coordinar (las poleas son una excepción, porque permiten el movimiento en los tres planos, requieren de una coordinación más compleja). Haga que sus pacientes utilicen el método de «entrenamiento de la pirámide» con una resistencia baja para las primeras repeticiones para preparar los músculos para una carga mayor. Deberían realizar generalmente repeticiones lentas para hacer el movimiento exacto, y con resistencias bajas para poder desarrollar resistencia. Obviamente, tiene que hacer todos los ejercicios utilizando ambos lados del cuerpo, el izquierdo y el derecho –deben simplemente invertir la acción como si estuvieran delante de un espejo para cualquier ejercicio de un lado descritos en la siguiente sección–.

Una vez que sus pacientes dominen los movimientos básicos para cualquiera de estos ejercicios, utilizando pesas bastante ligeras, prescriba un programa progresivo parecido al que viene a continuación, teniendo en cuenta las necesidades individuales de cada paciente: para cada máquina determine el peso en el que los pacientes puedan hacer 15 repeticiones completas y aún tengan suficiente energía para hacer 3 ó 4 repeticiones más antes de quedar exhaustos. Prescriba 12-15 repeticiones por cada sesión de ejercicios, tres sesiones por semana, dejando al menos un día entre sesiones. Al cabo de dos semanas, puede aumentar el peso, otra vez de acuerdo a lo que sean capaces de levantar haciendo 15 repeticiones completas sin quedar exhaustos. Deje que los pacientes sigan este programa 12-15 repeticiones por sesión, tres sesiones por semana, durante un periodo de al menos 16 semanas, sin aumentar nunca el peso hasta el punto en que puedan hacer 15 repeticiones y aún poder hacer unas cuantas más. Recuerde, éste no es un programa para desarrollar cuerpos fotogénicos, es un programa diseñado para mejorar aún más la estabilidad de la espalda y ayudar a prevenir futuros problemas.

Puede prescribir números más altos de repeticiones (20-25) para aumentar la resistencia muscular más que la fuerza, aunque 12-15 repeticiones generarán un aumento en fortaleza y resistencia muscular con una mínima carga articular. Esto es relevante para los pacientes a los que las condiciones clínicas impidan manejar pesas mayores. Las personas con una presión sanguínea alta u osteoporosis severa, por ejemplo, puede que necesiten un número más alto de repeticiones con muy poca resistencia. Este tipo de sesiones ayudarán a sus pacientes a aprender el movimiento adecuado sin sobrecargar las articulaciones.

El peso que sus pacientes levanten debería **sentirse** siempre cómodo y ligeramente desafiante para ellos. Si un peso se siente demasiado pesado, conducirá a una mala técnica al realizar el ejercicio, y el alineamiento corporal sufrirá. Si ve que esto pasa, **reduzca el peso.**

Jalón trasnuca/al pecho

OBJETIVO *Fortalecer el dorsal largo (el cual tensa la fascia toracolumbar, un componente esencial de la estabilización).*

Para hacer el jalón trasnuca/al pecho, uno puede bajar la barra tanto detrás de la espalda como hacia el pecho. Se pueden hacer cualquiera de los dos movimientos, ambos tienen ventajas y desventajas. Bajar la barra hacia atrás del cuello incrementará la movilidad del hombro del paciente, ya que esta posición requiere de un mayor grado de rotación externa sobre el hombro que el hecho de bajar la barra al pecho. Debido a que la rotación externa está a menudo limitada, ésta es una manera conveniente para el entrenamiento de la movilidad. Recuerde, sin embargo, que la séptima vértebra tiene una apófisis espinosa muy prominente (el punto en el que hueso empuja hacia fuera a través de la piel), y que sus pacientes deben tener cuidado de no golpear este punto con la barra. Para reducir el riesgo de que

continúa

Jalón trasnuca/al pecho, continuación

esto pase, los sujetos deberían bajar la barra unos 5-8 cm por detrás de la cabeza antes que dejar que roce el pelo. De esta manera, la barra no chocará con la columna cervical y bajará hasta tocar los hombros. Los sujetos que no sean capaces de adoptar esta posición deberían llevar la barra hacia la parte superior del pecho. La acción es un tirar suave hacia abajo, llevando la barra (en el primer caso) detrás del cuello y a la altura de los hombros. La cabeza se debería inclinar hacia adelante ligeramente, y la barra no debe golpear las vértebras cervicales, sino que debe descansar sobre las fibras del trapecio. La acción del descenso del peso tira de la barra hacia arriba. Enseñe a su paciente que no deje que el peso se pare al final de movimiento, así esta tracción útil se mantendrá en el dorsal largo y en la fascia toracolumbar.

Bajar la barra delante del cuerpo hasta el esternón reduce la amplitud de la rotación externa y la extensión en el hombro. Es especialmente útil para los individuos menos flexibles y para aquellos con un historial de subluxaciones o dislocaciones de hombro. Aunque puede permitir que sus pacientes utilicen la manera de sujetar la barra que les parezca más cómoda –de manera amplia, estrecha, prona, supina o en posición media– tenga en cuenta: utilizando sujeción estrecha de una barra de ancho estándar o una **box frame** (con los codos en posición prona o media) dejará que los codos pasen cerca de los lados del cuerpo al ir bajando la barra; y, de acuerdo con Weider (1989), mantener los codos pegados espesará más que ampliará el dorsal largo. Utilizando una sujeción en supinación reduce el énfasis en el dorsal largo y lo pone en el bíceps braquial.

Cruce con polea

OBJETIVO *Fortalecer el dorsal largo y el pectoral mayor.*

El movimiento empieza con ambos brazos separados. Con los pies separados, un poco más que el ancho de los hombros. La acción es espirar y llevar las dos manos a una aducción hacia los lados del cuerpo. Un enfoque alternativo es tirar con los brazos hacia delante cruzando el pecho –esta técnica aumenta el recorrido de la aducción y pone más énfasis en el pectoral mayor–. El codo debe estar ligeramente flexionado a lo largo de todo el ejercicio, para reducir el estrés sobre la articulación del codo.

Extensión de espalda (máquina)

OBJETIVO *Fortalecer el músculo erector de la espina dorsal (todo su recorrido).*

La máquina de extensión de la espalda puede ayudar a la rehabilitación y fortalecimiento de los extensores de la espalda, pero puede provocar problemas si se hace con una técnica defectuosa. Necesita una supervisión exhaustiva. Deje que su paciente utilice esta máquina sólo después de que ya dominen la «acción de bisagra de la cadera» y el movimiento de «inclinación pélvica» (ambos del capítulo 4). Haga que su paciente ajuste la máquina para que así esté alineada con el eje de la articulación de la cadera. El movimiento empieza con una retroversión de la pelvis, desplazando el punto de contacto con el asiento desde la tuberosidad isquial hasta el sacro. La acción es mover la pelvis sobre los fémures quietos, con la espalda estable e inmóvil a través de toda la parte inicial del movimiento. Sólo cuando empiece la segunda parte del movimiento la columna debería realizar una extensión.

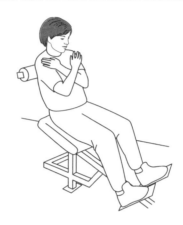

Extensión de espalda (frame)

OBJETIVO *Fortalecer el músculo erector de la espina dorsal (amplitud limitada).*

El frame de hiperextensión de espalda es útil en las primeras etapas y en las etapas más avanzadas del entrenamiento, pero puede ser peligroso si se hace incorrectamente. La posición del ejercicio es parecida a la de superman (páginas 193). Una supervisión de calidad es vital para este ejercicio. Asegúrese doblemente de que el paciente mantiene la posición neutral durante todo el tiempo a lo largo de todo el ejercicio y que realiza el ahuecamiento abdominal. Coloque un banco o un taburete delante de la máquina, al nivel de los hombros del paciente. Éste debería colocar las manos sobre el banco en una posición de hacer flexiones, con las piernas trabadas en las almohadillas de la máquina. El paciente levanta primero una mano y luego las dos del banco, colocando los brazos a los lados. Dígale que haga esta acción diez veces, poniendo los brazos en el taburete entre cada movimiento.

Una vez que pueda hacer esta acción de manera controlada, añada la extensión de la columna. Debería empezar en la posición neutral (con o sin la ayuda del banco), hacer la extensión, levantando los hombros sólo unos 5-8 cm por encima de la cadera, luego volver a la posición neutral y finalmente a la posición de flexión. Evite la extensión completa, para reducir la carga en las carillas articulares de la columna lumbar.

Vea que esta acción puede lesionar a un individuo con una deficiente estabilidad de espalda. Al comienzo del movimiento, si los músculos abdominales están relajados, la pelvis se inclinará anterior-

continúa

Extensión de espalda (frame), continuación

mente y la columna lumbar estará en hiperextensión, comprimiendo las carillas articulares sin una presión intraabdominal suficiente para reducir la carga. Una buena estabilidad de espalda y un buen control del alineamiento son unos prerrequisitos esenciales para hacer este ejercicio.

Remo sentado

OBJETIVO *Fortalecer los retractores escapulares (el trapecio medio, el trapecio inferior, el serrato mayor) y los extensores glenohumerales (tríceps) de ambos lados.*

Enseñe a su paciente a hacer este ejercicio con las rodillas flexionadas, para así relajar los isquiotibiales y permitir que la pelvis se incline hacia delante suficientemente para que la columna lumbar permanezca en posición neutral. La acción es una extensión de la parte superior de los brazos, manteniendo los codos pegados a los lados. La escápula debería hacer una aducción, y la columna torácica debería extenderse como en la acción de elevación esternal (capítulo 7). Cuando se baje el peso, no deje que lleve la columna torácica hacia la flexión.

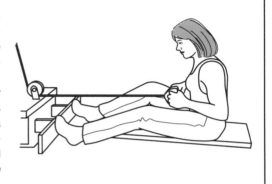

Tirón dorsal con polea

OBJETIVO *Fortalecer los retractores escapulares y los extensores del hombro (como en el remo sentado), unilateralmente.*

Debido a que este ejercicio combina la extensión y la rotación de la espalda con la extensión del hombro, ofrece un reto importante para el sistema estabilizador de la espalda. Haga que su paciente se coloque en posición con las piernas abiertas y con la de delante semiflexionada y a la izquierda de la polea, con el pie izquierdo adelantado y con el asa de la polea cogida con la mano derecha. Debería colocar la mano izquierda sobre la rodilla izquierda, para que le sirva de soporte y así inclinar el cuerpo hacia delante (el tronco sobre la cadera) a 45°. Luego debe tirar de la polea con el brazo hacia el hombro y, al acercarse el asa hacia el pecho, deber rotar ligeramente el

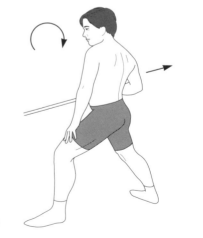

a

continúa

Tirón dorsal con polea, continuación

tronco hacia la derecha y extender la columna torácica (a) (la acción de elevación esternal, ver capítulo 7). Haciendo ejercicio con la polea en una
posición media (al nivel medio de la espinilla) requiere que la persona se incline ligeramente, aumentando la carga en los extensores de la
columna (b). Esto es adecuado sólo cuando el alineamiento es bueno y el individuo puede mantener la columna recta a través de toda la acción.
Colocar la polea a la altura de la cintura anula la
exigencia de inclinarse hacia delante, retirando la
carga de los extensores de la columna y reduciendo el brazo de palanca sobre la columna. Utilice la posición de la polea a la altura de la cintura
si su paciente tiene un alineamiento deficiente.

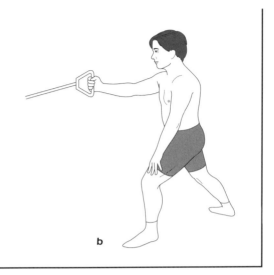

b

Rotación espinal con polea baja

OBJETIVO *Fortalecer los abdominales oblicuos.*

Se pueden hacer los ejercicios de rotación de la columna estirado, sentado o de pie. Para hacer el ejercicio **estirado** (a), haga que su paciente se ponga en
una posición estirada encorvada perpendicular a la dirección de la que debe tirar, flexionando la pierna cerca de la polea. Fije el cable de la polea a la rodilla
flexionada con una correa. La acción es rotar la columna para que la pierna flexionada pase por encima
de la pierna estirada del suelo.

En la posición **sentada** (b), el paciente debe sentarse en
un banco, encarado perpendicularmente a la polea, con
su lado izquierdo separado unos 50 cm. de la polea. Debe flexionar el brazo 90° en el codo, aguantándolo cru-
zado delante del cuerpo. La acción es rotar el tronco
hacia la derecha, manteniendo la cadera y las piernas, y
con brazo inmóvil para que así el peso de la polea se levante solo con el tronco.

El ejercicio **de pie** vertical es parecido al sentado. Debe
ajustar la polea al nivel del codo y tiene que flexionar el
brazo cruzando el cuerpo, con los pies separados para
tener una base de soporte amplia.

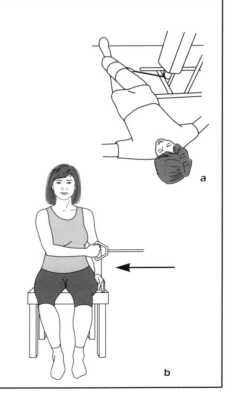

a

b

Máquina de torsión de tronco

OBJETIVO *Fortalecer los abdominales oblicuos evitando llegar hasta el final de la amplitud del movimiento.*

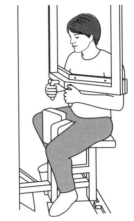

Coloque la fijación de la máquina en la posición que le permita una rotación completa sin que se sobreestire la columna. Si la rotación es dolorosa o la amplitud está limitada, ponga la fijación de la máquina de manera que evite llegar a la posición de dolor. La acción es de una suave rotación hacia una amplitud muscular interna máxima. Haga que su paciente aguante la posición y que la deje, evitando la tentación de dejar caer el peso rápidamente y girar la máquina. Recoloque la máquina para realizar la rotación hacia el lado contrario, recordando que la amplitud y la fuerza no son necesariamente simétricas.

Recuerde también que la posición de amplitud interna, hasta la que los músculos de un individuo pueden llevarle (amplitud interna **fisiológica**) es generalmente menor que la de la amplitud interna máxima a la que se puede llevar pasivamente (amplitud interna **anatómica**). Siempre que el movimiento sea suave y no demasiado rápido, el paciente no tiene ningún riesgo de sobreestresar las carillas articulares de la columna durante el ejercicio. Si el movimiento es demasiado rápido, sin embargo, el movimiento de la máquina puede llevar a la columna más allá de la amplitud interna fisiológica y hacia la amplitud interna anatómica, cargado las carillas articulares innecesariamente.

Máquinas de abdominales

OBJETIVO *Fortalecer el recto mayor.*

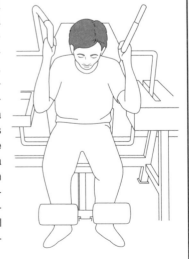

Hay muchas máquinas disponibles en el mercado, pero la mayoría proporcionan resistencia a la presión del tronco, acentuando la porción supraumbilical del recto mayor. Algunas ofrecen una resistencia adicional para los flexores de la cadera haciendo que también trabaje la porción infraumbilical de recto mayor. Si es posible, alinee el eje de giro de la máquina con el centro de la porción inferior de la columna lumbar antes que alinearlo con la cadera. Es importante que el recto mayor no se abulte o se arquee durante la acción, pero el ahuecamiento abdominal (que se hace en todos los ejercicios) aliviará el problema potencial. Haga que el paciente coja los brazos de la máquina, manteniendo los codos pegados a lo largo de toda la acción. Enseñe a su paciente a hacer la acción de «encorvarse», manteniendo la espalda en el respaldo y evitando la tendencia a inclinarse hacía adelante. El movimiento empieza tirando el esternón hacia abajo más que hacia delante. El componente excéntrico del movimiento es importante, por lo tanto el descenso del peso tiene que ser lento y controlado.

Flexión de tronco con polea alta (reverencias)

OBJETIVO *Fortalecer el recto mayor.*

Enseñe a su paciente a arrodillarse (con dos puntos de apoyo) o a sentarse, con la espalda hacia la máquina, con ambas manos detrás o delante del cuello (cualquier de las dos es correcta –el paciente debe escoger la posición más cómoda–). Debería bajar hasta que se tense el cable de la máquina. La acción es flexionar el tronco solamente, no que el tronco se flexione sobre la cadera («acción de bisagra de la cadera»), que la cabeza señale abajo hacia las rodillas no hacia delante de las rodillas. La acción debe ser lenta y controlada. El movimiento es muy pequeño, así que es esencial que el cable de la máquina esté tenso antes de empezar el movimiento.

Ejercicios con pesas libres

En el contexto del programa de estabilidad de la espalda, las pesas libres son solamente para la gente que el cuerpo le demanda fuerza y velocidad, generalmente, individuos que hacen levantamientos manuales medios o pesados en su trabajo, o que están dentro de deportes con gran demanda física. Las pesas libres son también de ayuda en las últimas etapas de la rehabilitación por la complejidad técnica que conlleva su práctica (comparada con las máquinas).

Es mejor si, antes de empezar esta etapa, sus pacientes dominan los ejercicios de las máquinas que acabo de describir, como también aquellos ejercicios que ayudan a desarrollar la fuerza necesaria para estos movimientos más complejos con pesas libres. Deben hacer los ejercicios de esta sección solamente bajo estricta supervisión hasta que hayan perfeccionado las acciones. Hay que tener especialmente en cuenta los pacientes jóvenes de menos de 18 años y los de más de 60 años, debido a que su estructura esquelética y articular son generalmente más propensos a las lesiones que otras personas. Estos individuos deberían ejercitarse solamente bajo supervisión de un fisioterapeuta o un entrenador personal que esté especializado en preparar esta clase de grupos.

•PUNTO CLAVE

Los sujetos deben mostrar una buena estabilidad, control segmental y un buen alineamiento corporal antes de empezar esta etapa final de los ejercicios de rehabilitación.

Preocupaciones especiales respecto a las pesas libres

Debido a que los ejercicios de pesas libres combinan la velocidad y el peso, exponen al cuerpo a altos niveles de **momento** (el producto entre la masa x la velocidad). Es fácil para un brazo que se mueve rápidamente mientras sostiene un lápiz en la mano; pero un brazo moviéndose a la misma velocidad con un peso de 9 kg en la mano puede acabar con tejidos rotos si el movimiento no está controlado. Es importante que los clientes orientados al deporte –tanto si desplazan objetos como por ejemplo raquetas, o mueven el cuerpo rápidamente– aprendan a controlar el momento de fuerza. Lo mismo es verdad para pacientes involucrados en mover o levantar objetos pesados en su trabajo.

Antes de permitir que los individuos empiecen a hacer ejercicios con pesas libres, establezca los siguientes prerrequisitos y reglas básicas:

- Sus pacientes deben tener una **buena estabilidad y un buen alineamiento**. Deben ser capaces de mantener la columna es posición neutral contra resistencias en las extremidades, como demuestra una buena realización del ejercicio de deslizamiento del talón (capítulo 8, página 174). Deben ser capaces de mantener un buen alineamiento a lo largo de todo el programa de entrenamiento de pesas libres, manteniendo la columna lumbar en posición neutral o al menos casi en esta posición durante todo momento –la columna torácica debe estar en posición óptima en cada paciente, con los hombros atrás cómodamente (pero no de manera rígida) y con la barbilla hacia adentro–.
- Deben tener una **buena resistencia en los ejercicios de estabilidad**. Deberían ser capaces de realizar 10 repeticiones de cada ejercicio del capítulo 4, aguantando cada repetición durante 10 segundos.
- Deberían **dominar todos los ejercicios de las máquinas de pesas** de las secciones de este capítulo.
- Tienen que **calentar y estirar a fondo antes de cada sesión de pesas**. Prime-

ro, deberían hacer ejercicios suaves (cinta de correr, bicicleta estática, etc.) justo hasta que empiecen a sudar. Segundo, deberían hacer unos ejercicios de estiramientos amplios que lleven cada articulación importante (cadera, rodilla, hombros y columna) a su máxima amplitud articular. Tercero, deberían ensayar cada ejercicio haciéndolo primero con poco peso antes de añadir más resistencia.

- Deben **estirar adecuadamente después** de cada sesión de pesas.
- Al principio, un **entrenador cualificado** debería supervisar todos los ejercicios de pesas libres, hasta que el paciente y el monitor estén satisfechos con la buena técnica del ejercicio.
- En el contexto del programa de estabilidad de espalda, su paciente debería hacer todos lo ejercicios de pesas libres **progresivamente.** Primero utilizando pesas ligeras, después descansando durante un periodo de tiempo, luego progresando a pesas de peso medio, otro periodo de descanso y finalmente con pesas pesadas.
- Los ejercicios de pesas libres como parte del programa de estabilidad **no son competitivos**; la intención de éstos es desarrollar progresivamente las capacidades de sus pacientes para realizar un ejercicio contra una resistencia a cierta velocidad. Los pacientes no deberían competir con otras personas para ver quién levanta más peso.

Ejercicios básicos de pesas libres

Para obtener los mejores resultados, haga que sus pacientes pasen por todos los ejercicios siguientes en una sola sesión. Estos ejercicios son apropiados para la mayoría de los individuos que cumplen con los requerimientos preliminares que se acaban de describir. Todos los movimientos deben hacerse lentamente y bien controlados. En la siguiente sección, describo ejercicios más avanzados para la gente que necesita una gran cantidad de «fuerza explosiva».

Recuerde que los ejercicios se diseñan para desarrollar una fuerza adecuada, no para abultar. Diríjase a Baechle (1994) para descripciones más detalladas de los puntos de enseñanza para estos ejercicios. Debido a que los ejercicios de pesas libres necesitan más equilibrio y coordinación que los ejercicios de las máquinas, se debería utilizar menos peso. Prescriba sobre 10-12 repeticiones para cada ejercicio, utilizando un peso que sea cómodo para este número de repeticiones (por ejemplo, si el individuo puede hacer 20 repeticiones, el peso es demasiado poco; si puede hacer sólo 5 repeticiones, es demasiado pesado). Para cada ejercicio, su paciente debería hacer 2 ó 3 sets de 10-12 repeticiones: utilice un peso moderado (a lo mejor la mitad del peso final) para el primer set, tres cuartos del peso final para el segundo set y todo el peso solamente durante el tercer set. De esta manera, los músculos se

acostumbran gradualmente a manejar el peso. Sus pacientes deberían descansar después de cada set hasta que la respiración y el corazón vuelvan a la normalidad –nunca deje que empiece un nuevo set mientras el corazón todavía bombea con fuerza o que aún no hayan recuperado el aliento–. Explique a los pacientes más impetuosos que este tipo de entrenamiento está diseñado para «animar» la adaptación a la fuerza, no para «forzarla». El entrenamiento debería ser lento y controlado, más que rápido y con fuerza.

Prescriba 2 ó 3 sets para cada ejercicio, tres sesiones por semana dejando un día de descanso entre sesiones. Después de dos semanas, puede aumentar el peso, otra vez de acuerdo con cuanto pueda levantar cómodamente. Déjeles que sigan este programa –2 ó 3 sets de 10-12 repeticiones, tres sesiones por semana– durante un periodo de al menos 16 semanas, sin aumentar nunca el peso hasta el punto en que se sientan exhaustos.

Recuerde que los ejercicios descritos solamente de un lado se deben hacer en ambos lados, y que las instrucciones para el lado no descrito, por supuesto, son la imagen contraria de las instrucciones dadas.

Press dorsal

OBJETIVO *Fortalecer los retractores del hombro y aumentar la extensión de la columna torácica (corregir la postura cifótica).*

Enseñe a su paciente a estirarse de decúbito prono en un banco de pesas, con una barra ligera (sobre unos 10-15 kg) debajo del banco. Debe coger la barra el ancho de los brazos y luego levantarla hasta que toque la parte inferior del banco. Puede tener los codos pegados al cuerpo o con los brazos aducidos 90°. La posición con los codos pegados hace trabajar más el dorsal largo, mientras que la posición con los codos abiertos hace trabajar más a la porción posterior del deltoides y los estabilizadores escapulares.

Remo a un brazo con mancuernas

OBJETIVO *Ayudar a corregir la asimetría entre los músculos retractores de los hombros (el trapecio medio e inferior y el serrato mayor).*

Puede reconocer la asimetría por la incapacidad del paciente de levantar el mismo peso, o de realizar el mismo número de repeticiones, con cada brazo. Haga que su paciente se coloque en una posición de semiarrodillado encima de un banco, con su brazo derecho y con la rodilla derecha en el banco y con la pierna izquierda estirada con el pie izquierdo en el suelo. Debe coger una mancuerna (de un peso que se sienta cómodo) con su mano izquierda, luego levantarla hacia él, rozando el costado del cuerpo con el codo. Debería parar el movimiento cuando la mancuerna se acerque al pecho. Al extender el brazo, la escápula se aduce; debería mantener la posición amplitud interna durante 2-3 segundos antes de bajar la pesa.

Buenos días

OBJETIVO *Trabajar los extensores espinales estáticamente y los extensores de la cadera de forma dinámica.*

Ésta es básicamente una «acción de bisagra de cadera» (hay diferentes variaciones en el capítulo 4) hecha con un peso. Enseñe a su paciente a estar de pie vertical con los pies separados un poco más de la anchura de los hombros. Las rodillas deberían estar sin bloquear para relajar los isquiotibiales ligeramente y permitir la inclinación pélvica. Con una barra (unos 10 kg) encima de los hombros, debería inclinar la pelvis anteriormente (manteniendo siempre el alineamiento de la columna respecto a la pelvis) para que así el tronco se incline hacia delante hasta los 45°. Observe detenidamente para asegurarse de que el paciente no flexiona la columna, moviendo el eje de rotación desde la articulación de la cadera a un punto medio de la columna lumbar –esto estresa la columna considerablemente y aumenta la presión intradiscal suficientemente para causar lesiones importantes–.

Espalda recta

Sentadilla

OBJETIVO *Enseñar el alineamiento de la columna correcto y fortalecer los cuádriceps, isquiotibiales y glúteos.*

Haga que su paciente practique la forma y el movimiento correctos utilizando un palo de madera (por ejemplo, el palo de una escoba), hasta que haya perfeccionado la técnica. El comienzo debería ser entre un 10-30% del peso del cuerpo, dependiendo de la constitución de la persona –los pacientes más fuertes pueden utilizar más peso–. Enseñe a su paciente a utilizar la jaula de sentadilla, así puede coger la barra en posición erecta. Los pies deben estar separados la amplitud de los hombros y los pies abiertos ligeramente. Debería colocarse debajo de la barra, con las caderas directamente debajo de los hombros y coger la barra con las manos ligeramente más separadas que la anchura de los hombros, para colocarla sobre la parte trasera de los hombros (por encima del deltoides posterior y del trapecio). Tiene que hacer la acción de elevación esternal y estirar las piernas y levantar la barra del soporte –luego hacer un pequeño paso hacia atrás para sacar la barra del soporte–.
A lo largo del movimiento, el paciente tiene que mirar hacia arriba y mantener la columna prácticamente vertical. La acción es flexionar la cadera y las rodillas simultáneamente, manteniendo el peso de la barra por encima del centro del pie más que en los dedos. Enseñe a su paciente a bajar la barra controladamente hasta que los muslos estén paralelos al suelo. Después de un pequeña pausa en esta posición para equilibrarse (¡pero sin botar!), debe invertir la acción para levantar la barra. Debe observar a su paciente para asegurarse que el movimiento hacia arriba es controlado (no incrementa la velocidad hacia el final de la acción) y que las rodillas están por encima del pie en lugar de estar separadas o juntas. La tabla 9.1 nos enumera una serie de errores comunes asociados a la sentadilla.

Tabla 9.1. Errores comunes cuando se hace una sentadilla

Error	Modificación técnica
Las rodillas se van hacia adentro.	Los pies pueden estar realizando una pronación excesiva; considere el utilizar calzado con más soporte. Practique la flexión de rodillas encima de un banco delante de un espejo.

continúa

Sentadilla, continuación

Tabla 9.1. (Continuación)

Error	Modificación técnica
Las rodillas están por detrás de los pies a lo largo de todo el movimiento.	Compruebe si el alcance de la flexión dorsal en el tobillo está limitada y utilice un trozo de madera para colocarla debajo de los talones. Practique sentarse en un banco, empujando las rodillas hacia delante contra las manos del instructor.
El ángulo de la espalda con la vertical está demasiado inclinado hacia delante.	Debe empujar las rodillas hacia delante, e intentar mantener la columna alineada lo más vertical posible. Practique el movimiento de la sentadilla básica de costado delante de un espejo.
La columna se flexiona en la región torácica.	Asegúrese de que la extensión torácica adecuada se puede hacer, y practique el movimiento de elevación esternal aisladamente. Fortalezca los retractores de los hombros y estire los antepulsores de los hombros (página 165).
La anteversión pélvica es exagerada y la lordosis lumbar aumenta.	Fortalezca los músculos abdominales y mire si hay rigidez muscular en los flexores de la cadera (capítulo 7, páginas 150-155). Practique el aplanamiento de espalda (capítulo 7, página 154) contra la pared.
Elevación de talones.	Asegúrese de que el peso de la barra está en el centro del pie, no en los dedos. Mire si realiza una flexión dorsal del tobillo adecuada y coloque algo que le sirva de soporte debajo de los talones.
La barra cae de un lado.	Practique la sentadilla delante de un espejo y dibuje una línea horizontal en el espejo para alinear el reflejo de la barra.
Rebotar en la posición baja.	Haga la sentadilla encima de un banco o de un taburete, bajando gradualmente hacia la posición final.

Fondos con zancada

OBJETIVO *Ayuda a mejorar el alineamiento de la columna y la fuerza de las piernas, pero con menos compresión en la columna que con la sentadilla.*

La posición de inicio es con la barra sobre los hombros como en la posición de inicio de la sentadilla. Debido a que una pierna inicia el movimiento, se pone menos peso (menos de la mitad) que en una sentadilla –y por lo tanto se crea menos compresión en la columna–. Haga que su paciente se ponga de pie en posición vertical con los pies separados a la anchura de los hombros, con los pies señalando el final de un rectángulo imaginario en el suelo delante de él (la amplitud de los hombros es el an-

continúa

Fondos con zancada, continuación

cho y dos veces la amplitud de los hombros el largo). Como en la sentadilla, debería hacer una elevación esternal mientras mantiene el alineamiento de la columna. Enséñele a hacer un paso directamente hacia adelante con la pierna derecha (como si colocara el pie a lo largo del borde del rectángulo), luego que flexione las rodillas, así la rodilla de la pierna adelantada esconde el pie y la rodilla de la pierna retrasada va hacia el suelo, parando cuando esté a 5-10 cm del suelo. El costado de la rodilla retrasada debería estar entre 15-35 cm del borde interior del talón de la pierna adelantada. Para ponerse de pie otra vez, debe empujar la pierna adelantada, llevando el pie de nuevo a la posición de inicio de amplitud de los hombros.

El movimiento no se tiene que hacer «cayendo» hacia la posición baja o «saltando» hacia la posición vertical. A lo largo de todo el movimiento, el paciente debería mirar hacia arriba y adelante, y la barra tendría que permanecer horizontal.

Ejercicio de pesas libres para fuerza explosiva

Debido a las fuertes exigencias del trabajo o de las actividades deportivas extenuantes, algunos individuos necesitan un grado más alto de fuerza explosiva (por ejemplo, movimientos contra una resistencia [el peso] hechos velozmente [movimientos rápidos resistidos]).

Hay una gran variedad de ejercicios de pesas libres que pueden ayudar a desarrollar la fuerza explosiva en las etapas finales de un programa de estabilidad para deportes o para trabajos específicos. Para hacer estos ejercicios, sus pacientes deben haber progresado a través de todo el programa de estabilidad de espalda y tener un buen control segmental y un buen alineamiento de la columna. Deben dominar todos los ejercicios de máquinas y los ejercicios básicos de pesas libres de las secciones previas de este capítulo. Haga que los pacientes practiquen todos los ejercicios de fuerza explosiva utilizando un palo de madera.

Aunque aún debería prescribir 2 ó 3 series de 10-12 repeticiones, la primera serie debería ser con una barra vacía para asegurarse doblemente que la técnica es correcta y para entrenar los músculos para realizar el movimiento correcto. Su principal consejo para los sets posteriores debe ser el alineamiento de la columna más que la cantidad de peso que el paciente puede levantar cómodamente. Si se degrada el alineamiento, debe parar el ejercicio y reducir el peso, incluso si el paciente siente que el peso es «demasiado ligero». Recuerde: el objetivo aquí es la rehabilitación, no las pesas de manera competitiva o el culturismo.

PUNTO CLAVE

Para ejercicios avanzados de pesas libres, determine la cantidad de peso no de acuerdo a la cantidad de peso que la persona puede levantar, si no a cuánto la persona puede levantar y continuar manteniendo el alineamiento correcto de la columna.

Cargada desde media pierna

OBJETIVO *Etapa I del entrenamiento de explosividad.*

Haga que su paciente empiece con la barra (sosteniéndola con las manos en posición prona) descansando sobre la mitad de los muslos. Para este ejercicio tiene que alcanzarle la barra a su paciente, que estará ya en la posición básica ilustrada en el dibujo (a). Su cuerpo debería estar formando un ángulo hacia delante (30-45°) respecto a la cadera y la columna debe estar recta. Las rodillas y cadera deberían estar flexionadas, los tobillos en flexión dorsal. La acción se divide en dos fases: el **movimiento hacia arriba** y el **coger**. Durante el **movimiento hacia arriba**, haga que su paciente aguante el tronco erecto y que levante la barra de manera explosiva en una acción de «salto», extendiendo la cadera y la rodillas y haciendo una flexión plantar de los tobillos, los hombros empezarán a encogerse para continuar hacia arriba el camino de la barra (b).

Durante la fase de **coger**, que sigue a la fase de encogimiento de los hombros como un movimiento continuado, el paciente mantiene el movimiento hacia arriba flexionando los brazos. Los codos caen bajo la barra, forzando a las muñecas hacia la extensión para permitir a la barra descansar ahora en las palmas de las manos en posición horizontal (c). Los codos señalan directamente hacia delante y la barra descansa encima de la parte anterior de los hombros. Al tocar los hombros la barra, el sujeto debe flexionar la rodillas ligeramente y la cadera para absorber el choque y prevenir una sacudida súbita de la barra al cogerla encima de los hombros.

Enseñe a su paciente a bajar la barra hasta el suelo, primero simplemente invirtiendo las acciones anteriores. Se coloca debajo de la barra flexionando la rodillas ligeramente, luego deja que los codos caigan, con la barra siempre cerca del cuerpo mientras se baja. Las rodillas deberían flexionarse, así no se lleva al cuerpo hacia una flexión de la columna al acercarse la barra al suelo.

a

b

c

Cargada

OBJETIVO *Etapa II del entrenamiento de explosividad.*

La cargada es una progresión de la misma desde media pierna, con el paciente levantando ahora el peso desde el suelo más que de sus muslos. La barra descansa o sobre el suelo o sobre dos soportes de 25-50 cm de altura. Enseñe a su paciente a ponerse de pie vertical con los pies separados la amplitud de los hombros y las rodillas por dentro de los brazos, con los pies planos y abiertos ligeramente. Es importante en este ejercicio que la persona lleve puestas unas buenas zapatillas deportivas –preferiblemente una bota de levantamiento de pesas o una zapatilla de cross-training de bota alta, con unos talones anchos y estables–.

El paciente debe coger la barra con las manos separadas la anchura de los hombros, con los brazos rectos. Debería agacharse hasta que sus espinillas estén casi en contacto con la barra, con las rodillas por encima del centro del pie, los hombros encima de la barra o ligeramente delante (a). Un error común en este movimiento es acercarse demasiado a la barra flexionando la columna, utilizando tan sólo una flexión limitada de cadera y rodilla. Esto incrementa notablemente el estrés en la columna y se debe evitar. El levantamiento consiste en tres fases ininterrumpidas: (1) Enseñe a su paciente a extender las rodillas y a mover la cadera hacia delante como si levantara los hombros. Las espinillas tienen que mantenerse retrasadas (un error común que les sucede a los novatos es golpearse las rodillas con la barra), siempre manteniendo el alineamiento de la espalda. La línea del movimiento de la barra debe ser vertical, con los talones permaneciendo siempre en el suelo y con la barra pasando cerca del cuerpo (b). Los hombros deberían estar retrasados, por encima o ligeramente delante de la barra, y debería colocar la cabeza de manera que mire recto hacia delante o ligeramente hacia arriba. (2) Para la «recogida», debe llevar la cadera hacia delante, manteniendo los hombros por encima de la barra y los codos completamente extendidos. El tronco está casi vertical en esta etapa. (3) El ejercicio continúa aquí como si se hiciera una cargada desde media pierna, desde el movimiento hacia arriba y la fase de coger de este ejercicio (ver las ilustraciones, para la cargada desde media pierna, de la página anterior).

Las acciones son un movimiento continuo, sin pausas significativas entre secciones. Aunque la barra mantiene el momento, el paciente no debería perder nunca el control del movimiento. Debería bajar la barra de manera vertical, flexionando las rodillas para prevenir que la columna se flexione.

a   b   c

Peso muerto

OBJETIVO *Mejorar la fortaleza de la cadera y espalda, y añadir fuerza para los levantamientos.*

El ejercicio empieza con la barra en el suelo (los novatos pueden utilizar soportes bajos al principio, hasta que ganen control a lo largo de toda la amplitud del ejercicio). El paciente debería estar de pie con los pies planos en el suelo (los talones no se deben levantar) y separados a la anchura de los hombros, las rodillas dentro de los brazos, cogiendo la barra con las manos pronas y ligeramente más separadas que los hombros, con los codos señalando a los lados. (Algunos deportistas pueden utilizar una manera alternativa de coger, con un antebrazo en posición prona y el otro en posición supina, por ejemplo, con los nudillos mirando hacia abajo. Si su paciente encuentra que esta manera de coger es más cómoda, por supuesto deje que la utilice –sólo sugiera que alterne la mano que coloque en posición prona y la que coloque en posición supina–). Haga que se coloque la barra por encima de las puntas de los pies, casi tocando las espinillas, con los hombros por encima o ligeramente adelantados con respecto a la barra y con la columna alineada en su posición neutral (a).

El movimiento empieza extendiendo las rodillas y llevando las caderas hacia adelante. Al mismo tiempo, el sujeto levanta los hombros para que así el alineamiento de la espalda quede inalterado. El camino de la barra es inicialmente vertical y se mantiene cerca del cuerpo en todo momento (b). Los codos no se flexionan, ya que esto provoca una pérdida de fuerza, y los hombros deberían estar ligeramente delante de la barra. La cabeza se tiene que colocar para que la persona mire hacia delante. Los pies deben estar planos en le suelo. Al acercarse las rodillas a la extensión completa, la espalda empieza a moverse sobre la cadera, manteniendo el alineamiento de la columna (c). Haga que el paciente baje la barra con el movimiento de sentadilla, manteniendo aún la columna erecta y la barra cerca de las espinillas.

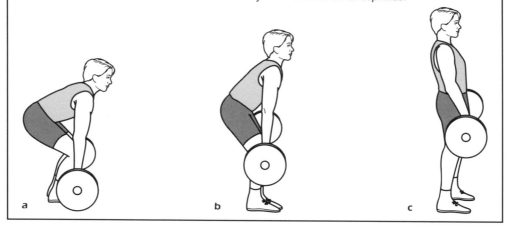

a   b   c

ENTRENAMIENTO DE FUERZA Y VELOCIDAD MEDIANTE LA PLIOMETRÍA

Para la mayoría de deportistas que practican deporte como recreación, casi cualquier entrenamiento con movimientos rápidos (como los de levantamiento de pesas libres), mejorarán suficientemente la velocidad. Para los pacientes que participan en deportes competitivos de alto nivel, sin embargo, o los que simplemente quieren unas mejoras mayores de las que han obtenido después de dominar todo lo expuesto en este libro hasta el capítulo 8, debe proceder a los ejercicios pliométricos siguientes. Los ejercicios pueden mejorar el tiempo de reacción y el tiempo de respuesta a niveles altos.

No hay una fórmula simple que le ayude a decidir, consultando con sus pacientes, si deberían hacer o no los ejercicios de esta sección además del entrenamiento de pesas que se acaba de describir, o si se deben hacer en lugar de los ejercicios de pesas. Juntos, deben decidir las necesidades específicas del sujeto y los objetivos. La principal preocupación probablemente estará centrada sobre la necesidad del paciente de realizar acciones rápidas (por ejemplo, el portero de jockey sobre hielo o deportistas de rodeo) o simplemente para fuerza que debe ser explosiva, pero que no sea necesario desarrollar velocidad (por ejemplo, jugadores de fútbol americano o trabajadores del hierro). Si su paciente tiene el tiempo y las ganas, prescríbale ambas clases de ejercicio; si no tiene ninguna de estas necesidades pero quiere hacer ejercicios más avanzados, escoja o el entrenamiento de pesas o los ejercicios pliométricos.

Para que usted entienda la fisiología que hay detrás de estos ejercicios, necesito darle un poco de trasfondo teórico. Primero, unas cuantas definiciones: **Potencia** es la velocidad en el que el trabajo se realiza (trabajo/tiempo). En el contexto deportivo, Kent (1994) definió la potencia como la capacidad de trasformar energía física en fuerza a una velocidad elevada. **Velocidad** es simplemente la rapidez de movimiento. El **tiempo de reacción** es el tiempo desde la presentación de un estímulo hasta el inicio de la respuesta. En términos de trabajo muscular para la estabilización, el tiempo de reacción muscular es el tiempo entre el comienzo de un movimiento pasivo que perturba la estabilidad y el inicio de la contracción muscular para reestabilizar la articulación. El **tiempo de respuesta** combina el tiempo de reacción con el tiempo de movimiento, el último depende de una variedad de factores como la energía disponible, la conducción y la unión de la actina y miosina. Un buen tiempo de reacción muscular es vital para mejorar la estabilidad articular. Después de una lesión ligamentosa, por ejemplo, es el tiempo de reacción de los músculos que aguantan el peroneo el factor decisivo para la vuelta a la funcionalidad total –no sólo la fuerza de los músculos (Freeman et al. 1965; Konradsen y Ravn 1990)–. Y después de una lesión de rodilla, el factor importante de la rehabilitación es el tiempo de reacción de los músculos isquiotibiales, para resistir el desplazamiento anterior de la tibia –no la fuerza de estos músculos (Beard et al. 1994)–.

El **ciclo de estiramiento-acortamiento** es importante para cualquiera que se entrene para conseguir fuerza y velocidad. Normalmente, el músculo suministra fuerza a través de reacciones puramente químicas al unirse los filamentos de actina y miosina provocando que el músculo se acorte. No obstante, cuando una contracción excéntrica (alargamiento controlado) precede a una acción concéntrica, la fuerza aumenta considerablemente. Observe como un bateador siempre lleva el bate hacia atrás antes de golpear la pelota de béisbol. O compare un salto de tente vertical (saltar de una posición estática de sentadilla) con un salto con contramovimiento (de pie vertical, bajar hacia la posición de sentadilla y luego saltar).

La altura conseguida con el último salto es mayor que la altura conseguida con el primero. Enoka (1988) midió la media de las alturas del salto de tente vertical con el resultado de 32,4 cm, pero fueron 36,4 cm la altura media conseguida por el salto con contramovimiento –más de un 12% mayor–. El aumento en altura proviene de dos fuentes: la liberación de la energía elástica almacenada y una energía química adicional a través de un efecto de precarga.

PUNTO CLAVE

En un **contramovimiento**, la energía adicional obtenida relativa al movimiento estándar proviene de la liberación de la energía elástica almacenada y de un efecto de precarga.

La **energía elástica** es resultado del estiramiento pasivo de los componentes elásticos del músculo. Las membranas musculares (endomisio, epimisio, etc.) no son contráctiles, pero son elásticas y retrocederán cuando se las deje de estirar, como también lo harán los tendones musculares. La combinación del retroceso de las membranas y de los tendones proporciona una cantidad de energía importante.

Lleva tiempo para que el acoplamiento de la actina y miosina ocurra. La energía química aumenta con un contramovimiento porque, cuando el músculo se contrae excéntricamente antes de que se contraiga concéntricamente, el tiempo adicional permite más unión –lo que conduce a una liberación de más energía química–. Proporcionando un tiempo adicional para permitir que se produzcan las reacciones químicas crea un **efecto de precarga**. Piense en la energía elástica como si el músculo de repente retornara como un resorte o como si se encogiera como una goma elástica –es pasivo y físico; mientras que la precarga es como dar al músculo una anticipación en el proceso químico que lleva a una contracción previa– es activo y químico.

Hay tres factores importantes para la liberación de la energía durante la unión excéntrica-concéntrica (Enoka 1988):

1. El **tiempo**. Si hay un retraso entre el estiramiento del músculo y la contracción concéntrica, parte de la energía almacenada se disipa. Durante el retraso, los filamentos de actina y miosina se separan y se unen más lejos a lo largo de las fibras musculares que tienen un estiramiento menor.
2. La **magnitud**. Si la magnitud del estiramiento es demasiado grande, menos puentes cruzados son capaces de mantenerse unidos, y menor es la energía elástica disponible.
3. La **velocidad**. Un estiramiento más rápido (gran velocidad) crea más energía elástica.

Para crear el máximo de fuerza el movimiento excéntrico-concéntrico, un sujeto debe haber calentado; y un movimiento excéntrico rápido debe ser seguido inmediatamente de un movimiento concéntrico rápido **sin ninguna pausa entre las dos fases**. Cualquier ejercicio estándar se puede hacer de esta manera, y los ejercicios creados se conocen como ejercicios **pliométricos**. Sin embargo no todos los ejercicios se deberían incluir en los ejercicios pliométricos, ya que las fuerzas de palanca y el momento que recibe la columna pueden ser peligrosos: esté especialmente atento cuando los ejercicios acaben rápidamente al final de la amplitud de movimiento de la columna y con los movimientos con brazos de palanca largos.

Antes de que empiece

Antes de avanzar hacia los siguientes ejercicios pliométricos, los pacientes deben:

- demostrar una buena estabilidad básica –capaz de hacer el ejercicio de deslizamiento de talón (capítulo 8, página 173) 10 veces y en general hacer adecuadamente los ejercicios del capítulo 4–;
- demostrar fuerza y un buen control del tronco –capaz de hacer los ejercicios con la pelota de fitball, incluyendo el superman (capítulo 8, página 193) y el puente (capítulo 8, página 194)–; y
- tener una buena forma física en general –demostrada con el hecho de hacer ejercicio regularmente, de intensidad moderada– intensa durante un periodo previo de seis semanas. La intensidad del ejercicio debería haber sido suficiente para elevar las pulsaciones por encima de 100 por minuto. Cada sesión de ejercicios debería haber durado un mínimo de 20 minutos continuos, con tres sesiones de ejercicio por semana.

Ejercicios pliométricos

Un buen número de ejercicios son útiles. Asegúrese de que sus pacientes tienen supervisión durante todos los ejercicios hasta que el sujeto y el entrenador personal estén de acuerdo en que el paciente ha aprendido la técnica correctamente. Consiga que su paciente haga cada ejercicio, tanto para el lado derecho como para el lado izquierdo si es simétrico y un máximo de 20 veces por sesión, parando antes si pierden el alineamiento o el ahuecamiento abdominal. Debería intentar de una a tres sesiones por semana durante al menos ocho semanas, aumentando gradualmente la velocidad de los movimientos tanto como sea capaz. Después de un periodo de ocho semanas, los pacientes pueden dejar de hacer los ejercicios pliométricos a menos que sean deportistas que requieran de fuerza explosiva para su especialidad –en este caso los entrenadores de fuerza deberían hacerles hacer ejercicios pliométricos avanzados, adaptándolos al deporte o evento de cada deportista–.

Flexión lateral pliométrica utilizando un saco de boxeo

OBJETIVO *Desarrollar la fuerza y la velocidad de los flexores laterales del tronco mientras se mantiene la estabilidad de la espalda.*

Enseñe a su paciente a ponerse de pie con su lado izquierdo hacia el saco de boxeo, con los pies separados la amplitud de los hombros, con el brazo izquierdo abducido hasta los 90°. Debería flexionar el tronco hacia la izquierda y empujar (no golpear) el saco con su brazo izquierdo estirado. Al volver el saco, debe absorber el peso con su brazo estirado, luego debe flexionar lateralmente el tronco hacia la derecha para decelerar el balanceo del saco (parando antes de llegar al final de la amplitud de movimiento). La flexión lateral izquierda empieza el movimiento otra vez. La acción se invierte con el sujeto estando de pie con su lado derecho hacia el saco.

Flexión y extensión pliométrica utilizando un saco de boxeo

OBJETIVO *Desarrollar la potencia y la velocidad de los flexores y extensores del tronco mientras se mantiene la estabilidad de la espalda.*

Haga que el sujeto se ponga de pie enfrente del saco de boxeo, luego que lo empuje con una o ambas manos. Debería acompañar el movimiento, haciendo el movimiento solamente de flexión de tronco, hasta los 45°. Debe continuar en esta posición flexionada y, al volver el saco, lo debe coger con los brazos estirados (pero no bloqueados) y debe flexionar los brazos, extendiendo mínimamente el tronco y trasladando el peso del cuerpo hacia el pie trasero para amortiguar el momento del saco.

Giro y lanzamiento con pelota medicinal

OBJETIVO *Desarrollar fuerza y velocidad de los rotadores del tronco mientras se mantiene la estabilidad de la espalda.*

El paciente debería ponerse de pie en una postura alineada, con el tronco estabilizado y con un ahuecamiento abdominal mínimo. Un compañero, encarado en la misma dirección que su paciente, que está separado un metro hacia la derecha, aguanta la pelota medicinal, el compañero le tira la pelota medicinal al paciente. Al cogerla, el paciente debería rotar hacia la izquierda, preestirando los abdominales oblicuos. Debe acabar el movimiento antes de llegar al final de la amplitud articular, girar otra vez a la derecha y tirar la pelota al compañero.

Curl de tronco con pelota medicinal

OBJETIVO *Desarrollar la fuerza y la velocidad de los flexores de tronco mientras se mantiene la estabilidad de la espalda.*

Este ejercicio es una modificación del curl de tronco (capítulo 6, página 133). Enseñe a su paciente y al compañero a estirarse en una colchoneta con las rodillas flexionadas (estirado en posición encorvada), para que así los tobillos estén casi tocándose. Deberían levantarse (sin mover de manera significativa las piernas) a una posición vertical. El compañero tira la pelota medicinal a su paciente, que la coge en

continúa

Curl de tronco con pelota medicinal, continuación

la posición vertical, aguantándola cerca del pecho, luego baja hasta la posición de inicio. Debería aguantar la posición antes de llegar al final de la amplitud articular (la espalda no debería tocar el suelo), luego «rebota» con un curl de tronco concéntrico y tira la pelota hacia su compañero. Aumente la amplitud de la acción haciendo que su paciente se recueste encima de un cojín –esto permitirá al tronco extenderse antes de flexionarse–. Asegúrese de que el movimiento para, antes de llegar al final de la amplitud articular en ambas direcciones para reducir la carga articular.

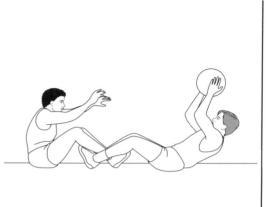

Tirar la pelota con la elevación de las piernas

OBJETIVO *Desarrollar la fuerza y la velocidad de los abdominales inferiores.*

Asegúrese de que su paciente puede realizar el ejercicio de elevación de piernas fácilmente colgado de una barra. El paciente debería colgarse de una barra con una pelota entre las piernas. Enséñele a coger la pelota entre los pies, luego a que flexione la cadera y columna para tirarla hacia delante a un compañero. El compañero coloca la bola otra vez entre los pies del paciente mientras la cadera y rodillas aún están flexionadas a los 90º. El paciente luego baja las piernas para preestirar los abdominales inferiores antes de repetir el movimiento.

RESUMEN

- Es indispensable que los individuos sean capaces de hacer consistentemente un ahuecamiento abdominal, contraer los músculos multífidos cuando quieran, y de mantener la posición neutral antes que intenten hacer estos ejercicios.
- Después (y sólo después) de que el paciente haya adquirido una estabilidad de espalda básica, haciendo los ejercicios presentados antes en este libro puede progresar haciendo otros de máquinas y los ejercicios pliométricos. Cada uno de los cuales estabilizará mejor la espalda y prevendrá futuras lesiones.
- Los ejercicios de pesas libres son útiles para la gente que tenga unas exigencias mayores de estabilidad en la espalda, en su trabajo o en su especialidad de-

portiva que ha sido desarrollada previamente con los ejercicios anteriores.

• Los ejercicios de pesas libres avanzados son apropiados para aquellos que el trabajo o las actividades deportivas que practican son extremadamente exigentes y necesitan «fuerza explosiva».

• Los ejercicios pliométricos son particularmente útiles para los individuos que necesitan un tiempo de reacción muy rápido, juntamente con fuerza en sus movimientos.

• Debido a que el material de este capítulo está específicamente diseñado para los individuos con historiales de dolor lumbar, los ejercicios pueden ser diferentes de aquellos que se prescriban para otros individuos.

CUARTA PARTE

UNIR TODAS LAS PIEZAS

Aunque los capítulos del 1 al 9 proporcionan todo lo que necesita saber para prescribir un programa de estabilidad de espalda efectivo para virtualmente cualquier cliente, he resumido algunas ideas en el capítulo 10 («Desarrollar un programa para la estabilidad de espalda de su paciente»), que debería ayudarle a sintetizar más fácilmente el material teórico y práctico. En el capítulo 10, aprenderá cómo manejar el dolor, ya que generalmente necesitará preocuparse de eso antes que intentar prescribir ejercicios. Y le proporcionará consejos generales de cómo decidir qué clase de ejercicios prescribir para quién. Posiblemente la parte de más ayuda de este capítulo son los cuatro casos, que le ayudarán a entender cómo tratar con cuatro clases diferentes de pacientes, desde la primera visita hasta que le dé el alta.

El capítulo 11, «Prevenir lesiones de espalda y recaídas posteriores», aboga por un enfoque más proactivo para hacer frente a las actividades diarias de sus pacientes. Es muy común para las personas recaer en lesiones levantando objetos que no tenían porqué levantar, o que lo levanten de manera equivocada. Algunos terapeutas simplemente les dan un panfleto que describe la manera correcta de hacer levantamientos, pero la mayoría de pacientes no se toman en serio el material escrito. El capítulo 11 le muestra cómo enseñar a los pacientes a evitar recaídas de lesiones, con el sugerimiento que usted puede hacerles dentro del papel que desarrolla para así ayudar a los pacientes a interiorizar los principios teóricos.

CAPÍTULO 10

DESARROLLAR UN PROGRAMA PARA LA ESTABILIDAD DE ESPALDA DE SU PACIENTE

Volviendo al principio desde el prólogo y viendo cómo los tres componentes del desequilibrio muscular –la corrección del control segmental, el acortamiento y el fortalecimiento de los músculos laxos, y el estiramiento de los músculos rígidos– se combinan para desarrollar una buena estabilidad en la espalda. Aunque hay mucho material variado en los capítulos previos, no le será fácil adaptarlos a un programa individual para cada paciente, para unir estos tres componentes teniendo en cuenta la manera que los necesita cada individuo. Es una cuestión importante (1) evaluar dónde está el problema y (2) prescribir ejercicios apropiados para corregir los problemas. Aún antes de que incluso piense sobre un programa de estabilidad para la espalda de un sujeto, asegúrese en primer lugar si debería tratar al paciente.

EVALUACIÓN PRELIMINAR DE SU PACIENTE

Especialmente para los individuos que han sufrido alguna enfermedad cardiovascular seria, debe decidir si el ejercicio es o no apropiado. Es raro, pero puede ver ocasionalmente algunas personas que su salud general está en un determinado estado que cualquier ligero estrés adicional podría ser catastrófico. Si tiene cualquier duda sobre un individuo, asegúrese que tenga una autorización médica antes de empezar con la terapia. Vea también que, aunque un programa de estabilidad es adecuado para casi cualquier persona aunque no esté en forma, es contraindicada en algunos casos donde la gente no es capaz de hacerlo correctamente. Si tiene individuos hipertensos no se les puede enseñar a hacer un ahuecamiento sin aguantar la respiración, por ejemplo, entonces el ahuecamiento abdominal está claramente contraindicado. Y los ejercicios avanzados utilizando pesas están contraindicados en los casos con densidad ósea reducida.

Dolor

Si los pacientes tienen dolor cuando vienen la primera vez, cure el dolor antes de proseguir con cualquier entrenamiento muscular. Si está capacitado para tratar el dolor, entonces aplique cualquier tratamiento que considere apropiado. Si no tiene capacitación, derive a los pacientes a alguien que esté capacitado y trabaje conjuntamente con un terapeuta. El dolor puede inhibir la contracción muscular y puede afectar al alineamiento, haciendo que la gente adopte posiciones que sean menos dolorosas, pero que refuerzan un alineamiento deficiente. Desde luego es verdad que ejercitar la estabilidad de la espalda puede conducir a un alivio del dolor de manera significativa (por ejemplo, el entrenamiento del multífido puede hacer desaparecer los temblores de espalda), pero estas actividades van mejor cuando se hacen como complemento de un tratamiento de alivio de dolor.

Cuando el dolor es extremo, la eliminación del dolor se vuelve el principal objetivo del tratamiento. El dolor que se manifiesta a través de espasmos musculares, o a través de los puntos gatillo en los músculos tensos, se puede solucionar con tratamientos de reducción del tono muscular –varios tratamientos de fisoterapia, terapia manual, y/o estiramientos. Ver Norris (1999) para conocer detalladamente estos tipos de tratamiento.

Cuando el dolor es el resultado de un persistente estrés en un segmento hipermóvil, centre inicialmente el tratamiento en el control segmental y en la estabilidad. Puede que al principio tenga que generar estabilidad pasivamente (a través de inmovilizaciones), hasta que el paciente haya recobrado un control suficiente sobre el sistema de estabilización muscular.

Diagnóstico triage

El diagnóstico triage clasifica la lumbalgia en tres tipos: simple dolor de espalda, dolor de la raíz nerviosa (la raíz nerviosa se une en forma de «T» al unirse a la médula espinal –el dolor en esta área indica compresión del nervio provocado por un disco espinal o por otra estructura–); o una patología seria que necesita que se derive a un especialista (Waddell et al. 1997). (Ver el diagnóstico triage de esta página y siguiente). No recomiendo generalmente que se derive a un especialista para un simple dolor de espalda, y los pacientes con compresión de la raíz nerviosa normalmente no necesitan derivarse si el dolor se resuelve en un periodo de cuatro semanas desde el inicio del dolor. Los pacientes con posibilidad de tener una patología seria necesitan que se los derive rápidamente, mientras que los que es posible que padezcan el **síndrome cauda equina** (afecta un buen grupo de nervios en la base de la médula espinal) necesitan una derivación **inmediata**. Para los individuos con dolor de espalda o con compresión de la raíz nerviosa, puede normalmente empezar con los ejercicios de estabilidad de espalda inmediatamente (con o sin tratamiento médico). Aquellos con patologías serias, no obstante, puede que necesiten de una intervención quirúrgica antes de empezar los ejercicios de estabilidad de espalda. Revise la discusión al respecto en el capítulo 1, páginas 17-18, a cerca de si es o no apropiada la cirugía para las lumbalgias. Los ejercicios de estabilidad de espalda son una terapia necesaria para los individuos que han tenido un historial de lumbalgias pero que ahora no sufren ningún dolor, y como terapia preventiva para los pacientes sin historial de dolores de espalda (tabla 10.1).

Diagnóstico triage

Diagnóstico triage es un diagnóstico diferenciado entre

1. Simple dolor de espalda (un dolor lumbar de espalda no específico –por ejemplo, dolor sin una causa específica–).

2. Compresión de la raíz nerviosa.

3. Una posible patología espinal seria (como daño óseo, infección, carcinoma, o dolor que va desde/derivado del abdomen o del sistemas gástrico/urinario).

continúa

Diagnóstico triage (continuación)

1. Simple dolor de espalda: no se necesita derivar a un especialista

Edad del paciente 20-55 años.

El dolor restringido a la región lumbosacra, nalgas o muslos.

El dolor es mecánico (por ejemplo, el dolor cambia con el movimiento y se puede aliviar con éste).

Los sujetos por lo demás tienen buena salud (no tienen fiebre, náuseas/mareos, pérdida de peso, etc.).

2. Dolor en la raíz nerviosa: generalmente no se necesita derivar a un especialista dentro de las primeras cuatro semanas, si el dolor desaparece

Dolor unilateral (un lado del cuerpo) de la pierna que es peor que el dolor de la lumbalgia.

El dolor se extiende hacia el pie o los dedos del pie.

Entumecimiento y parestesia (sensación alterada) en la misma área que el dolor.

Signos neurológicos localizados (como reducción de los espasmos del tendón).

3. Bandera roja (precaución) para posibles patologías espinales serias: derivar rápidamente a un especialista

Edad del paciente por debajo de los 20 años o por encima de los 55 años.

Es un dolor no mecánico (por ejemplo, el dolor no mejora con el movimiento).

Dolor torácico.

Historial de carcinoma, esteroides, o VIH.

El paciente no se encuentra bien o ha perdido peso.

Signos neurológicos extendidos.

Deformidad estructural obvia (como desplazamiento óseo después de un accidente o un bulto aparecido recientemente).

Trastorno del esfínter (incapaz de orinar o incontinencia).

Trastorno en el caminar (incapaz de caminar correctamente).

Sensación de hormigeo (no se nota el área de la entrepierna).

Síndrome cauda equina (derivar a un especialista inmediatamente el mismo día).

Si tiene alguna duda, siempre derive un paciente a un fisioterapeuta.

Adaptado, con la autorización, de G. Waddell, G. Feder, y M. Leweis, 1997, «Systematic reviews of bed rest and advice to stay active for acute low back pain», British Journal of General Practice 47: 647-652.

Tabla 10.1. La utilización de los ejercicios de estabilidad de espalda

Clase de dolor	Ejercicio para la estabilidad de la espalda
Simple	Empiece inmediatamente; continúe hasta recuperar completamente la funcionalidad.
Compresión de la raíz nerviosa	Empiece cuando el dolor se lo permita; derive a un especialista si el dolor apreciable no evoluciona.
Sin un historial de dolor de espalda	Utilice los ejercicios de estabilización de espalda para reducir el riesgo de desarrollar dolor de espalda.

Reimpreso, con la atorización, de G. Waddell, G. Feder, y M. Lewis, 1997, «Systematic reviews of bed rest and advice to stay active for acute low back pain», British Journal of General Practice 47: 647-652.

PRINCIPIOS GENERALES PARA EL DISEÑO DE UN PROGRAMA DE ESTABILIDAD

Hay unos cuantos principios básicos que conciernen a cada situación:

- Si no está preparado correctamente para diagnosticar alineamientos de espalda, no proceda más allá hasta que haya derivado al paciente a un terapeuta preparado. Luego trabaje con él lo más estrechamente que pueda, prescribiendo ejercicios apropiados respecto al diagnóstico del terapeuta.
- Recuerde como principio general que el descanso en cama es contraproductivo (ver capítulo 1). Excepto en circunstancias poco comunes, levante a sus pacientes y haga que realicen actividades controladas tan rápidamente como sea posible después de una lesión.
- Empiece a trabajar la estabilidad de la espalda tan pronto como le sea posible después de que haya decidido que tal programa es apropiado para el sujeto. Cuanto más tiempo esté inestable una persona, más fácil es que desarrollen actitudes posturales compensatorias que necesitarán ser reeducadas.
- Preste siempre mucha atención al dolor –puede ser una guía muy fiable–. En una serie de cuidadosas evaluaciones, puede decirle donde se encuentra el problema; a lo largo del programa de un individuo, le puede decir cuándo debe parar un ejercicio.
- Recuerde el **principio de especificidad**: prescriba actividades específicas para problemas y objetivos específicos. Ésta es la razón por la cual una evaluación a conciencia es tan importante. Muchos terapeutas tienen un único modelo de programa. He oído sobre muchos individuos descontentos, especialmente en EEUU, que han visitado a un médico de-

bido al dolor de espalda, y la manera en que el doctor los «trató» fue darles un «panfleto con cuidados de espalda» y decirles que hicieran todos los ejercicios que se describían en él. Después de leer la primera parte de este libro, sabe que tiene que hacer frente a cada individuo de acuerdo con sus síntomas precisos.

• Recuerde el **principio de sobrecarga**: si la carga no es suficientemente grande, el entrenamiento no tendrá ningún efecto; su paciente simplemente estará dedicándose a hacer actividad física en lugar de entrenar. Una carga demasiado grande, no obstante, romperá tejidos y como el cuerpo no puede adaptarse suficientemente al estrés impuesto, el resultado será una lesión por repetición excesiva. El seguimiento de los programas de eje presentados en este libro le permitirá conseguir el efecto del entrenamiento que necesitan los pacientes y evitar lesiones por sobreentrenamiento –un peligro especial para aquellos que han tenido lumbalgias o lesiones de espalda–.

Asegúrese de que siempre tenga presente cuál es el objetivo para cada individuo, y de seguir el mejor camino para alcanzar el objetivo. El camino debería tener presentes todos los sistemas –rigidez/laxitud muscular, actitud postural, fuerza, flexibilidad, velocidad de reacción, destreza e incluso factores emocionales. Tenga cuidado de no caer en la trampa común de poner demasiado énfasis en un aspecto de la forma física o de la rehabilitación. Esto es especialmente fácil de hacer cuando algunos sujetos con fuerte personalidad, generalmente clientes con conocimientos, le dicen de manera clara que tiene un cierto problema y que quieren remediarlo de una manera concreta («me he he-

cho daño en la espalda en el trabajo y necesito hacer algo de pesas para así poder coger cajas otra vez…»). Ejercitar un sistema aisladamente puede hacer más mal que bien. Una flexibilidad excesiva en relación a la fuerza, por ejemplo, puede conducir a una inestabilidad articular. Los individuos con un aumento de la fuerza, pero sin una mejora paralela de velocidad de reacción muscular, no serán capaces de utilizar su fuerza adicional en situaciones funcionales (Konradsen y Ravn 1990). El aumento en fuerza o una flexibilidad que no mejoren la destreza pueden causar lesiones (Tropp et al. 1993).

CAMINOS PARALELOS PARA DISEÑAR UN PROGRAMA DE ESTABILIDAD

Debido a que el cuerpo es una unidad compleja de sistemas interconectados, cualquier enfoque que se le dé a un tratamiento debe ser holístico, incluso si el objetivo es un solo sistema. Al preparar pacientes para que adquieran estabilidad en la espalda, constantemente entrelazamos nuestro centro de atención en corregir el control segmental, en acortar y estirar músculos laxos y estirar músculos rígidos. El orden en que utilice estos ejercicios, por supuesto, dependerá de los síntomas del paciente. Preferiblemente quiere prestar atención a todas estas áreas al mismo tiempo. Cuando el tiempo es un factor limitante es necesario que enseñe sólo uno o dos ejercicios, estiramientos, etc., cada vez, simplemente céntrese primero en el área más problemática. En los casos que verá más adelante, fíjese que generalmente he empezado con sólo uno o dos ejercicios, centrándome en resolver el problema más agudo al principio.

Las siguientes sesiones proporcionan sugerimientos para hacer una progresión de ejercicios paralela. Por ejemplo, no mire solamente a la estabilidad básica, proceda a corregirla y vaya a los otros asuntos sólo después de que su paciente pueda hacer una buena «acción de bisagra con la cadera». Evalúe la estabilidad básica, controle los abdominales profundos, el desequilibrio muscular y la actitud postural cuando vea al paciente por primera vez. Al principio, puede que tenga que tratar solamente con las deficiencias más evidentes, como los casos ilustran. En la tercera o cuarta sesión del tratamiento, generalmente querrá prescribir las medidas apropiadas para corregir cada deficiencia al mismo tiempo, trabajando en cada «vía» durante cada sesión, y prescribiendo ejercicios para casa para cada área. Esto no requiere tanto tiempo como parece, ya que muchos de los ejercicios en este libro se dirigen a varios objetivos al mismo tiempo.

Evaluar la estabilidad de espalda

Su primera labor al ver a un nuevo paciente es ver lo estable que está su espalda –y ver hasta qué grado no lo está–, para determinar qué es lo que produce la inestabilidad y empezar a desarrollar la estabilidad a través de actividades apropiadas descritas en el capítulo 4. Casi todas las prescripciones empiezan en dicho capítulo. Los pacientes no deberían avanzar hacia el fortalecimiento o incluso hasta los estiramientos hasta que dominen los movimientos de este capítulo.

La mejor manera para empezar las evaluaciones es con el ejercicio de deslizamiento de talón (página 173): si la pelvis se inclina, el paciente tiene una espalda inesta-

ble y debería empezar enseñándole el ahuecamiento abdominal (capítulo 4, página 89). Si la pelvis no se mueve durante el deslizamiento de talón, indicando un cierto grado de estabilidad, empiece enseñándole a mantener la posición neutral (capítulo 4 página 87), sin ignorar el ahuecamiento abdominal, por supuesto. Debería progresar a través de acciones de inclinación pélvica, ejercicios con ayuda haciendo la «Acción de bisagra con la cadera» y finalmente a ejercicios sin ayuda de «Acción de bisagra con la cadera» (todo en el capítulo 4). Una vez que su paciente demuestre un control segmental adecuado siendo capaz de controlar independientemente la pelvis y la columna, déjele avanzar al ejercicio de «Buenos días», primero sin y finalmente con una barra de pesas (capítulo 9, página 216).

Evalúe el grado del control abdominal profundo

¿Puede el paciente hacer un ahuecamiento abdominal en una posición prona arrodillada? Si no, siga las instrucciones de «Enseñar a su paciente a utilizar el ahuecamiento abdominal» en el capítulo 4 (página 89), especialmente en la subsección de consejos para enseñarlo (página 95). Una vez ya domine el ahuecamiento abdominal en todas las posiciones, ayúdele a desarrollar gradualmente su fuerza y resistencia hasta que el paciente pueda hacer el movimiento 10 veces, durante 10 segundos cada vez, en posición arrodillada. Para un control abdominal más avanzado, practicar con ejercicios de carga en las extremidades del capítulo 8 –especialmente el deslizamiento de talón (página 173) y el descenso de piernas (página 173)–.

Evalúe el desequilibrio muscular

Para cada paciente, debe realizar todas las evaluaciones del capítulo 5 «Evaluar músculos alargados» (página 110) y «Evaluar músculos acortados» (página 115). Luego proceda a corregir cualquier deficiencia que pueda encontrar. Para los músculos abdominales laxos o débiles, por ejemplo, prescriba ejercicios apropiados (mire la declaración de «Objetivos») del capítulo 6 de «Modificaciones de los ejercicios tradicionales de abdominales» (página 131) y «Ejercicios con el AB Roller» (página 137). Para músculos rígidos, mire «Estirar los músculos seleccionados» del capítulo 5 (página 121). Si los pacientes tienen músculos rígidos y una columna inestable, le sugiero que empiece con los ejercicios de estiramientos –sus pacientes primero deben aprender a encontrar la posición neutral antes que hagan un segundo paso haciendo ejercicios que le ayuden a mantenerla–.

Algunos pacientes, especialmente los mayores, tendrán rigidez muscular crónica, que es virtualmente imposible de curar por completo. Aunque es muy improbable que encuentre a alguien a quien no le pueda ayudar en nada, probablemente pueda ayudarles a moverse con mayor libertad, aumentar la amplitud de su movimiento y experimentar una incomodidad menor.

Evaluar la actitud postural

Evaluar la actitud postural va de la mano con controlar el equilibrio muscular y puede a menudo dar una primera indicación de qué músculos puede que necesiten ser evaluados para ver el equilibrio. Seleccione los procedimientos de «Evaluación postural básica» (capítulo 7, página 143) que considere

más útiles con el equipo de que dispone, y evalúe exhaustivamente la actitud postural de su paciente. Si sospecha que hay un músculo laxo, haga un test de capacidad de aguante en la amplitud interna (por ejemplo, el test de glúteos para una actitud postural lordótica); si cree que está rígido, utilice tests específicos de longitud muscular (por ejemplo, para una actitud postural lordótica utilice el test de Thomas para ver si los flexores de la cadera están rígidos). Luego entrene la musculatura en consecuencia, utilizando el aguante en la amplitud interna para los músculos laxos y el estiramiento estático o el FNP para los músculos rígidos. Mire «Principios de la corrección postural» (página 149) y «Tipos de posturas y cómo corrregirlas» (página 151).

DISEÑAR UN PROGRAMA DE ESTABILIDAD AVANZADO

Después de que los pacientes hayan conseguido una estabilidad básica de la espalda, puede que quieran continuar con ejercicios más intensos porque sus demandas físicas del trabajo o del deporte se lo demandan. Los capítulos 8 y 9 son para estos individuos.

En general, sea específico

El concepto más importante es determinar, consultando estrechamente con sus pacientes, cuáles son concretamente sus necesidades/objetivos. ¿Tiene que levantar sacos de grano de 25 kg todo el día en el trabajo? ¿Es un jugador de tenis el cuerpo del cual está constantemente sujeto a giros y a cargas muy rápidas? ¿Es su paciente una persona que trabaja de portero y que pasa ocho horas al día estando de pie y moviéndose relativamente poco? ¿Es un persona que cuida a pacientes que se debe inclinar y levantar a personas postradas en cama muchas veces al día? Cada individuo tiene necesidades específicas que necesitarán ejercicios específicos para fortalecer, estirar, aumentar la velocidad de reacción, aumentar la precisión del movimiento o lo que sea. Y no hay manera que pueda sugerir secuencias de ejercicios para cubrir todas las posibilidades.

Ésta es la razón por la cual cada ejercicio está precedido de una declaración de «objetivos». Una vez haya determinado el objetivo específico para cada paciente, seleccione entre los ejercicios en los capítulos 8 y 9 que estén de acuerdo con esos objetivos. Elegir los ejercicios es relativamente sencillo. Donde tiene que ser muy cuidadoso es en las prescripciones que hace de los ejercicios. Le proporciono unas directrices básicas para los ejercicios de cada capítulo, con comentarios introductorios o con los ejercicios mismos. Pero esto no son más que directrices. Supervise cuidadosamente a sus pacientes cuando hagan por primera vez un ejercicio, no sólo para asegurarse que están haciendo el ejercicio correctamente, si no también para asegurarse de que están haciendo suficientes repeticiones y utilizando la carga necesaria para hacer trabajar sus músculos, pero sin que los carguen excesivamente.

Consejos para diseñar un programa de entrenamiento de pesas

Además de las instrucciones bastante específicas, le proporciono para los ejercicios de pesas unas cuantas estrategias más que puede utilizar como directriz para las prescripciones de estos ejercicios.

El orden en que se hacen los ejercicios de pesas en la sesión es importante. En general, haga que sus pacientes trabajen primero grandes grupos musculares con ejercicios que impliquen varias articulaciones, y posteriormente pequeños grupos musculares utilizando movimientos aislados. El ejercicio que implica varias articulaciones es el que trabaja un buen número de músculos, incluyendo aquellos con una gran masa muscular, por ejemplo, el press de banca trabaja el músculo pectoral y el tríceps. Debido a que el tríceps es mucho más pequeño que los pectorales, se cansa antes y por lo tanto un factor limitante del ejercicio. Si el tríceps se trabaja primero, se podrán hacer menos repeticiones del press de banca y los músculos pectorales no trabajarán suficientemente.

Otro método de combinar ejercicios es utilizar un superset (por ejemplo, trabajar los músculos de un lado de la extremidad y luego inmediatamente [sin descanso] trabajar los del lado opuesto). Este tipo de entrenamiento mantiene la sangre en una parte del cuerpo, mientras los músculos individuales tienen poco descanso. Una rutina típica de superset sería de bíceps-tríceps-bíceps.

Una manera de proporcionar un trabajo máximo es utilizar el **entrenamiento de la pirámide.** Haga que su paciente realice 12 repeticiones con un peso medio para el primer set, 10 repeticiones con más peso para el segundo set, y finalmente 8 repeticiones con la máxima cantidad de peso que pueda levantar para el set final. De esta manera, el músculo ha trabajado maximalmente, pero sólo cuando ha estado completamente caliente.

Vea Norris (1995b) para más detalles en los programas de entrenamientos de pesas.

CASO

Un paciente con sobrepeso

Un hombre de 42 años con un historial de dolor de espalda persistente, A.H. trabajaba en una cadena de producción. Tenía unos 25 kg de sobrepeso, con una apreciable actitud postural lordótica. El objetivo de mi tratamiento era primero reducir el dolor y luego restaurar el equilibrio postural. En la primera sesión de tratamiento, le enseñé a A.H. a realizar una flexión lumbar estirado en decúbito supino, llevando las rodillas al pecho con una sobrepresión para fomentar la flexión de la columna lumbar. El principio era que la actitud postural lordótica de A.H. estaba poniendo un estrés excesivo en la parte inferior de su espalda. El ejercicio de flexión que utilicé estaba diseñado para neutralizar esto. Repitiendo el ejercicio (15-25 repeticiones), el dolor de la parte inferior de la espalda se calmó. Le mostré cómo estirarse y levantarse del suelo sin doblarse y le aconsejé que realizara este ejercicio cada dos horas al día siguiente durante dos días. Le di un consejo general concerniente al cuidado de la espalda y al descanso, utilizado en las modalidades clásicas de fisioterapia para reducir el dolor local, y lo derivé a un nutricionista para empezar un programa de pérdida de peso.

En la segunda sesión de tratamiento dos días después, el dolor de A.H. se redujo notablemente. Empezamos con una sesión de ejercicios generales aeróbicos con la espalda sostenida –utilizando una bicicleta estática (se ajustaron el asiento y el manillar para minimizar el estés en la espalda) y una máquina de esquí de fondo para hacer ejercicio con las pulsaciones controladas durante 15-20 minutos cada dos días–.

En esta misma segunda sesión, también empecé el programa de estabilidad de espalda con A.H., con el ahuecamiento abdominal en posición de arrodillado con cuatro puntos de apoyo y utilizando un cinturón alrededor de su abdomen. Debido a que A.H. era incapaz de hacer el ahuecamiento abdominal correctamente, le coloqué una unidad de registros electromiográficos de superficie para que tuviera un feedback. Tardó 40 minutos para reeducar la contracción abdominal profunda utilizando la unidad de registros electromiográficos de superficie, la palpación y los ánimos con la voz. Pero aunque A.H. aún no era capaz de hacer el ejercicio sin ayuda, de momento no le prescribí el ejercicio de ahuecamiento abdominal para casa. A.H. continuó con el cuidado de la espalda y el entrenamiento aeróbico durante dos días.

En la tercera sesión de tratamiento, A.H. ya era capaz de hacer el ahuecamiento abdominal 3 veces aguantando de 5 a 7 segundos. Fue un duro trabajo ayudarle a que se abstuviera de hacer apneas –le animé a contar en voz alta mientras hacía el ahuecamiento abdominal, para que respirara normalmente–. A.H. avanzó en el ahuecamiento abdominal pero encontró difícil controlar la posición neutral de la columna sin mi feedback. Le enseñé a hacer el ahuecamiento abdominal recostándose en la pared para que pudiera practicar en casa sin tener que preocuparse por su columna. Utilizó un cinturón, centrándose en contraer los abdominales hacia adentro y hacia arriba del mismo. Este ejercicio le gustó especialmente, ya que la pared abdominal empezó a tener una apariencia más plana; combinado con la pérdida de peso, la apariencia física de A.H. empezó a ser más delgada.

Nos marcamos objetivos repetidamente: objetivos para la pérdida de peso, números de repeticiones a hacer, el tiempo de aguante de los ejercicios y el ejercicio de pulsaciones supervisado.

continúa

Un paciente con sobrepeso, continuación

El dolor de espalda de A.H. desapareció y avanzó del ahuecamiento abdominal estando de pie a la retroversión pélvica estando de pie vertical. Ya que su forma física cardiovascular (medido como el tiempo de recuperación de las pulsaciones) había mejorado juntamente con un descenso del porcentaje de grasa (del 38% al 30%), le hice aumentar su actividad aeróbica. Él aún hacía actividades con carga o sin carga sobre la extremidad parcialmente en el gimnasio, para reducir la carga articular, pero ahora empezaría a caminar (en hierba o gravilla con zapatillas deportivas que absorbieran el impacto) durante 15-20 minutos diarios.

En un intento de acortar el recto mayor de A.H., le añadimos a la retroversión pélvica en posición decúbito, aguantado unos 20-30 segundos (respirando normalmente). A.H. tenía los flexores de la cadera y los isquiotibiales cortos, y los debía estirar haciendo el estiramiento de los flexores de la cadera semiarrodillado y haciendo una extensión activa de la rodilla. A.H. fue desarrollando el trabajo de estabilidad con actividades arrodillado (elevación de rodilla, 10 repeticiones en cada pierna, aguantado durante 10 segundos) y empezando a ahuecar el abdomen regularmente durante el caminar.

Le di el alta de la rehabilitación de fisioterapia para que empezara con un entrenador personal en un gimnasio local, para que incorporara el trabajo de estabilidad a un programa general de fitness y de pérdida de peso.

Puntos a tener en cuenta

A.H. tenia un problema de dolor de espalda mecánico producido por su actitud postural lordótica.

✓ La corrección de la actitud postural empezó con la pérdida de peso.

✓ Debido a que A.H. inicialmente no era capaz de hacer correctamente el ahuecamiento abdominal, no le prescribí estos ejercicios para que los hiciera en casa.

✓ La unidad de registros electromiográficos de superficie demostró que era útil para enseñar inicialmente a hacer el ahuecamiento abdominal.

✓ Utilizamos repetidamente el establecimiento de objetivos.

✓ Ya que a A.H. le gustaba el ejercicio de ahuecamiento abdominal de pie, lo utilicé intensamente.

✓ A.H. utilizó el entrenamiento aeróbico para ayudar a su forma física general y también para la estabilidad de espalda.

✓ El programa de estabilidad de espalda hizo que realizara más cambios en el estilo de vida de la persona.

✓ Cuando se le dio el alta del programa de fisioterapia, A.H. continuó el programa de estabilidad en otro lugar.

CASO

Estabilidad deficiente en un deportista

H.C. que tiene 26 años, entrena diariamente en un gimnasio, utilizando tanto aparatos de pesas (40 minutos) como máquinas cardiovasculares (20 minutos), o haciendo esteps (60 minutos). Un día se quejó

continúa

Estabilidad deficiente en un deportista, continuación

de un dolor en la zona lumbar la mañana después de entrenarse. Un examen con rayos X de la parte inferior de la espalda y de las articulaciones pélvicas no mostraron ninguna anomalía y las pruebas de sangre eran normales. La derivaron hacia un fisioterapeuta tres meses después del comienzo del dolor. Su columna lumbar y las articulaciones sacroilíacas se habían examinado de manera ordinaria, pero la extensión lumbar continuada –especialmente la anteversión pélvica– provocó el dolor.

Un examen cinesiológico (análisis de movimientos) mostró una estabilidad lumbar deficiente en movimientos por encima de la cabeza y en acciones de extensión estando de pie. H.C. indicó que dos ejercicios particulares le provocaban dolor después de las sesiones de entrenamientos: la extensión de la cadera estando de pie en una «máquina de extensión de cadera», que se centraba en los glúteos y en las acciones de jalón tras nuca con una barra de aerobic. Al examinar estos movimientos se observó que la pelvis se movía rápidamente hacia una anteversión y que permanecía en esta posición a lo largo de los ejercicios.

Al evaluar la musculatura abdominal de H.C., encontré un tono muscular alto en los abdominales superficiales, con una notable definición muscular del recto mayor («las tabletas»). Sin embargo obtuvo malos resultados en los tests de estabilidad, siendo incapaz de hacer el ahuecamiento abdominal en posición arrodillada con cuatro puntos de apoyo, mientras mantenía la columna lumbar en posición neutral. En la acción del desplazamiento del talón haciendo un seguimiento con la unidad de biofeedback de presión, H.C. no fue capaz de hacer más de 3 repeticiones antes que su pelvis se inclinara anteriormente. En la posición de arrodillado con cuatro puntos de apoyo, en la acción de elevación de piernas se notaron temblores musculares notables, demostrando una ejecución pobre.

El control segmental total también era deficiente –no era capaz de hacer la «acción de bisagra de la cadera» de manera controlada–. No desplazaba la cadera hacia una flexión espinal (como la mayoría de la gente) si no que hacía una extensión, inclinando anteriormente la pelvis e hiperextendiendo la columna lumbar.

En la primera sesión de tratamiento, le hice hacer una supinación de rodilla y una flexión de cadera, para provocar una flexión de la columna lumbar. Le dije que hiciera estos movimientos al final de cada sesión de entrenamiento. Dejó de hacer temporalmente el jalón tras nuca y los ejercicios de extensión de cadera del programa de gimnasia. Después de las dos primeras sesiones de entrenamientos, notó una reducción del dolor por las mañanas.

Utilicé como feedback el video para mostrar a H.C. como hacía los ejercicios de extensión de cadera y los ejercicios por encima de la cabeza. Se sorprendió, no se había dado cuenta de la falta de alineamiento. Intenté que realizara el ahuecamiento abdominal arrodillado con cuatro puntos de apoyo, y era capaz de hacer el ejercicio 2-3 minutos después de ensañárselo. Después hizo el ahuecamiento abdominal apoyándose en la pared, avanzando a hacerlo sin soporte después de 2 series de 10 repeticiones. Hizo el ahuecamiento abdominal de pie y sentado (banco) durante las sesiones de entrenamiento de gimnasia, haciendo un solo set aguantando 30 segundos, respirando normalmente.

H.C. progresó rápidamente (en dos semanas) al deslizamiento del talón estirada en decúbito supino y finalmente al descenso de pies estirada en decúbito supino (2 series, 10 repeticiones, aguantando 30 segundos). Le prescribí los movimientos en posición de arrodillado con cuatro puntos de apoyo para mejorar el control de la estabilidad.

continúa

Estabilidad deficiente en un deportista, continuación

En la tercera sesión del tratamiento (10 días después de empezar el tratamiento), viendo que H.C. era capaz de hacer 10 repeticiones del ahuecamiento abdominal, aguantando durante 30 segundos, le prescribí la «acción de bisagra de la cadera». Inicialmente hice que realizara el control de la inclinación pélvica estirada en posición encorvada. En la misma sesión, pasó a hacer la inclinación pélvica de pie recostándose en la pared, y finalmente realizó el ejercicio sin soporte. Hizo la «acción de bisagra de cadera» con una varilla a lo largo de la columna para que tuviese un feedback sobre la posición de ésta. Inicialmente hizo el ejercicio al lado de un espejo, luego sin espejo, más tarde sin la varilla y finalmente con los ojos cerrados (para tener una carga propioceptiva). H.C. consiguió dominar la «acción de bisagra de la cadera» en la cuarta sesión –punto en el cual le hice hacer los ejercicios que se ejecutan por encima de la cabeza con una vara, y las extensiones de cadera en una «máquina extensora de cadera» con un peso mínimo–. Su objetivo era mantener el ahuecamiento abdominal y el alineamiento lumbar neutral a lo largo de todo el ejercicio.

Incorporé los principios de estabilidad del ahuecamiento abdominal (30% de la contracción máxima) y el alineamiento lumbar neutral a todos los ejercicios de H.C.

Puntos a tener en cuenta

✓ H.C. tenía una apariencia superficial excelente de su región abdominal (abdominales superficiales), pero un control de los abdominales profundos deficiente.

✓ No era capaz de mantener el alineamiento lumbar neutral, aunque tenía un tono muscular alto.

✓ Llevé a cabo un profundo análisis de movimientos y le hice observar los ejercicios que él mismo practicaba en el gimnasio.

✓ Tenía un control segmental pobre, extendiendo antes que flexionando, cosa que es más común.

✓ El feedback de vídeo le dio la posibilidad a H.C. de ver su alineamiento. Los espejos y el uso de varillas aumentaron el feedback.

✓ H.C. era una persona que hacía ejercicio regularmente y tenía una buena visualización del cuerpo. Era capaz de entender las técnicas de un nuevo ejercicio muy rápidamente.

✓ El entrenamiento de la musculatura abdominal y el control segmental (la «acción de bisagra de la cadera») conformaban la base del programa.

✓ Esperé hasta que H.C. no tuviera dolores para empezar el programa básico de estabilidad.

CASO

Dolor agudo

D.B. de 34 años de edad, vino con un simple dolor agudo de la espalda lumbar que estaba localizado en la región lumbar inferior y mínimamente desplazado hacia la nalga derecha. El dolor era de naturaleza mecánica, que era peor con la flexión lumbar y mejoraba con la extensión lumbar.

continúa

Dolor agudo, continuación

Inicialmente le traté el dolor, utilizando una terapia física y una manipulación lumbar. Luego le hice que empezara a hacer contracciones del multífido estirado sobre el lado izquierdo y mientras palpaba el multífido derecho le dije que contrajera el músculo debajo de mis dedos. Aunque no era capaz de realizar esta acción al principio, al final de la segunda sesión era capaz de contraer mínimamente el multífido. Le hice ejecutar estabilizaciones rítmicas estirada sobre el lado izquierdo – le coloqué presión en la pelvis y hombro para forzar la rotación espinal y enseñé a D.B. a que resistiera este movimiento con una ligera contracción muscular–. Al ir desarrollándose la contracción en intensidad, combiné la posición de mi mano de forma que resistiera la rotación espinal en la dirección opuesta. La combinación de la estabilización rítmica y las contracciones aisladas del multífido provocó una reducción sustancial del dolor, que se redujo de 8 a 3 en una escala subjetiva de dolor (10 = el dolor más intenso, 1 = el menos intenso).

En la segunda sesión del tratamiento, le enseñé a hacer el ahuecamiento abdominal. Se estiró en decúbito prono y le enseñé a hacer una reducción del diámetro de la región abdominal, en un intento para levantar la barriga de la camilla. Debido a que D.B. era al principio incapaz de realizar esta acción, utilicé una unidad de biofeedback de presión, colocándole la vejiga de la unidad de biofeedback de presión debajo de su abdomen justo por encima de la parte superior de la pelvis e inflando la vejiga suficientemente para que D.B. notara la presión en el abdomen. Le enseñé a hacer una reducción del diámetro de la región abdominal en un intento para retirar el abdomen de la unidad de biofeedback, y por lo tanto reduciendo la presión en la bolsa. Quería que D.B. hiciera el ejercicio en casa, pero puesto que no era capaz de identificar cuándo estaba haciendo el ahuecamiento abdominal correctamente, le pedí al marido que viniera a una sesión y le mostré cómo ayudarla. En casa, D.B. colocó un toalla doblada debajo de su abdomen en la misma posición que ponía la vejiga del biofeedback, le enseñé a su marido a retirar suavemente la toalla de debajo de la barriga mientras su mujer hacia una reducción del diámetro de la región abdominal suficientemente para levantar el peso de la toalla y permitir que la sacara. Le enseñé a repetir este ejercicio 3 veces al día, haciendo 10 repeticiones cada vez.

Una vez que D.B. fue capaz de hacer la acción de ahuecamiento sin ayuda en decúbito prono, le hice avanzar a realizar el ahuecamiento abdominal en posición arrodillada y sentada. Mientras ayudaba a D.B. en su entrenamiento de estabilidad de espalda, también le estuve enseñando sobre el cuidado general de la espalda, poniendo énfasis en la posturas correctas de sentarse y de descanso. También le enseñé técnicas básicas de levantamientos para utilizar en casa. Avanzó a través de las primeras etapas del programa de estabilidad haciendo el deslizamiento de talón, la elevación de pierna arrodillada y la «acción de bisagra de la cadera». Luego la derivé a un monitor de ejercicios en un centro de salud local, para realizar un programa de ejercicios generales incorporando los principios de estabilidad de espalda.

Puntos a tener en cuenta

✓ Debido a que D.B. tenía un dolor intenso, le hice masajes para aliviar el dolor al comienzo de la primera sesión, antes de iniciarla a los ejercicios de estabilidad más tarde.

continúa

Dolor agudo, continuación

✓ En el primer día, empecé a enseñarle a controlar el multífido, que le ayudaba a reducir el dolor.

✓ Utilicé la unidad de biofeedback de presión y la palpación.

✓ Le mostré a un miembro de la familia cómo ayudar a D.B. con los ejercicios de ahuecamiento abdominal en casa.

✓ D.B. continuó el entrenamiento de estabilidad de espalda en un centro de salud, con actividades generales de fitnes.

CASO

Paciente que no está dispuesto a ejercitarse

S.D. era un obrero de 53 años en una compañía de comidas. Tenía un sobrepeso de 20 kg, con una laxitud abdominal notable y dolor de espalda crónico que estaba localizado en la parte inferior de la región lumbar. El músculo erector de la espina dorsal era grueso y estaba tenso. Cuando estaba de pie, S.D. tenía una curva lumbar aplanada, mostrando la típica actitud postural de «espalda plana». Examinando la amplitud de movimiento reveló una falta de extensión lumbar y una gran limitación de la inclinación pélvica durante los movimientos de flexión anterior. La pelvis contribuía muy poco a la flexión anterior, ya que la mayoría de los movimientos en este plano provenía de la parte superior de la columna lumbar y de la parte inferior de la columna torácica. El examen de las técnicas de levantamiento de S.D. mostró acciones repetidas de flexión con sus piernas estiradas, y la adopción de una posición de descanso mala con una notable flexión espinal. S.D. había asistido al curso de manejo de objetos e incluso a un curso de reciclaje, pero su supervisor confirmó la negativa de S.D. a realizar los procedimientos de manipulación de manera correcta. Mi tratamiento fisioterapéutico inicial se centró en aliviar el dolor, pero también quería hacer que S.D. contribuyera a su propio tratamiento tomando parte en el ejercicio. Se necesitó de una persuasión considerable para convencer a S.D. a que empezara a hacer los ejercicios. Le enseñé los procedimientos de extensión pasiva que implicaba el estirarse en el suelo y empujar con sus brazo para fomentar la restauración de una curva lumbar normal. Durante este ejercicio, el dolor se reducía en intensidad y se localizaba en la región lumbar, reduciéndose en tamaño. Para fomentar la correcta acción de agacharse, le coloqué una tiras de esparadrapo de 40 cm de largo que no fueran flexibles en cada lado de su columna, desde la región pélvica hasta la mitad de la columna torácica. Al agacharse S.D., el esparadrapo se tensó sobre la piel, restringiendo la flexión espinal y fomentando el hecho de agacharse desde las rodillas.

Le enseñé a hacer una inclinación pélvica, al principio pasiva y luego activamente, durante la primera sesión. Aunque le dije que continuara practicando en casa, él mostró poca disposición a hacerlo. Por lo tanto le dije que visitara el centro médico de la compañía diariamente, para practicar estos ejercicios bajo la supervisión de un asistente del fisioterapeuta o una enfermera. Lo hizo cada día de trabajo durante dos semanas.

continúa

Paciente que no está dispuesto a ejercitarse, continuación

En la segunda sesión, empezamos con S.D. a hacer una sola repetición del ejercicio de ahuecamiento abdominal, escogiendo el ejercicio de ahuecamiento abdominal de pie recostado en la pared (con un cinturón, ya que era el más fácil de hacer para él. Con el uso de un espejo, de la palpación y del feedback de los registros electromiográficos de superficie, era capaz de realizar de manera consistente el ahuecamiento en su tercera sesión. Entonces lo animé a que practicara el ejercicio recostado en la pared sin ninguna ayuda, diciéndole que alejara la pared abdominal de sus pantalones (sin aguantar la respiración) y mantener la contracción durante 5-10 segundos. Le dije que repitiera este ejercicio 3 veces al día y que hiciera 10 repeticiones cada vez.

En nuestra tercera sesión, la combinación del aumento de la flexibilidad para la inclinación pélvica y con el esparadrapo puesto en la espalda hizo que S.D. se agachara más correctamente. Le dije que hiciera ejercicios de estiramientos de los isquiotibiales (extensión activa de rodilla) en la posición de estirado –10 repeticiones, aguantado cada una durante 10 segundos, durante las sesiones de tratamientos en días de trabajo alternos–. También le derivé a la enfermera del centro de salud de la compañía para que le aconsejara sobre una dieta y le supervisara la pérdida de peso.

El feedback con el vídeo ayudó a S.D. a aprender correctamente las técnicas de agacharse; él practicaba la «acción de bisagra de la cadera» (con una varilla colocada a lo largo de la columna) primero con y luego sin el feedback del vídeo. Después de la cuarta sesión y de 10 días de ejercicio supervisado, S.D. ya no tenía ningún dolor. (¡Pero también descubrí que S.D. había parado de hacer su programa de ejercicios dos semanas después de que el tratamiento empezara!). Le animé a hacer el procedimiento de ahuecar la región abdominal cuando caminara a su descanso (en el de la mañana y en el de la tarde) y durante su descanso para comer. La acción consistía en contraer los músculos para alejarlos de la cinturilla, aguantar la contracción durante 10 pasos, relajar durante 10 más y empezar otra vez –una técnica conocida como «caminar posturalmente»–. Le dije que continuara con este procedimiento de contracción-descanso durante todo el tiempo que caminara (unos 5 minutos). Debido a que esta acción era fácil de hacer y estaba inmersa en la actividad diaria de S.D., la recibió con mucho agrado. Tres meses más tarde después de su primera cita, S.D. aún practicaba el procedimiento de caminar posturalmente cada día. Dijo que tenía una sensación de fortalecimiento de su abdomen, con la ventaja añadida de aumento de tono y de un estómago más plano.

Puntos a tener en cuenta
✓ S.D. tenía una actitud postural de espalda plana y dolor de espalda crónico.
✓ Antes de visitarlo, S.D. había recibido sólo medicación y tratamientos físicos pasivos.
✓ No tomaba parte activa en el cuidado de su propia espalda.
✓ El colocarle esparadrapo en la espalda fomentó que se moviera más correctamente.
✓ Debido a que S.D. no estaba dispuesto a hacer los ejercicios por sí mismo, le organicé para que hiciera ejercicios en el trabajo bajo la supervisión de un ayudante del fisioterapeuta.
✓ Aunque él no continuó los ejercicios de ahuecamiento abdominal en casa, le gustó el enfoque de «caminar posturalmente» que, por lo tanto, los incluimos en sus actividades diarias.

RESUMEN

- La primera vez que vea a un paciente tiene que evaluarle la estabilidad básica, la actitud postural, el alineamiento, el control segmental y el desequilibrio muscular.
- Trate el dolor antes de proceder con los ejercicios de estabilidad.
- En muchos casos, sus primeras sesiones se dirigirán solamente a las deficiencias más severas.
- En la tercera o cuarta sesión, si no antes, generalmente querrá centrarse en todos los aspectos de la estabilidad, prescribiendo ejercicios para cualquier área en que tenga un déficit.

- Prescriba ejercicios específicos para objetivos específicos; no hay nada como una prescripción «general» para la estabilidad de la espalda.
- El principio de especificidad concierne también a los ejercicios de estabilidad avanzados. Cuando prescriba procedimientos del capítulo 8 y 9, céntrelos en los objetivos y necesidades específicas de sus pacientes, tanto si están relacionados con el puesto de trabajo como con el campo de juego.
- Le muestro cuatro casos que le dan, paso a paso, ejemplos de programas de tratamiento para los individuos con varias clases de problemas.

CAPÍTULO 11

PREVENIR LAS LESIONES DE ESPALDA Y RECAÍDAS POSTERIORES

Es sorprendente cuánta gente pasa por el esfuerzo de seguir un programa de rehabilitación después de una lesión de espalda, sólo para recaer en la lesión haciendo algo tonto en casa o en el trabajo. Le recomiendo enérgicamente que se tome unos cuantos minutos para leer la información de este capítulo con su paciente para que así tengan una mayor probabilidad de mantener el progreso que les ha ayudado a conseguir.

En la gran mayoría de los casos, de acuerdo con mi experiencia, se encontrará con una ligera resistencia o incluso con aburrimiento, debido a que la mayoría de la gente dirá (al menos a sí mismos si no a usted), «Sí, sí, ya lo sé todo, utilice las piernas y no la espalda, no debo agacharme...». A pesar de eso un gran número de esta misma gente acabará haciendo algo inusualmente estúpido, porque no han interiorizado los procedimientos seguros. Sugiero que de verdad les haga entender estas ideas a sus pacientes. Después de conducirlos a través de la información en este capítulo, tómese tan sólo 5 ó 10 minutos para señalar a varios objetos y decir, «Muy bien, digamos que tiene que llevar esta silla a la otra habitación y colocarla contra la pared. Descríbame cómo lo haría, explíqueme la manera correcta de levantarlo/trasportarlo, luego muéstreme cómo se colocaría para levantarla». (No sugiero que deje hacer a nadie ningún levantamiento difícil, por razones de responsabilidad).

MANTENER LA COLUMNA VERTICAL

Simplemente pasar algo por encima de la mesa puede poner en peligro enormemente las fuerzas de palanca sobre la columna. Levantar una taza de café desde el lado opuesto de la mesa, por ejemplo, puede producir más fuerza contra los discos intervertebrales que levantar un peso de 9 kg cerca del cuerpo. Recuerde, torsión es igual a la fuerza por la longitud de brazo de palanca. Si la columna permanece vertical, la fuerza de palanca es mínima. Si se deja que la columna se ponga horizontal, la mayor fuerza de palanca aumenta la tendencia de la columna a flexionarse, cargando los tejidos espinales. Una analogía: cuando una caña de pescar flexible se aguanta recta, permanece recta; si la inclina, se dobla por su propio peso. Para mantener la caña de pescar recta en una posición inclinada u horizontal, usted debe aguantar el peso. El mismo principio se aplica a la espalda. Si quiere alejar a la espalda de la vertical, debería sostenerla colocando una mano encima de una mesa cercana o de una silla o de lo que sea, o encima de la rodilla si no hay nada más disponible. El soporte adicional reduce en gran medida el estrés sobre la columna y le permite mantener un alineamiento correcto.

Si se flexiona la espalda repetidas veces también añade estrés a la columna, se incrementa en gran medida la presión discal y el continuo estiramiento de los tejidos posteriores de la columna, con el tiempo la flexión repetitiva puede conducir a la rotura de tejidos.

Los microtraumas de este tipo dan origen a síndromes de dolor postural clásicos (McKenzie 1981). Enseñe a su paciente a reducir la cantidad total de flexión durante el día utilizando movimientos más efectivos y mejorando el cuidado general de la espalda. La figura 11.1 muestra ejemplos de un cuidado deficiente de la espalda, juntamente con alternativas para reducir el estrés en la columna.

> **PUNTO CLAVE**
>
> Aguante la columna cuando no esté en posición vertical y reduzca la cantidad total de flexión.

PRINCIPIOS BÁSICOS PARA REALIZAR CORRECTAMENTE LOS LEVANTAMIENTOS EN CASA Y EN EL TRABAJO

Tanto en el trabajo como en casa, los pacientes deberían seguir los principios para una buena estabilidad de espalda en cualquier levantamiento o cualquier otra tarea manual. Dicho de la manera más simple, deben **planear** sus acciones cuidadosamente y **minimizar** las fuerzas del levantamiento.

Planear las acciones

El planear las acciones evita que haya sorpresas. Una de las razones más comunes de lesiones cuando se levanta algún objeto es el fallo de no evaluar toda la situación antes de intentar mover el objeto. Diga a sus pacientes que deben evaluar tres áreas:

1. **Evaluar el entorno.** Mire la superficie del suelo. ¿Está desigual? ¿Está mojada? ¿Hay algún riesgo potencial de tropezar? Deberían planificar todo el camino sobre el cual tendrán que transportar el objeto.

¿El camino conlleva pasar por una puerta? Si es así, ¿Es accesible y está abierta? ¿Es suficientemente ancha? (¡Es increíble lo a menudo que la gente acarrea un sofá o un escritorio hasta la puerta, sólo para descubrir que la abertura es demasiado pequeña!) ¿Dónde se colocará el objeto? Si va en una mesa, ¿Hay lugar en la mesa o se necesitan mover los otros objetos primero?

2. **Evalúe el objeto.** La distribución del peso del objeto puede ser incluso más importante que el peso mismo del objeto. La parte más pesada del objeto se tiene que mantener cerca del cuerpo para reducir el efecto de la fuerza de palanca, y los individuos deben sentirse cómodos con el peso en relación con el propio estado de salud, de entrenamiento y de capacidad. Deberían considerar el tamaño y la forma del objeto: un objeto ligero que es muy abultado o que puede cambiar la distribución del peso (por ejemplo, un contenedor de un líquido o polvos) tienen mucho potencial para lesionarse. También tienen que considerar cualquier posible peligro de los contenidos –si un contenedor contiene ácido, o un líquido caliente, ¿que pasaría si ocurriera un incidente imprevisto?–.

3. Evaluarse a sí mismos. ¿Creen que el objeto a levantar está dentro de sus posibilidades? Los sujetos con lesiones de rodilla, por ejemplo, a lo mejor no son capaces de flexionar las rodillas suficientemente para levantar el objeto de la manera correcta. ¿Existen algunos condicionantes médicos? Las mujeres embarazadas deberían restringir seriamente el levantamiento de objetos. Los sujetos con enfermedades de corazón, con lumbalgias, o con patologías en la cadera

Correcto ✓   **Incorrecto** ✗

Utilizando la aspiradora

Sacando ropa de la secadora

Cogiendo un objeto encima de una estantería

Levantar (o incluso hablar con un niño pequeño)

Fig. 11.1. Cuidado en casa de la espalda adecuado e inadecuado.

tendrán sus capacidades mermadas. Mucha gente se lesiona la espalda intentando levantar objetos que pensaban que eran demasiado pesados para ellos. Muchas veces oigo cosas como «me parecía que no podía levantarlo, pero tenía que sacarlo de ahí y no tenía tiempo de encontrar a alguien que me ayudara» cuando hago un examen a la gente después de una lesión de espalda. Especialmente los hombres, «ser un macho» es una actitud muy común y muy peligrosa. Haga que sus pacientes se den cuenta de que de ninguna manera es un «debilucho» si admite que no debería levantar un objeto. Esta aceptación de hecho demuestra una gran sensatez y una gran madurez. Si se necesita un entrenamiento especial antes de realizar una clase de levantamiento y una persona no ha hecho esta clase de entrenamiento, desde luego no debería intentarlo. En general, si un sujeto no está seguro sobre cualquier aspecto de un levantamiento, no debería intentarlo.

> **PUNTO CLAVE**
>
> Los individuos no deberían intentar ningún levantamiento si tienen cualquier ligera duda sobre sus capacidades para realizar este levantamiento de manera segura.

Minimizar el estrés de un levantamiento

Hay varias maneras para reducir el estrés físico de un levantamiento.

La zona segura

El centro de gravedad de un cuerpo humano normalmente está al nivel de la S2/S3.

Recoger un objeto cerca de esta «zona segura» reduce las fuerzas del brazo de palanca que actúan sobre el cuerpo; permitir que el objeto se desplace de este punto aumenta la fuerza de palanca y por lo tanto el estrés. Si se sostiene un objeto dentro de la zona segura cerca de la pelvis representa un 100% de la capacidad del levantamiento; esta capacidad se reduce en un 20% cuando el objeto se sostiene a una distancia del cuerpo de un antebrazo, y en un 75% cuando el objeto se sostiene a la distancia de un brazo.

Enseñe a sus pacientes a recoger los objetos que están levantando hacia el centro de gravedad del cuerpo en el sacro –llevarlos a la zona segura tan rápido como sea posible y mantenerlos ahí tanto tiempo como sea posible–. Cuando se levanta alguna cosa del suelo, deberían llevarlo hacia el cuerpo al principio del levantamiento desplazando el objeto por el suelo. Sólo cuando el objeto esté cerca de la zona segura se debería empezar el levantamiento. Aunque puede que no sea posible mantener el objeto en la zona segura durante todo el levantamiento, cuanto más tiempo se mantenga ahí, mejor. Si un levantamiento tarda 15 segundos en hacerse, será ejecutado de manera mucho más segura que si el objeto está en la zona segura durante 12 de los 15 segundos, que si está en la zona segura sólo 5 segundos. Puesto que el tiempo del levantamiento dura lo mismo en cada caso, levantar objetos de manera segura no enlentecerá a la persona.

> **PUNTO CLAVE**
>
> Debe llevar el objeto dentro de la zona segura (cerca del sacro) tan rápido como sea posible en un levantamiento, y debe mantenerlo ahí tanto tiempo como pueda.

La postura apropiada y el agarrar

Enseñe a sus pacientes a utilizar las dos manos cuando levantan un objeto pesado del suelo. Deberían colocarse en la esquina del objeto con los pies a 90° entre ellos (figura 11.2). Con esta posición de pies, las rodillas pasan por el lado del objeto al agacharse, es decir el objeto queda entre las piernas. Al menos un pie debe estar completamente en el suelo, para ayudar con la estabilidad.

Las manos deberían coger el objeto por debajo («como un gancho») en lugar de simplemente por los costados, para evitar que se le resbale. Con los codos hacia adentro para ayudar a hacer fuerza; con las rodillas flexionadas; la espalda alineada y casi vertical para la mayoría de los levantamientos (sólo cuando un objeto se acerca al suelo, cuando el individuo lo está dejando, le permite flexionar la espalda ligeramente). Los individuos tienen que mirar hacia arriba al levantar, para ayudar a sentir la extensión de la espalda; y la cadera tiene que permanecer por debajo de los hombros en todo momento.

Para algunos objetos pesados, grandes, como un saco de grano o un saco de cemento (figura 11.3), se propone una modificación del levantamiento a dos manos llamado «levantamiento por fragmentos». Éste utiliza la velocidad y el momento para reducir la fuerza necesaria para el levantamiento, pero sólo es posible para objetos que se puedan coger desde encima. Es muy efectivo, pero requiere de una gran destreza y por lo tanto de práctica. Ya que se hace rápidamente, hay poco margen de error. La persona que realiza el levantamiento adopta una postura parecida a la que se utiliza con el levantamiento a dos manos, excepto que el esquat no es tan profundo. Coger el objeto por la parte de arriba, hace que el individuo mantenga la espalda recta

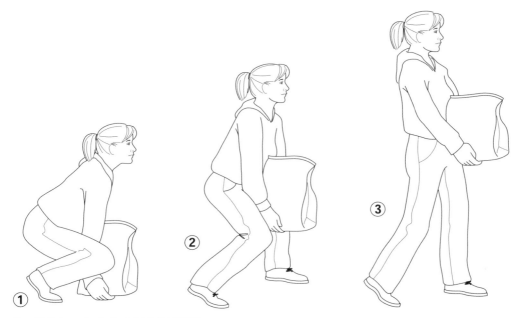

Fig. 11.2. Levantamiento con las dos manos.

y las piernas de alguna manera dobladas. La acción es estirar rápidamente las piernas y levantarse sobre las puntas de los pies (como en el ejercicio de cargada, página 222) mientras se tira del objeto hacia arriba. La mayoría de la fuerza proviene de las piernas, la fuerza de los brazos se utiliza en gran parte para trasmitirla y guiar al objeto. El momento del objeto lo lleva hacia arriba y a la altura del movimiento (cuando el peso que se sienta sea mínimo), el sujeto cambia la sujeción para colocar las manos por debajo del objeto y llevarlo de manera estable a la zona segura.

Los levantamientos con una mano son adecuados para objetos más ligeros (figura 11.4). El individuo debería colocarse en una posición de semiflexión de rodillas, con los pies separados el ancho de los hombros y con un pie más adelantado que el otro. Si se utiliza la mano derecha para levantar el objeto, el pie izquierdo debe estar delante y la mano izquierda se debe colocar en la rodilla izquierda para que sirva de apoyo. La espalda permanece en posición neutral y se mantiene casi vertical a lo largo de todo el movimiento. La rodilla que está avanzada debería estar justo por delante del pie, pero no mucho más lejos, así la tibia de la pierna de delante está casi vertical –de esta manera el sujeto empujará con la mano sobre una base de soporte más estable–. Si el pie de delante está en una flexión dorsal demasiado pronunciada, la mano que empuja la rodilla aumentará la amplitud de la flexión dorsal y le será más difícil levantar el cuerpo del suelo.

Las actividades de empujar y de tirar pueden poner un estrés considerable sobre la espalda si se hacen de manera incorrecta. Es esencial que el alineamiento de la espalda se mantenga y que la fuerza del

Fig. 11.3. (1) Flexionar las rodillas para acercarse al saco, cogerlo por encima; (2) Estirar rápidamente las piernas y tirar del saco hacia arriba; (3) Colocarse debajo del saco cuando el momento continúa llevándolo hacia arriba; (4) Estirar las piernas y ponerse de pie, aguantando el saco contra el pecho.

Fig. 11.4. Levantamiento con una sola mano.

RESUMEN

- Los sujetos tienen que mantener la columna vertical, o casi vertical cuando sea posible, durante un levantamiento.
- La flexión repetitiva durante un levantamiento puede conducir a una rotura seria de tejidos.
- En cualquier momento que la columna no esté vertical, se debería sostener colocando una mano sobre un objeto estable o encima de la rodilla flexionada.
- Antes de levantar cualquier objeto, los individuos tienen que planear el movimiento: tienen que evaluar el entorno, el objeto y sus propias capacidades.
- Si existe cualquier duda en la cabeza del individuo de que puede levantar/transportar el objeto de manera segura, deberían abstenerse de hacerlo.
- La «zona segura» está cerca del sacro, ya que la mayoría de gente tiene el centro de gravedad aproximadamente sobre la S2/S3. Los objetos que se levanten deberían ponerse en esta zona segura tan rápidamente como sea posible, y mantenerlos aquí cuanto más tiempo mejor.
- Los sujetos deberían utilizar las dos manos para levantar objetos pesados. Cuando se levanten objetos más livianos con sólo una mano, tienen que poner la mano libre encima de la rodilla flexionada para proporcionar un sostén adicional a la columna.
- El levantamiento fragmentado es útil para levantar objetos pesados que se puedan coger desde encima, pero el movimiento es difícil y se tiene que practicar antes de hacerlo.

movimiento provenga de las piernas más que de la columna. Enseñe a sus pacientes a empezar a empujar mirando hacia delante con las manos en el objeto y con los brazos rectos, o encarado hacia atrás con la espalda contra el objeto. En cualquier caso debería mantener la pelvis en posición neutral y generar la mayoría de la fuerza en las piernas para empujar o tirar –la fuerza se dirige a través de la columna recta, estable, al objeto que se está moviendo–. Asegúrese de que sus pacientes lo muevan con pasos pequeños cuando empujen o tiren (pasos demasiado grandes sobreestirarán el cuerpo y alejarán a la columna de su alineamiento).

BIBLIOGRAFÍA

Adams, M. 1989. Letter to the editor. *Spine* 14:1272.

Adams, M.A., y Dolan, P. 1997. The combined function of the spine, pelvis, and legs when lifting with a straight back. En *Movement, stability and low back pain*, ed. A. Vleeming, V. Mooney, T. Dorman, C. Snijders, y R. Stoeckart. New York: Churchill Livingstone.

Adams, M.A., y Hutton, W.C. 1983. The mechanical function of the lumbar apophyseal joints. *Spine* 8:327-30.

Adams, M.A.; Hutton, W.C.; y Stott, J.R.R. 1980. The resistance to flexion of the lumbar intervertebral joint. *Spine* 5:245-53.

Adams, M.A.; McNally, D.S.; Chinn, H.; y Dolan, P. 1994. Posture and the compressive strength of the lumbar spine. *Clinical Biomechanics* 9:5-14.

Allan, D.B., y Waddell, G. 1989. An historical perspective on low back pain and disability. *Acta Orthop Scand* (Suppl) 60:I-5.

Allison, G.; Kendle, K.; Roll, S.; Schupelius, J.; Scott, Q.; y Panizza, J. 1998. The role of the diaphragm during abdominal hollowing exercises. *Australian Journal of Physiotherapy* 44:95-102.

Andersson, E.; Oddsson, L.; Grundstrom, H.; y Thorstensson, A. 1995. The role of the psoas and iliacus muscles for stability and movement of the lumbar spine, pelvis and *hip. Scandinavian Journal of Medicine and Science in Sports* 5:10-16.

Appell, H.J. 1990. Muscular atrophy following immobilisation: a review. Sports Medicine 10:42-58.

Aruin, AS., y Latach, M.L. 1995. Directional specificity of postural muscles in feed-forward postural reactions during fast voluntary arm movements. *Experimental Brain Research* 103:323-32.

Aspden, P.M. 1987. Intra-abdominal pressure and its role in spinal mechanics. *Clinical Biomechanics* 2:168-74.

Aspden, R.M. 1989. The spine as an arch. A new mathematical model. *Spine* 14:266-74.

Aspden, R.M. 1992. Review of the functional anatomy of the spinal ligaments and the lumbar erector spinae muscles. *Clinical Anatomy* 5:372-87.

Atkinson, H.W. 1986. Principles of treatment. En *Cash's textbook of neurology for physiotherapists*, 4th edition, ed. P.A Downie. London: Faber and Faber.

Baechle, T.R. 1994. Essentials of strength training and conditioning. Champaign, IL: Human Kinetics.

Bandy, W.D., y Irion, J.M. 1994. The effect of time on static stretch of the flexibility of the hamstring muscles. *Physical Therapy* 74:845-52.

Barrack, R.L., y Skinner, H.B. 1990. The sensory function of knee ligaments. En *Knee ligaments: structure, function, and injury,* ed. D. Daniel. New York: Raven Press.

Barrack, R.L.; Skinner, H.B.; y Brunet, G. 1983. Joint kinesthesia in the highly trained knee. *Journal of Sports Medicine and Physical Fitness* 24:18-20.

Barrett, D.S.; Cobb, A.G.; y Bentley, G. 1991. Joint proprioception in normal, osteoarthritic, and replaced knees. *Journal of Bone and Joint Surgery* 73B:53-56.

Bartelink, D.L. 1957. The role of abdominal pressure in relieving the pressure on the lumbar intervertebral discs. *Journal of Bone and Joint Surgery* 39B:718-25.

Bastide, G.; Zadeh, J.; y Lefebre, D. 1989. Are the little muscles what we think they are? *Surgical and Radiological Anatomy* 11:255-56.

Beard, D.J.; Kyberd, P.J.; O'Comor, J.J.; Fergusson, C.M.; y Dodd, C.A.F. 1994. Reflex hamstring contraction latency in anterior cruciate ligament deficiency. *Journal of Orthopaedic Research* 12:219-28.

Beiring-Sorensen, R. 1984. Physical measurement as risk indicators for low back trouble over a one year period. *Spine* 9:106-19.

Bernhardt, M.; White, A.A.; Panjabi, M.M. 1992. Lumbar spine instability. En *The lumbar spine and back pain*. 4th ed., ed. M.I.V. Jayson. Edinburgh: Churchill Livingstone.

Bemier, J.N., y Pemn, D.H. 1998. Effect of coordination training on proprioception of the functionally unstable ankle. *Journal of Orthopedic and Sports Physical Therapy* 27:264-75.

Biedermam, H.J.; Shanks, G.L.; Forrest, W.J.; e Inglis, J. 1991. Power spectrum analyses of electromyographic activity. *Spine* 16:1179-84.

Boden, S.D.; Davis, D.O.; y Dina, T.S. 1990. Abnormal magnetic resonance scans of the lumbar spine in asymptomatic subjects. *Journal of Bone and Joint Surgery* [Am] 72:403.

Bogduk, N.; y Engel, R. 1984. The menisci of the lumbar zygapophyseal joints. A review of their anatomy and clinical significance. *Spine* 9:454-60.

Bogduk, N.; y Jull, G. 1985. The theoretical pathology of acute locked back: a basis for manipulative therapy. *Manual Medicine* 1:78-82.

Bogduk, N.; Pearcy, M.; y Hadfield, G. 1992. Anatomy and biomechanics of psoas major. *Clinical Biomechanics* 7:109-19.

Bogduk, N., y Twomey, L.T. 1987. *Clinical anatomy of the lumbar spine*. Edinburgh: Churchill Livingstone.

Bogduk, N., y Twomey, L.T. 1991. *Clinical anatomy of the lumbar spine*. 2d ed. Edinburgh: Churchill Livingstone.

Bradford, F.K., y Spurting, R.G. 1945. *The intervertebral disc*. Springfield, IL: Charles C. Thomas.

Bullock-Saxton, J. 1988. Normal and abnormal postures in the sagittal plane and their relationship to low back pain. *Physiotherapy Practice* 4:94-104.

Bullock-Saxton, J. 1993. Postural alignment in standing: a repeatability study. *Australian Journal of Physiotherapy* 39:25-29.

Bullock-Saxton, J.E.; Bullock, M.I.; Tod, C.; Riley, D.R.; y Morgan, A.E. 1991. Postural stability in young adult men and women. *New Zealand Journal of Physiotherapy* 3:7-10.

Bush, K.; Cowan, N.; y Katz, D.E. 1992. The natural history of sciatica associated with disc pathology: a prospective study with clinical and independent radiographic follow up. *Spine* 17:1205-12.

Cailliet, R. 1981. *Low back pain syndrome*. 3ᵈ ed. Philadelphia: Davis.

Cailliet, R. 1983. *Soft tissue pain and disability*. Philadelphia: Davis.

Cappozzo, A.; Felici, F.; Figura, F.; y Gazzani, F. 1985. Lumbar spine loading during half-squat exercises. *Medicine and Science in Sports and Exercise* 17(5):613-20.

Chartered Society of Physiotherapy (CSP). 1998. *Low back pain. Information for sufferers*. [On-line]. Available: http://www.csp.org.uk [October 15,19991].

Cholewicki, J., y McGill, S.M. 1992. Lumbar posterior ligament involvement during extreme-ly heavy lifts estimated from fluoroscopic measurements. *Journal of Biomechanics* 25(1):17-28.

Comerford, M. 1995. Muscle imbalance. Course notes. Nottingham School of Physiotherapy.

Comerford, M. 1998. Dynamic stability. Physiotools compatible computer programme. Physiotools development office. Pihapolku F. 02420. Jorvas. Finland.

Cornwall, M.W.; Melinda, P.B.; y Barry, S. 1991. Effect of mental practice on isometric muscular strength. *Journal of Orthopedic and Sports Physical Therapy* 13:217-23.

Cresswell, A.G.; Grundstrom, H.; y Thorstensson, A. 1992. Observations on intra-abdominal pressure and patterns of abdominal intra-muscular activity in man. *Acta Physiol Scand* 144:409-18.

Cresswell, A.G.; Oddsson, L.; y Thorstensson, A. 1994. The influence of sudden perturbations on trunk muscle activity and intra-abdominal pressure while standing. *Experimental Brain Research* 98:336-41.

Crock, H.V., y Yoshiawa, H. 1976. The blood supply of the lumbar vertebral column. *Clinical Orthopaedics* 115:6-21.

Crowell, R.D.; Cummings, G.S.; Walker, J.R.; y Tillman, L.J. 1994. Intratester and intertester relia-bility and validity of measures on innominate bone inclination. *Journal of Orthopedic and Sports Physical Therapy* 20:88-97.

Davis, P.R., y Troup, J.D.G. 1964. Pressures in the trunk cavities when pulling, pushing, and lift-ing. *Ergonomics* 7:465-74.

Day, J.W.; Smidt, G.L.; y Lehmann, T. 1984. Effect of pelvic tilt on standing posture. *Physical Therapy* 64:510-16.

Delitto, R.S.; Rose, S.J.; y Apts, D.W. 1987. Electromyographic analysis of two techniques for squat lifting. *Physical Therapy* 67:1329-34.

Deutsch, F.E. 1996. Isolated lumbar strengthening in the rehabilitation of chronic low back pain. *Journal of Manipulative and Physiological Therapeutics* 19:124-33.

Deyo, R.A.; Diehl, A.K.; y Rosenthal, M. 1986. How many days of bed rest for acute low back pain. New England Journal of Medicine 315:1064.

Eie, N. 1966. Load capacity of the low back. *Journal of Oslo City Hospitals* 1673-98.

Enoka, R.M. 1988. *Neuromechanical basis of kinesiology*. Champaign, IL: Human Kinetics.

Etnyre, B.R., y Abraham, L.D. 1986. H-reflex changes during static stretching and two variations of proprioceptive neuromuscular facilitation techniques. *Electroencephalography and Clinical Neurophysiology* 63:174-79.

Etnyre, B.R., y Lee, E.J. 1987. Comments on proprioceptive neuromuscular facilitation stretching. *Research Quarterly for Exercise and Sport* 58:184-88.

Fansler, C.L.; Poff, C.L.; y Shepard, K.F. 1985. Effects of mental practice on balance in elderly women. *Physical Therapy* 65:1332-38.

Farfan, H.F. 1988. Biomechanics of the lumbar spine. En *Managing low backpain*. 2ᵈ ed., ed. W.H. Kirkaldy-Willis. London: Churchill Livingstone.

Farfan, H.F.; Osteria, V.; y Lamy, C. 1976. The mechanical etiology of spondylolysis and spondylolisthesis. *Clinical Orthopedics and Related Research* 117:40-55.

Freeman, M.A.R.; Dean, M.R.E.; y Hanham, I.W.F. 1965. The etiology and prevention of functional instability of the foot. *Journal of Bone and Joint Surgery* 47B(4):678-85.

Friedli, W.G.; Hallet, M.; y Simon, S.R. 1984. Postural adjustments associated with rapid voluntary arm movements. Electromyographic data. *Journal of Neumlosy, Neurosurgery and Psychiatry* 47:611-22.

Frymoyer, J.W., y Cats-Baril, W.L. 1991. An overview of the incidences and costs of low back pain. *Orthopedic Clinics of North America* 22:263.

Frymoyer, J.W., y Gordon, S.L. 1989. *Symposium on new perspectives on low back pain.* Park Ridge, IL: American Academy of Orthopedic Surgeons.

Goldspink, G. 1992. Cellular and molecular aspects of adaptation in skeletal muscle. En *Strength and power in sport,* ed. Komi. Oxford: Blackwell.

Goldspink, G. 1996. Personal communication.

Gossman, M.R.; Sahnnann, S.A.; y Rose, S.J. 1982. Review of length associated changes in muscle. *Physical Therapy* 62:1799-808.

Gracovetsky, S.; Farfan, H.F.; y Helleur, C. 1985. The abdominal mechanism. *Spine* 10:317-24.

Gracovetsky, S.; Kary, M.; Levy, S.; Ben Said, R.; Pitchen, I.; y Helie, J. 1990. Analysis of spinal and muscular activity during flexion/extension and free lifts. *Spine* 15:1333-39.

Gracovetsky, S.; Farfan, H.F.; y Lamy, C. 1977. A mathematical model of the lumbar spine using an optimal system to control muscles and ligaments. *Orthopaedic Clinics* of *North America* 8:335-53.

Guimaraes, A.C.S.; Vaz, M.A.; De Campos, M.I.A.; y Marantes, R. 1991. The contribution of the rectus abdominis and rectus femoris in twelve selected abdominal exercises. *Journal of Sports Medicine and Physical Fitness* 31:222-30.

Harrnan E.; Frykman, P.; Clagett, B.; y Kraemer, W. 1988. Intra-abdominal and intra-thoracic pressures during lifting and jumping. *Medicine and Science in Sports and Exercise* 20:195-201.

Hart, D.L, y Rose, S.J. 1986. Reliability of a non-invasive method for measuring the lumbar curve. *Journal of Orthopedic and Sports Physical Therapy* 8:180-84.

Hemborg, B.; Moritz, U.; y Hamberg, J. 1983. Intra-abdominal pressure and trunk muscle activity during lifting-effect of abdominal muscle training in healthy subjects. *Scandinavian Journal of Rehabilitation Medicine* 15:183-96.

Hemborg B.; Moritz, U.; Hamberg, J.; Holmstrom, E.; Lowing, H.; y Akesson, 1.1985. Intra-abdominal pressure and trunk muscle activity during lifting-effects of abdominal muscle training in chronic low-back patients. *Scandinavian Journal of Rehabilitation Medicine* 17:15-24.

Hides, J.A.; Richardson, C.A.; y Jull, G.A. 1996. Multifidus muscle recovery is not automatic after resolution of acute, first-episode low back pain. *Spine* 21:2763-69.

Hides, J.A.; Stokes, M.J.; Saide, M.; Jull, G.A.; y Cooper, D.H. 1994. Evidence of lumbar multifidus muscle wasting ipsilateral to symptoms in patients with acute/subacute low back pain. *Spine* 19:165-72.

Hirsch, C. y Schajowicz, F. 1952. Studies on structural changes in the lumbar annulus fibrosis. *Acta Orthopaedica Scandinavica* 22:184-89.

Hirsch, C., y Nachemson, A. 1954. New observations on mechanical behaviour of lumbar discs. *Acta Orthopaedica Scandinavica* 23:254-83.

Hodges, P.W., y Richardson, C.A. 1996. Contraction of transversus abdominis invariably precedes movement of the upper and lower limb. En *Proceedings of the 6th International Conference of the International Federation of Orthopaedic Manipulative Therapists.* Lillehammer, Norway.

Hodges, P.; Richardson, C.; y Jull, G. 1996. Evaluation of the relationship between laboratory and clinical tests of transversus abdominis function. *Physiotherapy Research International* 1:30-40.

Holm, S.; Maroudas, A.; Urban, J.P.G.; Selstam, G.; y Nachemson, A. 1981. Nutrition of the intervertebral disc: solute transport and metabolism. *Connect Tissue Res* 8:101-19.

Holt, L.E., y Smith, R. 1983. *The effect of selected stretching programs on active and passive flexibility.* Del Mar, CA. Research Center for Sport.

Hughes, M.A.; Duncan, P.W.; Rose, D.K.; Chandler, J.M.; y Studenski, S.A. 1996. The relationship of postural sway to sensorimotor function, functional performance, and disability in the elderly *Archives of Physical Medicine and Rehabilitation* 77:567-72.

Hukins, D.W.L. 1987. Properties of spinal materials. En *The lumbar spine and back pain,* ed. M.I.V. Jayson. Edinburgh: Churchill Livingstone.

Hukins, D.W.L.; Aspden, R.M.; y Hickey, D.S. 1990. Thoracolumbar fascia can increase the efficiency of the erector spinae muscles. *Clinical Biomechanics* 5:30-34.

Hyman, J., y Liebenson, C. 1996. Spinal stabilization exercise program. En *Rehabilitation of the spine,* ed. C. Liebenson. Baltimore: Williams & Wilkins. Irion, J.M. 1992. Use of the gym ball in rehabilitation of spinal dysfunction. En *Orthopaedicphysical therapy clinics of North America.* Oxford: Churchill Livingstone.

Jacob, H.A.C., y Kissling, R.O. 1995. The mobility of the sacroiliac joints in healthy volunteers between 20 and 50 years of age. *Clinical Biomechanics* 10:352-61.

Janda, V. 1986. Muscle weakness and inhibition pseudoparesis in back pain syndromes. En *Modem manual therapy,* ed. G. Grieve. Edinburgh: Churchill Livingstone.

Janda, V. 1992. Muscle imbalance and musculoskeletal pain. Course notes. University of Oxford. UK.

Janda, V. 1993. Muscle strength in relation to muscle length, pain and muscle imbalance. En *Muscle strength. International perspectives in physical therapy,* ed. K. Harms-Ringdahl. Edinburgh: Churchill Livinestone.

Janda V., y Schmid, H.J.A. 1980. Muscles as a pathogenic factor in back pain. *Proceedings of the International Federation of Orthopaedic Manipulative Therapists, 4th Conference,* 17-18. New Zealand.

Jensel, M.C.; Brant-Zawadzki, M. N.; y Obuchowki, N. 1994. Magnetic resonance imaging of the lumbar spine in people without back pain. New *England Journal of Medicine* 269.

Johnson, C., y Reid, J.G. 1991. Lumbar compressive and shear forces during various curl up exercises. *Clinical Biomechanics* 6:97-104.

Jorgensen, K., y Nicolaisen, T. 1987. Trunk extensor endurance: determination and relation to lowback trouble. *Ergonomics* 30:259-67.

Jull, G.A. 1994. Headaches of cervical origin. En *Physical therapy of the cervical and thoracic spine,* ed. R. Grant. New York: Churchill Livingstone.

Jull, G.A., y Janda, V. 1987. Muscles and motor control in low back pain: assessment and management. En *Physical therapy of the low back,* ed. L.T. Twomey. New York: Churchill Livingstone.

Jull, G., y Richardson, C.A. 1994a. Active stabilisation of the trunk. Course notes. University of Edinburgh.

Jull, G.A., y Richardson, C.A. 1994b. Rehabilitation of active stabilization of the lumbar spine. En *Physical therapy of the low back.* 2d ed., ed. L.T. Twomey and L.T. Taylor. Edinburgh: Churchill Livingstone.

Kapandji, 1.1974. *The physiology of joints, vol. 3. The spine.* London: Churchill Livingstone.

Kendall, F.P.; McCreary, E.K.; y Provance, P.G. 1993. *Muscles. Testing and function.* 4th ed. Baltimore: Williams & Wilkins.

Kennedy, J.C.; Alexander, I.J.; y Hayes, K.C. 1982. Nerve supply of the human knee and its functional importance. *American Journal of Sports Medicine* 10:329.

Kent, M. 1994. *The Oxford dictiona ry of sports science and medicine.* Oxford: Oxford University Press.

Kesson, M., y Atkins, E. 1998. *Orthopaedic medicine. A practical approach.* Oxford: Butterworth Heinemann.

Kippers, V., y Parker, A.W. 1984. Posture related to myoelectric silence of erectores spinae during trunk flexion. *Spine* 9:740-45.

Kirby, M.C.; Sikoryn, T.A.; Hukins, D.W.L.; y Aspden, R.M. 1989. Structure and mechanical properties of the longitudinal ligaments and ligamentum flavum of the spine. *Journal of Biomedical Engineening* 11:192-96.

Kirkaldy-Willis, W.H. 1990. *The lumbar spine.* New York: Saunders.

Klein, J.A., y Hukins, D.W.L. 1983. Relocation of the bending axis during flexion-extension of the lumbar intervertebral discs and its implications for prolapse. *Spine* 8: 659-64.

Koh, T.J. 1995. Do adaptations in serial sarcomere number occur with strength training? *Human Movement Science* 14:61-77.

Konradsen, L., y Ravn, J.B. 1990. Ankle instability cause by prolonged peroneal reaction time. *Acta Orthop Scand* 61:388-90.

Kraemer, J.; Kolditz, D.; y Gowin, R. 1985. Water and electrolyte content of human intervertebral discs under variable load. *Spine* 10:69-71.

Lacote, M.; Chevalier, A.M.; Miranda, A.; Bleton, J.P.; y Stevenin, P. 1987. *Clinical evaluation of muscle function.* Edinburgh: Churchill Livingstone.

Lavignolle, B.; Vital, J.M.; y Senegas, J. 1983. An approach to the functional anatomy of the sacroiliac joints in vivo. *Anatomia Clinica* 5:169-76.

Leatt, P.; Reilly, T.; y Troup, J.G.D. 1986. Spinal loading during circuit weight-training and running. *British Journal of Sports Medicine* 20(3):119-24.

Lee, D.G. 1994. Kinematics of the pelvic joints. En *Grieve's modern manual therapy,* ed. J.D. Boyling and N. Palastanga. Edinburgh: Churchill Livingstone.

Lentell, G.L.; Katzman, L.L.; y Walters, M.R. 1990. The relationship between muscle function and ankle stability. *Journal of Orthopedic and Sports Physical Therapy* 11:605-11.

Lephart, S.M., y Fu, F.H. 1995. The role of proprioception in the treatment of sports injuries. *Sports Exercise and Injury* 1:96-102.

Lephart, S.M.; Warner, J.P.; Borsa, P.A.; y Fu, F.H. 1994. Proprioception of the shoulder in normal, unstable, and surgical individuals. *Journal of Shoulder and Elbow Surgeq* 3:224-28.

Lester, M.N., y Posner-Mayer, J. 1993. *Spinal stabilisation: utilizing the Swiss ball video.* Denver: Ball Dynamics.

Levine, D.; Walker, J.R.; y Tillman, L.J. 1997. The effect of abdominal muscle strengthening on pelvic tilt and lumbar lordosis. *Physiotherapy Theory and Practice* 13:217-26.

Lewit, K. 1991. *Manipulative therapy in rehabilitation of the locomotor system.* 2d ed. Oxford: Butterworth Heinemann.

Liebenson, C. 1996. *Rehabilitation of the spine.* Baltimore: Williams & Wilkins.

Lieber, R.L. 1992. *Skeletal muscle structure and function.* Baltimore: Williams & Wilkins.

Linsenbardt, S.T.; Thomas, T.R.; y Madsen, R.W. 1992. Effect of breathing techniques on blood pressure response to resistance exercise. *British Journal of Sports Medicine* 26:97-100.

Lipetz, S., y Gutin, B. 1970. An electromyographic study of four abdominal exercises. *Medicine and Science in Sports and Exercise* 2:35-38.

Long, D.M. 1995. Effectiveness of therapies currently employed for persistent low back and leg pain. *Pain Forum* 4122-25.

Lord, S.R.; Ward, J.A.; Williams, P.; y Zivanovic, E. 1996. The effects of a community exercise program on fracture risk factors in older women. *Osteoporosis International* 6:361-67.

Lovell, F.W.; Rothstein, J.M.; y Personius, W.J. 1989. Reliability of clinical measurements of lumbar lordosis taken with a flexible rule. *Physical Therapy* 69:96-105.

Luttgens, K.; y Wells, K. 1982. *Kinesiology. Scientific basis and human motion.* 7th ed. Philadelphia: Saunders College Publishing.

Macintosh, J.E., y Bogduk, N. 1986. The biomechanics of the lumbar multifidus. *Clinical Biomechanics* 1:205-13.

Macintosh, J.E., y Bogduk, N. 1987. The anatomy and function of the lumbar back muscles and their fascia. En *Physical therapy of the low back,* ed. L.T. Twomey. New York: Churchill Livingstone.

Macintosh, J.E.; Bogduk, N.; y Gracovetsky, S. 1987. The biomechanics of the thoracolumbar fascia. *Clinical Biomechanics* 2:78-83.

Main, C.J., y Watson, P.J. 1996. Guarded movements: development of chronicity. *Journal of Musculoskeletal Pain* 4:163-70.

Maitland, G.D. 1986. *Vertebral manipulation.* 5th ed. London: Butterworths.

Markolf, K.L., y Morris, J.M. 1974. The structural components of the intervertebral disc. *Journal of Bone and Joint Surgery* 56A:675-87.

McConnell, J. 1993. Promoting effective segmental alignment. En *Key issues in musculoskeletal physiotherapy,* ed. J. Crosbie and J. McConnell. Oxford: Butterworth Heinemam.

McGill, S.M. 1997. Distribution of tissue loads in the low back during a variety of daily and rehabilitation tasks. *journal of Rehabilitation Research and Development* 34:448-58.

McGill, S.M. 1998. Low backexercises: evidence for improving exercise regimens. *Physical Therapy* 78:754-65.

McGill, S.M., y Norman, R.W. 1986. Partitioning of the L4-L5 dynamic moment into disc, ligamentous, and muscular components during lifting. *Spine* 11:666-78.

McGill, S.M.; Norman, R.W.; y Sharratt, M.T. 1990. The effect of an abdominal belt on trunk muscles activity and intra-abdominal pressure during squat lifts. *Ergonomics* 33:147-60.

McGill, S.M.; Juker, D.; y Kropf, P. 1996. Quantitative intramuscular myoelectric activity of quadratus lumbomm during a wide variety of tasks. *Clinical Biomechanics* 11:170-72.

McKenzie, R.A. 1981. *The lumbar spine. Mechanical diagnosis and therapy.* Lower Hutt, New Zealand: Spinal Publications.

McKenzie, R.A. 1990. *The cervical and thoraric spine. Mechanical diagnosis and therapy.* Lower Hutt, New Zealand: Spinal Publications.

Miller, J.A.A.; Haderspeck, K.A.; y Schultz, A.B. 1983. Posterior element loads in lumbar motion segments. *Spine* 8:331-37.

Miller, M.I., y Medeim, J.M. 1987. Recruitment of internal oblique and transversus abdominis muscles during the eccentric phase of the curl-up exercise. *Physical Therapy* 67:1213-17.

Moore, M.A., y Kukulka, C.G. 1991. Depression of Hoffman reflexes following voluntary contraction and implications for proprioceptive neuromuscular facilitation therapy. *Physical Therapy* 71:321-33.

Morgan, D.L., y Lynn, R. 1994. Decline running produces more sarcomeres in rat vastus intermedius muscle fibers than does incline running. *Journal* of *Applied Physiology* 77:1439-44.

Morris, J.M.; Lucas, D.B.; y Bresler, B. 1961. Role of the trunk in stability of the spine. *Journal of Bone and Joint Surgery (Am)* 43A:327-51.

Mottram, S.L. 1997. Dynamic stability of the scapula. *Manual Therapy* 2:123-31.

Murray, M.P.; Seireg, A.; y *Sepk,* S.B. 1975. Normal postural stability and steadiness: quantitative assessment. *Journal of Bone and joint Surgery* 57A:510-16.

Nachemson, A.L. 1992. Newest knowledge of low back pain. *Clinical Orthopaedics* 279:8.

Nachemson, A., y Evans, J. 1968. Some mechanical properties of the third lumbar laminar ligament (ligamentum flavum). *Journal of Biomechanics* 1:211.

Ng, G., y Richardson, C.A. 1990. The effects of training triceps surae using progressive speed loading. *Physiotherapy Practice* 6:77-84.

Ng, G., y Richardson, C. 1994. EMG study of erector spinae and multifidus in two isometric back extension exercises. *Australian Journal of Physiotherapy* 40:115-21.

Norkin, C.C., y Levangie, P.K. 1992. *Joint structure and function. A comprehensive analysis.* 2ᵈ ed. Philadelphia: Davis.

Norris, C.M. 1993. Abdominal muscle training in sport. *British Journal of Sports Medicine* 27:519-27.

Norris, C.M. 1994b. Abdominal training. Dangers and exercise modifications. *Physiotherapy in Sport* 1:410-14.

Norris, C.M. 1994c. Taping: components, applications and mechanisms. *Sports Exercise and injury* 1:14-17.

Norris, C.M. 1995a. Spinal stabilisation 2. Limiting factors to end-range motion in the lumbar spine. *Physiotherapy* 81:4-12.

Norris, C.M. 1995b. *Weight training. Principles and practice.* London: A&C Black.

Norris, C.M. 1997. *Abdominal training.* London: A&C Black.

Norris, C.M. 1998. *Sports Injuries. Diagnosis and management.* Id ed. Oxford: Butterworth Heinemann.

Norris, C.M. 1999. Functional load abdominal training: part 1. *Journal of Bodywork and Movement Therapies* 3(3):150-58.

Noms, C.M., y Berry, S. 1998. Occurrence of common lumbar posture types in the student sporting population: an initial evaluation. *Sports, Exercise, and Inju y* 4:15-18.

O'Sullivan, P.B.; Twomey, L.T.; y Allison, G.T. 1997. Evaluation of specific stabilizing exercise in the treatment of chronic low back pain with radiologic diagnosis of spondylolysis or spondylolisthesis. *Spine* 222959-67.

O'Sullivan, P.B.; Twomey, L.; y Allison, G.T. 1998. Altered abdominal muscle recruitment in patients with chronic back pain following a specific exercise intervention. *Journal of Orthopedic and Sports Physical Therapy* 27:114-24.

Oliver, J., y Middleditch, A. 1991. *Functional anatomy of the spine.* Oxford: Butterworth Heinemann.

Palastanga, N.; Field, D.; y Soames, R. 1994. *Anatomy and human movement.* 2d ed. Oxford: Butterworth Heinemam.

Panjabi, M.M. 1992. The stabilizing system of the spine. Part 1. Function, dysfunction, adaptation, and enhancement. *Journal of Spinal Disorders* 5:383-89.

Panjabi, M.M.; Abumi, K.; Duranceau, J.; y Oxland, T. 1989. Spinal stability and intersegmental muscle forces. A biomechanical model. *Spine* 14:194-200.

Panjabi, M.M.; Hult, J.E.; y White,A.A. 1987. Biomechanics studies in cadaveric spines. En *The lumbar spine and back pain,* ed. M.I.V. Jayson. Edinburgh: Churchill Livingstone.

Panjabi, M.M., y White, A.A. 1990. Physical properties and functional biomechanics of the spine. En *Clinical biomechanics of the spine,* ed. A.A. White and M.M. Panjabi. Philadelphia: Lippincott.

Paris, S.V. 1985. Physical signs of instability. *Spine* 10:277-79.

Parkkola, R.; Rytokoski, U.; y Kormano, M. 1993. Magnetic resonance imaging of the discs and trunk muscles in patients with chronic low back pain and healthy control subjects. *Spine* 18:830-36.

Pamianpour, M.; Nordin, M.; Kahanovitz, N.; y Frankel, V. 1988. The triaxial coupling of torque generation of trunk muscles during isometric exertions and the effect of fatiguing isoinertial movements on the motor output and movement patterns. *Spine* 13982-92.

Pearcy, P.; Portek, I.; y Shepherd, J. 1984. Three dimensional X ray analysis of normal movement in the lumbar spine. *Spine* 9:294-97.

Perey, 0.1957. Fracture of the vertebral end plate in the lumbar spine. *Acta Orthop Scand* (Suppl) 25:1-101.

Pope, M.H., y Panjabi, M.M. 1985. Biomechanical definitions of instability. *Spine* 10:255-56.

Ricci, B.; Marchetti, M.; y Figura, F. 1981. Biomechanics of sit up exercises. *Medicine and Science in Sports and Exercise* 1354-59.

Richardson, C.A. 1992. Muscle imbalance: principles of treatment and assessment. *Proceedings of the New Zealand Society of Physiotherapists Challenges Conference.* Christchurch, New Zealand.

Richardson, C.A., y Bullock, M.I. 1986. Changes in muscle activity during fast, alternating flexion-extension movements of the knee. *Scandinavian Journal of Rehabilitation Medicine* 18:51-58.

Richardson, C.A., y Hodges, P. 1996. New advances in exercise to rehabilitate spinal stabilisation. Course notes. University of Edinburgh.

Richardson, C.; Jull, G.; Toppenburg, R.; y Comerford, M. 1992. Techniques for active lumbar stabilisation for spinal protection: a pilot study. *Australian Journal of Physiotherapy* 38:105-12.

Richardson, C.A., y Sims, K. 1991. An inner range holding contraction: an objective measure of stabilising function of an antigravity muscle. *Proceedings of the World Confederationfor Physical Therapy, 11th International Congress.* London.

Richardson, C.; Toppenberg, R.; y lull, G. 1990. An initial evaluation of eight abdominal exercises for their ability to provide stabilisation for the lumbar spine. *Australian Journal of Physiotherapy* 36:6-11.

Risch, S.V.; Nowell, N.K.; Pollock, M.L.; Risch, E.D.; Langer, H.; Fulton, M.; Graves, J.E.; y Leggett, S.H. 1993. Lumbar strengthening in chronic low back pain patients. Physical and psychological benefits. *Spine* 18:232-38.

Roaf, R. 1960. A study of the mechanics of spinal injuries. *Journal of Bone and Joint Surgery* 42B:810-23.

Rockoff, S.F.; Sweet, E.; y Bleustein, J. 1969. The relative contribution of trabecular and cortical bone to the strength of human lumbar vertebrae. *Calcified Tissue Research* 3:163-75.

Saal, J.A. 1988. Rehabilitation of football players with lumbar spine injury. *Physician and Sportsmedicine* 16:61-67.

Saal, J.A. 1995. The pathophysiology of painful lumbar disorder. *Spine* 20:180-83.

Saal, J.A., y Saal, J.S. 1989. Nonoperative treatment of herniated lumbar intervertebral disc with radiculopathy. *Spine* 14:431-37.

Sahnnann, S.A. 1987. Posture and muscle imbalance: faulty lumbar-pelvic alignment and associated musculoskeletal pain syndromes. En *Postgraduate advances in physical therapy.* Berryvill, VA: Forum Medicum.

Sahrmann, S.A. 1990. Diagnosis and treatment of movement related pain syndromes associated with muscle and movement imbalances. Course notes. Washington University.

Silvennetz, M.A. 1990. Pathokinesiology of supine double leg lifts as an abdominal strengthener and suggested alternative exercises. *Athletic Trianing* 25:17-22.

Skall, F.H.; Manniche, C.; y Nielsen, C.J. 1994. Intensive back exercises 5 weeks after surgery of lumbar disk prolapse. Aprospective randomized multicenter trial with a historical control group. *Ugeskr Loeger* 156:643-46.

Smith, R.L., y Brunolli, J. 1990. Shoulder kinesthesia after anterior glenohumeral joint dislocation. *Physical Therapy* 69:106-12.

Spitzer, W.O.; Le Blanc, F.E.; y Dupuis, M. 1987. Scientific approach to the assessment and management of activity related spinal disorders: a monograph for clinicians. Report of the Quebec Task Force on Spinal Disorders. *Spine* 12 (Suppl 7).

Sturesson, B.; Selvik, G.; y Uden, A. 1989. Movements of the sacroiliac joints. A roentgen stereophotogrammetric analysis. *Spine* 14:162-65.

Sugano, H., y Takeya, T. 1970. Measurement of body movement and its clinical application. *Japanese Journal* of *Physiology* 20:296-308.

Sullivan, M.S. 1997. Lifting and back pain. En *Physical therapy of the low back,* ed. L.T. Twomey and J.R. Taylor. Edinburgh: Churchill Livingstone.

Sullivan, P.E.; Markos, P.D.; y Minor, M.A.D. 1982. *An integrated approach to therapeutic exercise.* Reston, VA: Reston Publishing.

Swanepoel, M.W.; Adams, L.M.; y Smeathers, J.E. 1995. Human lumbar apophyseal joint damage and intervertebral disc degeneration. *Annals of the Rheumatic Diseases* 54:182-88.

Taylor, D.C.; Dalton, J.; Seaber, A.V.; y Garrett, W.E. 1990. The viscoelastic properties of muscle-tendon units. *American Journal of Sports Medicine* 18:300-09.

Taylor, J.R., y Twomey, L.T. 1986. Age changes in lumbar zygapophyseal joints. *Spine* 11:739-45.

Templeton, G.H.; Padalino, M.; y Manton, J. 1984. Influence of suspension hypokinesia on rat soleus muscle. *Journal of Applied Physiology* 56:278-86.

Thapa, P.B.; Gideon, P.; Brockrnan, K.G.; Fought, R.L.; y Ray, W.A. 1996. Clinical and biomechanical measures of balance as fall predictors in ambulatory nursing home residents. *Journal of Gerontology* 51:239-46.

Tkaczuk, H. 1968. Tensile properties of human lumbar longitudinal ligaments. *Acta Orthop Scand* 115 (Suppl).

Toppenburg, R.M., y Bullock, M.I. 1986. The interrelation of spinal curves, pelvic tilt and muscle lengths in the adolescent female. *Australian Journal of Physiotherapy* 32:6-12.

Travell, J.G., y Simmons, D.G. 1983. *Myofascial pain and dysfunction.* Baltimore: Williams & Wilkins.

Tropp, H.; Alaranta, H.; y Renstrom, P.A.F.H. 1993. Proprioception and coordination training in injury prevention. En *Sports injuries: basic principles of prevention and care.* IOC Medical Commission publication, ed. P.A.F.H. Renstrom. London: Blackwell Scientific.

Twomey, L.T., y Taylor, J.R. 1987. Lumbar posture, movement and mechanics. En *Physical therapy of the low back,* ed. L.T. Twomey. New York: Churchill Livingstone.

Twomey, L.T., y Taylor, J.R. 1994. Factors influencing ranges of movement in the spine. En *Physical therapy of the low back.* 2d ed., ed. L.T. Twomey and J.R. Taylor. Edinburgh: Churchill Livingstone.

Twomey, L.T.; Taylor, J.R.; y Oliver, M. 1988. Sustained flexion loading, rapid extension loading of the lumbar spine and the physical therapy of related injuries. *Physiotherapy Practice* 4:129-38.

Tye, J., y Brown, V. 1990. *Back pain-the ignored epidemic.* London: British Safety Council.

Tyldesley, B., y Grieve, J.I. 1989. *Muscles, nerves and movement: kinesiology in daily living.* Oxford: Blackwell Scientific.

Tyrrell, A.R.; Reilly, T.; y Troup, J.D.G. 1985. Circadian variation in stature and the effects of spinal loading. *Spine* 10:161-64.

Valencia, F.P., y Munro, R.R. 1985. An electromyographic study of the lumbar multifidus in man. *Electromyography and Clinical Neurophysiology* 25:205-21.

Vernon-Roberts, B. 1987. Pathology of intervertebral discs and apophyseal joints. En *The lumbar spine and back pain,* ed. M.I.V. Jayson. Edinburgh: Churchill Livingstone.

Vernon-Roberts, B. 1992. Age related and degenerative pathology of intervertebral discs and apophyseal joints. En *The lumbar spine and back pain,* ed. M.I.V. Jayson. Edinburgh: Churchill Livingstone.

Videman, T.; Nurminen, M.; y Troup, J.D.G. 1990. Lumbar spine pathology in cadaveric material in relation to history of back pain, occupation, and physical loading. *Spine* 15:728-40.

Vlaeyen, J.W.S.; Kole-Snijders, A.M.J.; Boeren, R.G.B.; y van Eek, H. 1995. Fear of movement/reinjury in chronic low back pain and its relation to behavioural performance. *Pain* 62:363-72.

Vleeming, A.; Mooney, V.; Snijders, C.J.; Dorman, T.A.; y Stoeckart, R. 1997. *Movement stability and low back pain.* New York: Churchill Livingstone.

Vleeming, A.; Pool-Goudzwaard, A.L.; y Stoeckart, R. 1995a. The posterior layer of the thoracolumbar fascia: its function in load transfer from spine to legs. *Spine* 20:753-58.

Vleeming, A.; Pool-Goudzwaard, A.L.; Stoeckart, R.; Wingerden, J.R; y Snijders, C.J. 1995. The posterior layer of the thoracolumbar fascia: its function in load transfer from spine to lees. *Spine* 20:753-58.

Vleeming A.; Stoeckart, R.; y Snijders, C. 1989. The sacrotuberous ligament: a conceptual approach to its dynamic role in stabilizing the sacroiliac joint. *Clinical Biomechanics* 4:201-03.

Vleeming, A.; Stoeckart, R.; Volkers, A.C.W.; y Snijders, C.J. 1990. Relation between form and function in the sacroiliac joint. *Spine* 15:130-32.

Waddell, G. 1987. A new clinical model for the treatment of low-back pain. *Spine* 12:632-44.

Waddell, G.; Feder, G.; y Lewis, M. 1997. Systematic reviews of bed rest and advice to stay active for acute low back pain. *British Journal of General Practice* 47:647-52.

Walker, M.L.; Rothstein, J.M.; Fiucane, S.D.; y Lamb, R.L. 1987. Relationships between lumbar lordosis, pelvic tilt, and abdominal muscle performance. *Physical Therapy* 67:512-16.

Walters, C., y Partridge, M. 1957. Electromyographic study of the differential abdominal muscles during exercise. *American Journal of Physical Medicine* 36:259-68.

Watkins, J. 1999. *Structure and function of the musculoskeletal system.* Champaign, IL: Human Kinetics.

Watson, D.H. 1994. Cervical headache: an investigation of natural head posture and upper cervical flexor muscle performance. En *Grieve's modern manual therapy.* Id ed., ed. J.D. Boyline and N. Palastanga. Edinburgh: Churchill Livingstone.

Watson, J. 1983. *An introduction for mechanics of human movement.* Lancaster, UK: MTP Press.

Weber, H. 1983. Lumbar disc herniation: a controlled prospective study with ten years of observation. *Spine* 8:131-38.

Webright, W.G.; Randolph, B.J.; y Perrin, D.H. 1997. Comparison of nonballistic active knee extension in neural slump position and static techniques on hamstring flexibility. *Journal of Orthopedicand Sports Physical Therapy* 26:7-13.

Weider, J. 1989. *Ultimate bodybuilding.* Chicago: Contemporary Books.

White, S.G., y Sahrmam, S.A. 1994. A movement system balance approach to management of musculoskeletal pain. En *Physical therapy* of *the cervical and thoracicspine, ed.* R. Grant. New York: Churchill Livingstone.

Wilke, H.J.; Wolf, S.; Claes, L.E.; Arand, M.; y Weisend, A. 1995. Stability increase of the lumbar spine with different muscle groups: a biomechanical in vitro study. *Spine* 20:192-98.

Willard, F.H. 1997. The muscular, ligamentous and neural structure of the low back and its relation to back pain. En *Movement stability and low back pain,* ed. A. Vleeming, V. Mooney, T. Dorman, C. Snijders, and R. Stoeckart. Edinburgh: Churchill Livingstone.

Williams, P; Watt, P.; Bicik, V.; y Goldspink, G. 1986. Effect of stretch combined with electrical stimulation on the type of sarcomeres produced at the ends of muscle fibers. *Experimental Neurology* 93:500-09.

Williams, P.E. 1990. Use of intermittent stretch in the prevention of serial sarcomere loss in immobilized muscle. *Annals of the Rheumatic Diseases* 49:316-17.

Williams, P.E., y Goldspink, G. 1978. Changes in sarcomere length and physiological properties in immobilised muscle. *journal of Anatomy* 127:459-68.

Yamamoto, I.; Panjabi, M.M.; Oxland, T.R.; y Crisco, J.J. 1990. The role of the iliolumbar ligament in the lumbosacral junction. *Spine* 15:1138-41.

Yang, K.H., y King, A.I. 1984. Mechanism of facet load transmission as a hypothesis for low back pain. *Spine* 9:557-65.

Yong-Hing, K.; Reilly, J.; y Kirkaldy-Willis, W.H. 1976. The ligamentum flavum. *Spine* 1:226-34.

Zetterberg, C.; Andersson, G.B.J.; y Schultz, A.B. 1987. The activity of individual trunk muscles during heavy physical loading. *Spine* 12:1035-40.

Zusman, M. 1998. Structure-oriented beliefs and disability due to back pain. *Australian Journal of Physiotherapy* 44:13-20.

CRÉDITOS

De J.C. Griffin, 1998, Client-centered exercise prescription (Champaign, IL: Human Kinetics): **figura 5.1 (pág. 103)** reimpreso con permiso, de la pág. 176.

De J.A. Hides, C.A. Richardson, y C.A. Jull, 1996, «Multifidus muscle recovery is not automatic after resolution of acute, first-episode low back pain,» *Spine* 21 (23): **figura 3.5 (pág. 61)** reimpreso con permiso, de las págs. 2763-2769.

De National Strength and Conditioning Association, 1994, *Essentials of strength conditioning and training* (Champaign, IL: Human Kinetics): **ejercicio, «a-c», «Cargada desde media pierna» (pág. 220)** adaptado, con permiso, de la pág. 394; **ejercicio, «a-c», «Cargada» (pág. 221)** adaptado, con permiso, de la pág. 392; **ejercicio, «a-c», «Peso muerto» (pág. 222)** adaptado, con permiso, de la pág. 380.

De C. Norris, 1995, «Spinal stabilisation,» *PhysiotherapyJournal* 81 (3): **ejercicio, «a-c», «Evaluar el equilibrio muscular del glúteo mayor» (pág. 104)** reimpreso con permiso, from pág. 26.

De C. Norris, 1998, Diagnosis and management, 26 ed. (Oxford: Butterworth Heinemann): **figura 2.12, «a» y «b» (pág. 40); figura 2.14, «a» y «b» (pág. 43); figura 2.16 (pág. 47)** reimpreso de la pág. 18; **ejercicio, «a-d», «Elevación de rodilla de pie en posición vertical» (pág. 80); ejercicio, «a-d», «Evaluar el ritmo pélvicolumbar al arrodillarse en posición prona» (pág. 81); ejercicio, «a» y «b», «Movimiento bisagra de la cadera en posición vertical» (pág. 82); ejercicio, «a» y «b», «Reconocer una abducción falsa de cadera» (pág. 83)** reimpreso de la pág. 167; **figura 4.4 (pág. 99)** reimpreso de la pág. 155; **descripciones de ejercicios del capítulo 5; figura 5.2 (pág. 104) y figura 5.3 «a» (pág. 104)** reimpreso de la pág. 145; **figura 5.7 (pág. 109) y figura 5.8 (pág. 110); ejercicio, «Evaluar el equilibrio musuclar del psoasiliaco» (pág. 112); ejercicio, «Evaluar el equlibrio muscular del glúteo mayor» (pág. 112): ejercicio, «Evaluar el equilibrio muscular en el glúteo medio» (pág. 113); ejercicio, «Medio lunge (semiflexión)» (pág. 122), ejercicio, «Descenso de cadera» (pág. 123), ejercicio, «Extensión activa de cadera, aguantándose el muslo» (pág. 124). ejercicio, «Extensión activa de cadera, empujando contra el muslo» (pág. 124) y ejercicio, «El estiramiento trípode» (pág. 124)** reimpreso de la pág. 175; **figura 6.1, «a» y «b» (pág. 128)** reimpreso de la pág. 176; **figura 6.2 (pág. 129) y figura 6.3 (pág. 132)** reimpreso de la pág. 177; **ejercicio, «Descenso de piernas» (pág. 135); ejercicio, «Elevación de la cadera estirado en un banco» (pág. 135) y ejercicio «a», «Elevación de piernas colgado de una espalderas» (pág. 136)** reimpreso de la pág. 177; **ejercicio, «Flexión y extensión pliométrica utilizando un saco de boxeo» (pág. 226) y ejercicio, «Tirar la**

pelota con la elevación de las piernas» (pág. 227) reimpreso de la pág. 129. Todos los dibujos han sido reimpresos con el permiso de Butterworth Heinemann Publishers, una división of Reed Educational & Professional Publishing Ltd.

De C.M. Norris, 1997, *Abdominal Training* (London: A & C Black): **ejercicio, «Corrección de la postura de hiperextensión de columna» (pág. 157)** y **ejercicio, «a» y «b», «Extensión pasiva de la espalda en decúbito prono» (pág. 161)** adaptado, con permiso, de la pág. 38. Ilustraciones de Jean Ashley.

De P.B. O'Sullivan, L.T. Twomey, y C.T. Allison, 1997, «Evaluation of specific stabilizing exercise in the treatment of chronic low back pain with radiological diagnosis of spondylolysis or spondylolisthesis,» *Spine* 22 (24): **figura 1.1 (pág. 19)** adaptado, con permiso, de la págs. 2959-2967.

De C.A. Richardson y M.I. Bullock, 1986, «Changes in muscle activity during fast, alternating flexion-extension movements of the knee,» *Scandinavian Journal of Rehabilitation Medicine* 18: **figura 5.4 (pág. 106)** y **figura 5.5 (pág. 107)**, reimpreso con permiso, de las págs. 51-58.

De J. Watkins, 1999, *Structure and function of the musculoskeletal system* (Champaign, IL: Human Kinetics): **figura 2.1 (pág. 26)** reimpreso de la pág. 61; **figura 2.2 (pág. 26)** reimpreso de la pág. 63; **figura 2.5 (pág. 29)** reimpreso de la pág. 145; **figura 2.6 (pág. 29)** reimpreso de la pág. 150.

ÍNDICE ALFABÉTICO

Las figuras y las tablas están indicadas con las letras de inicio F y T seguidas del número de la página. Los ejercicios y las evaluaciones tienen los números en cursiva.

SOBRE EL AUTOR

Christopher M. Norris, MSc, MCSP, tiene más de veinte años de experiencia como fisioterapeuta y como científico deportivo. Su especialidad es la terapia con ejercicios. Actualmente es el director de Norris Associates en Manchester, Reino Unido.

Es un experto sobre la estabilidad de la espalda, Norris es autor de cuatro libros. Uno de sus libros sobre lesiones deportivas está actualmente en segunda edición y ha sido acogido por la mayoría de escuelas de fisioterapia del Reino Unido. Ha enseñado, en la British Association of Sports Medicine, entrenamiento de flexibilidad y rehabilitación de espalda. Además de ser un importante asesor para grandes compañías, Norris ha publicado el primer examen sobre la estabilidad de espalda en una serie de artículos en el *Physiotherapy Journal*.

Norris es un miembro de la Chared Society of Physiotrherapy y de la Society of Orthopaedic Medicine. Es titulado en Occupational health physiotherapy, titulado en acupuntura avanzada y titulado en administración de empresas.

Él y su esposa Hildegard viven en Paek Sistrict Nacional Park. Disfruta caminando y practicando Ju Jitsu.